KB083994

조드

가난한 성자들

2

김형수 장편소설

가난한 성자들

2

자음과모음

차례

1권

2권

6

비 오기 전의 바람,
늑대 오기 전의 까마귀

1

부르 초원의 전투는 메르키드 부족에게 돌이킬 수 없는 타격을 주었다. 그 후일담은 유목민 사회에 널리 회자되어 토오릴칸이나 자무카를 노리는 여타 세력에게 깊은 경각심을 불러일으켰다. 특히 상층의 사람들, 각 부족의 귀족들에게는 자무카의 재능이 무수히 많은 화제를 뿌렸다. 그러나 세상의 구조는 인간이 예측하기에는 너무나 복잡했다. 이야기가 번지면 번질수록 엉뚱하게도 새로 돋은 별이 도드라졌는데, 그 주인공은 테무진이었다. 겨우 일곱 명의 사내로 사만 명의 군대를 만들고, 빼앗긴 아내를 찾았으며, 끝까지 전리품을 갖지 않은 사람. 그것은 유목민들에게 참으로 신선한 감동을 주었다. 사실 유목민들은 모든 것을 빼앗거나 한꺼번에 잃고 마는 전쟁 놀음에 신물이 나 있었다. 그래서 누구에게나 인간의 품격에 대한 갈망이 숨어 있었는데, 테무진 이야기는 정확히 허기를 충족시켰다.

그러나 정작 테무진의 게르에서는 전혀 다른 긴장이 돌고 있었다. 버르테가 오던 날부터 모든 가족이 말수가 줄었다. 후엘룬은 초긴장 상태로 큰아들의 눈치를 살피기에 여념 없었다. 그래서,

"어머니, 형이 전리품을 하나도 챙기지 않고 다 줘버렸어요."

후엘룬은 카사르의 볼멘소리를 얼른 막는다.

"늑대와 개를 함께 길러보면 알아. 먹을 것을 줘도 개는 바로 먹지만 늑대는 사람이 없어야 먹는다. 누가 옛다 하고 동정하는 것은 안 받아먹는 게 늑대 새끼지."

카사르는 그게 무슨 상관이람 싶었지만 어머니의 태도가 단호하니 조용해지고 만다. 테무진은 날마다 보오르추랑 젤메랑 앉아서 웃고 떠들다가 밤이면 자무카와 자고, 아침에 가족의 품에 돌아왔다. 물론 어김없이 밝은 표정이 계속되었다. 그러나 테무진이 좀처럼 속을 드러내지 않으니 마음이 편하지 않았다. 하루는 해가 지고 달이 뜨기 직전의 누런빛 때에 후엘룬이 테무진을 불러 게르 뒤로 나갔다.

"버르테에게 산기가 있구나. 오늘은 어디 가지 말고 근처에서 기다려. 흥분되지 않니? 나는 아들이었으면 좋겠다."

"네, 저도 그래요."

나름대로 맞장구를 쳤는데 청천벽력이 떨어진다.

"기쁨이 왜 배꼽에서 나오지 않고 허파에서 나와? 너 혹시 황금색 늑대귀 말의 아비가 어떻게 생겼는지 아니?"

버르테가 적장의 아이를 잉태해온 것을 흔쾌히 받아주지 않을까 봐서 그러는 것을 즉각 깨달았다.

"어미도 납치된 여자였다. 네게 알몸을 검사받으랴? 혹시라도 버르테에게 이상한 생각이 들거들랑 그게 바로 어미를 부정하는 짓임

을 알아라. 전쟁은 사내들이 벌이고, 원망은 아낙네들에게 하는 것들도 있더라. 죄 없이 붙들려 다니면서도 아이를 낳고 자식을 기르는 것은 언제나 여인들이었다. 두 번 말하지 않겠다. 나는 버르테가 겁탈당할 만큼 허술한 아이로 보지 않는다. 문제는 버르테의 마음속에 들어 있는 사내가 누구냐는 거지. 그게 테무진이면 버르테의 아이 역시 테무진의 애인 거야. 아이가 태어나는 것을 진심으로 기뻐하지 않으면 우리가 이 집을 나갈 거다."

"그럴 일은 없어요, 어머니!"

테무진은 그때 어머니의 눈에서 뭔가 번쩍, 하는 것을 보았다. 벡테르를 죽였을 때 보았던 그 빛이었다. 너무나 무서워서 얼른 대답했지만 소리가 나오지 않고 어둠 속에 묻혀버렸다.

그 시각에 말 등뼈 산에서는 달의 아들이 마지막 외출을 나서고 있었다. 달이 솟아오르자 어느새 텅 빈 젖통 호수를 돌고 있다. 그곳에서는 한동안, 세상에서 가장 무서운 두발짐승의 눈빛 중에서도 특히 무서운 눈빛을 가진 소년이 살았는데, 어느 가을에 늑대귀 말을 타고 떠나 다시는 오지 않았다. 달의 아들은 그 눈빛이 생각나서 소년이 버릇처럼 그랬듯이 검은 심장 산에서 뒹굴어본다. 대지의 맥박이 두근두근 뛰는 소리가 들린다. 모든 동물이 심장 앞에 젖통을 두고 있다는 것은 얼마나 상징적인 일인가. 달의 아들은 젖통 바로 밑에 엎드려 자신의 생애가 끝나가는 것을 느끼고 있었다. 두발짐승과 싸웠던 혈투의 시간들이 아스라하게 떠오른다. 파란만장한 생애였다. 두발로 사는 것들이 얼마나 지독한 짐승인가는 초원의 풍경이 증명하고 있었다. 물이 풍부하고 아름다운 징골기는 죄다 놈들이 차지해버렸다. 푸른 하늘이 늑대에게 그런 시련을 주지 않았다면 늑대도 여우처럼 잔꾀로 사는 종자가 됐을지 모른다. 그런 앞뒤 없는 생각들 속으로 찬바람이 거칠어지고 있었다. 언젠가 미친 여자와 마주치던 날의 그 바람이다. 그날, 실로 오랜만에 젊은 늑대들이 출동하여 오논강의 양 떼를 덮쳤다. 사냥꾼의 반격을 받고 흩어질 때 달의 아들은 오논 강을 택했다. 하지만 깊은 밤, 버드나무 밑에서 두발짐승과 맞닥뜨리게 될 것을 어찌 상상이나 했을까? 둘 다 깜짝 놀랐다. 그리고 납득할 수 없는 실수를 남기고 왔다. 긴 머리를 흩날리는 이상한 두발짐승이 달의 아들의 이동 경로를 끝까지 보고 있었던 것이다. 다시 가서 없애고 올까? 그러나 이상하게 내키지 않는다. 그렇게 떠나온 길을 다시는 갈 수 없다는 것을 다들 왜 잊는지 모른다. 그 생각을 끝으로 달의 아들은 지상에서 영원히 눈을 감았다. 그 눈빛이 하늘의 달에게로 옮겨갔는지 붉은 만월이 엄청나게 환하게 비친다.

그때 코르코낙에 있는 자무카의 영지에서는 테무진이 갑자기 솟아오른 달의 한가운데로 늑대가 들어가 앉는 모양을 보고 있었다.

'달은 늘 다른 모습을 하는구나!'

이내 족제비할머니가 뛰어왔다.

"지금 아이를 낳고 있어요."

"그런데 왜 나왔어요?"

"마님이 직접 받는대요. 후엘룬 마님이 기도하고 있어요."

잠시 후 갓난아기의 장쾌한 울음이 터져 나오는데 지상에 없었던 새로운 목소리이다. 다시 족제비할머니가 뛰어와 테무진을 끌고 간다.

"사내예요. 요만한 걸 달고 나왔어요."

테무진이 후다닥 들어가 아주 환한 얼굴로 아이를 안고 밖으로 튀어나왔다. 엄청난 장수가 될 셈인지 붉은 만월의 달이 절정에 이르러 있었다. 테무진이 아이를 높이 쳐들고 달덩이를 향해 소리 지른다.

"신령님, 아들을 낳았어요. 이름을 주세요."

테무진은 나이 스무 살에서야 진정한 유목민이 된 기분이었다. 아홉 살 이래 채집과 수렵으로 연명해온 시절을 자무카의 쿠리엔에서 슬그머니 마감하고 있었던 것이다. 그의 코는 쉽게 아르갈 연기에 정들었다. 게르의 천창에서 고드름이 떨어져 화로에서 녹는 풍경도 눈동자의 깊은 곳에 저장되었다. 자연의 연쇄 고리 한 가닥을 유목민이 관리할 수 있도록 옮겨다 놓은 유목의 틀은 얼마나 신기하기만 했던가. 겨울이 되자 교미를 하도 해서 기운이 하나도 없는 숫양들을 들여다보다가 한번은 새끼 양을 놔두는 울에서 어른 양처럼 큰 놈을 발견하였다.

"저 녀석은 왜 저리 커?"

유목 체험을 제대로 하고 자란 사람이 보오르추뿐이라 그가 곁에 있으면 질문이 많아진다.

"복이 많은 놈이라 그래. 테무진이 처음 방문했을 때 우리 후훠 남질 선생께서 어미가 둘인 양을 잡으라 했던 거 생각 안 나?"

"아, 그때? 어미가 둘인 건 모르겠고, 덩치가 아주 큰 양을 잡았지."

"하하, 저게 그거야. 어미 둘 가진 양. 저걸 두 살 때 잡으면 가장 좋은 고기가 나오지."

"양 새끼가 어떻게 어미가 둘일 수 있어?"

"있어. 양은 가끔 쌍둥이, 세쌍둥이를 낳기도 해. 헌데 보통 한 마리씩을 낳지. 겨울에서 봄 사이에 아주 배고플 때 태어난다고. 춥기도 해서 새끼가 죽는 수가 좀 잦아. 그래도 어미는 젖이 나와서 줄줄 흐르지 않겠어? 그렇게 되면 새끼를 위해서가 아니라 이제 어미를 위해서 젖을 먹여야 하는 거야. 별수 없이 다른 새끼를 데려다 젖을 물리게 해. 그럼 이 새끼는 두 어미의 보호를 받으며 크게 되지. 그 배고픈 시기에 날마다 두 배로 잘 먹어서 뒤룩뒤룩 살이 쪄. 토실토실해져서 아주 잘생긴 놈이 되는 거야. 하늘이 내린 행운아지."

"하하, 우리 벨구테이 같은 놈이로군."

하다가 얼른 입을 다물어버렸다. 벡테르가 죽은 이후에 후엘룬과 생모가 경쟁적으로 아끼고 챙긴 사람이 벨구테이였다. 그런데 이번에 생모를 잃고 얼마나 깊은 실의에 빠져 있는지 아직 달랠 임자가 없었다.

"한데, 난 아들 이름을 못 지었어. 버르테가 서운해 하면 어떻게 하지?"

테무진은 여기저기 아들 자랑을 하고 다녔지만 다들 듣기만 할 뿐 누구도 함부로 대꾸하지 않았다. 그 자신도 복잡해지고 싶지 않으니 터놓고 말을 나눌 사람이 보오르추밖에 없었다.

"아주 근사하게 지어야지. 우리 후훠 남질 선생한테 물어볼까?"

그 아이의 이름을 짓는 것처럼 어려운 일은 없었다. 어머니에게 함부로 짓는 느낌을 주어서는 안 되기 때문이었다. 그래서 잘 지으려다 막히고 나니 생각할수록 미궁에 빠졌다.

"나는 보오르추 어머니의 목소리가 늘 귀에 쟁쟁해. 내 아들 보오르추야, 이러던 거. 또 이렇게 귀한 나그네가 어디 있어, 하면서 내 아들 보오르추의 손님이니 내게도 손님이지, 하셨을 때, 아, 꿈같아. 난

처음으로 사람대접을 받는 행복감에 잠겼어. 나그네를 그렇게 만들 줄 아는 어머니의 목소리는 정말 대단해."

그러다 테무진의 눈이 번뜩인다.

"보오르추, 지금 아들 이름을 생각해냈어. 주치, 나그네. 어때? 자네 어머니의 목소리로 부르면 세상에서 가장 예쁜 말이 되는데."

"하, 멋있어. 좋아."

보오르추가 찬성하자 테무진은 신이 나서 곧장 자무카에게 달렸다. '주치' 이야기를 꺼내는 순간 연거푸 감탄을 한다.

"테무진이 지었어? 좋구나. 흰솜꽃을 따라간 염소가 무리에서 멀어져 혼자가 되는 것처럼 우리는 외로운 나그네로 사는 거야. 인생은 장작불 같은 생명이 나그네처럼 지나가며 타버리는 거라고."

어느새 겨울밤이 하얗게 깊어가고 있었다. 사방에 양과 염소가 몰려들어 게르의 앞뒤와 양옆에서 사르륵거리는 소리가 들린다. 자무카는 벌써 몇 밤을 새어가며 떠들고도 아직도 못 한 이야기가 남아 있는지 테무진을 붙들고 또 이야기를 시작한다.

"테무진! 이런 시 들어봤어? 꽃 밟고 말 달리니 말발굽에 향기 나네. 소리는 그럴싸하지. 한데, 이게 시야? 정착민 놈들이 성을 높이 쌓아놓고 제 백성들 피를 빨아먹으면서 만날 하는 짓이 이런 거라고."

테무진은 아무 소리도 없이 조용히 듣기만 한다. 대꾸를 하지 않으니 듣는지 마는지 알 수 없어서 자무카가 다시 묻는다.

"테무진! 재미없지?"

그럴 리가 없다. 테무진은 자무카를 만나야 하나라도 얻는 것이 있었다. 뭐라고 추임새를 넣고 싶은데 오히려 수준을 맞출 수 없어서 안타깝던 것이다.

"그건 내게 조금 어려운 지식이야. 한데, 아주 재미있어."

자무카는 칭찬을 듣고 신이 오른다. 부하들에게는 아무리 떠들어도 못 알아듣는 소리를 테무진에게 들려주면 어떤 것이 되든 통하지 않는 게 없었다. 특히 등잔불처럼 흔들리던 눈빛이 태양처럼 타오르다가 달빛처럼 고요해지는 모습을 보면 자신이 했던 말에서 자기 스스로도 전혀 새로운 뜻을 얻고는 했다. 그래서 자무카는 영감에 가득 찬 의형제의 모습이 자랑스럽기만 하다.

"만개한 꽃은 곧 지려는 기색이 완연하고, 꽉 찬 보름달은 금방 기울려는 기운이 역력하다. 이런 게 다 개가 염소 뼈다귀 핥아먹는 소리라구."

"자무카, 나는 내가 마음에 안 들어. 이건 아주 어렵게 꺼내는 말인데, 모르는 걸 가르쳐줘서 고마워. 그리고 조금 미안해."

자무카의 가슴은 다시 파문이 일었다. 저렇게 대지를 닮은 사내가 또 있을까? 아무 씨앗이나 떨어뜨리면 바로 꽃을 피우고 열매를 맺을 것 같은, 전 고원을 통틀어도 몇 뼘 되지 않는 신비에 젖은 땅 같은 느낌이 들었던 것이다. 그 때문인지 테무진과 있으면 마음이 가라앉혀지지 않아서 의도하지 않은 이야기들이 쉴 새 없이 쏟아져 나오곤 했다.

"성 놈들은 씨익, 웃는 것을 '미소'라고 하지. 깔깔 소리가 나는 너털웃음을 '파안대소'라고 해. '미개안소(眉開眼笑)'는 눈썹이 열리게 웃는다는 뜻이야. 동물 소리는 어떻고? 흉내를 내보라면 후이- 후이- 이게 말 울음소리야? 글자를 써놓고 그냥 읽는 수작이지. 동물이 우는 소리를 그냥 따라 하면 될걸. 도대체 어떤 개가 왕왕- 하고 짖냐고?"

테무진을 좋아하는 사람이 자무카만은 아니었다. 예수게이를 따르던 옛 부족민은 대부분 테무진의 성장사와 자신들의 수난사를 하나로 생각했다. 식구가 아파도 귀족들을 찾아가 굽실거리지 않으면 우유 한 모금 얻을 수 없고, 억울한 일을 당해도 무당이 아니면 하소연할 데도 없던 천덕꾸러기들이 정신적 고향을 만난 셈이다. 전쟁이나 조드를 맞을 때마다 신분이 뒤죽박죽되어서 또 다른 전쟁으로 지위를 뒤집을 때까지 불평등이 계속되는 세상에서 테무진은 하늘에서 떨어진 한 점 빛 같은 사람이었다. 그는 하층민과 아무 편견 없이 어울리는 유일한 귀족이었다. 그럴 수밖에 없는 것이 어머니가 날마다 그렇게 가르쳤다. 메르키드 전에서 주운 전쟁고아를 데려왔을 때 들려준 이야기가 이랬다.

"옛날에 자식이 없는 여자들에게 아이를 열여덟 개의 뿔 위에 얹어다 준 고마운 사슴 이야기가 있지? 무슨 얘긴 줄 아니? 부모는 자식을 낳아도 몸을 낳을 뿐 마음을 낳지 못해. 마음은 기르는 자의 것이야. 너의 자식을 갖고 싶으면 너의 마음을 심어라. 훌륭한 마음을 심으면 훌륭한 자식이 나와."

테무진이 주치를 받아들인 건 그 출발점이었다. 하층민들은 다들 먼저 아는 체를 했다. 낮에 사냥으로 얻은 것을 밤중에 가져다주는 사람도 많았다.

그 적나라한 현장을 누구보다도 영리한 모칼리가 보았다. 그날은 젤메가 놀러 오라고 하던 걸 미루다 찾아간 날이었다. 자무카의 게르를 돌아 막 젤메를 부르려 하는데, 안에서 테무진이 외치는 소리가 들린다.

"밖에 보오르추 있어? 나 지금 못 나가. 젤메 녀석이 욕하잖아, 눈병 고쳐준다고."

눈병이 나면 욕하는 것은 흉노 때부터 내려오는 풍습이었다. 하지만 종과 주인 사이에 그러는 모습이 얼마나 정겨워 보이던지 모칼리가 밖에서 마른기침을 한다.

"혹시 젤메는 없습니까?"

그러자 막내 여동생 테무룬이 덮개문을 열었다.

"젤메 오빠는 물다람쥐를 구하러 갔어요."

이윽고 안에서 테무진의 목소리가 흘러나온다.

"젤메 친구면 들어오라고 해라."

그래서 고개를 들이미는 순간, 모칼리는 하마터면 폭소를 터뜨릴 뻔했다. 테무진이 양 새끼를 안고 있는데, 도무지 자세가 나오지 않았다. 한눈에 봐도 못된 숫양 하나가 사고를 쳐서 낳은 새끼 양임에 틀림없었다.

양은 보통 늙은 가을에 교미를 하여 젊은 봄에 새끼를 낳는다. 한 달쯤 젖을 먹다가 물오른 풀을 뜯어야 기운을 차리기 때문이다. 새순을 먹기 시작하면 무럭무럭 자라서 수컷은 금방 작고 예쁜 뿔이 돋는다. 그때 거세시키지 않으면 산양처럼 뿔이 굵어지면서 분별없이 교미를 하려고 덤벼 씨앗 전쟁이 벌어지는 것이다. 유목민들은 그것을 방지하기 위하여 종자 가축을 따로 관리하고 나머지는 죄다 거세를 시킨다. 그런데 가끔 뿔이 없어서 숫양인 줄 모르고 지나가는 경우가 생긴다. 거세할 때 빠트린 숫양은 여름에서 가을까지 내내 도둑장가를 들어 암컷들에게 줄줄이 임신을 시키고 만다. 그런 놈이 끼어 있으면 유목 생태계가 교란되어 주인이 보통 고생하는 게 아니다. 양들은 스스로 계절 조절을 하지 못하니, 가을에서 초겨울에 태어난 새끼들은 마른풀을 뜯다가 죽고 만다. 그 때문에 필사적인 구출 투쟁이 벌어지는 것이다. 추위가 가실 때까지 양 새끼를 게르에 들여놓고 사람보다 더 애지중지하며 특별 관리를 해야 된다.

그런데 테무진이 어디에서 가져왔는지 그런 양 한 마리를 안고 씨름하는 것이 그토록 우스꽝스러웠던 것이다. 아니나 다를까 어머니가 곁에서 싫지 않은 잔소리를 한다.

"아이고 푼수 아드님! 제 새끼한테도 쩔쩔매는 건달님께서 어쩌자고 양 새끼는 데려다 저리 고생인지. 덕분에 온 가족이 한숨도 못 잤네."

모칼리는 보지 않아도 풍경이 환하게 그려졌다. 털 때문에 화로 곁에도 못 가는 어린 양을 지킨다고 옷을 덮어주다 보면 새벽에 눈치 없이 울어버리기 일쑤였다. 전날 밤에는 새끼 양이 메에, 메에- 하는 소리를 듣고 어미 양이 게르 옆까지 와서 제 새끼를 데려가겠다고 애타게 울고 만 것이다. 그 소리가 어찌나 크든지 젤메가 밤새 깔깔거리며 테무진을 놀려서 결국은 옆 게르에 있던 주치까지 깨고 말았다. 그 바람에 어머니가 쫓아와서 난리를 치는 바람에 온 가족이 잠을 설쳤던 것이다.

모칼리는 젤메의 환경이 그렇게 부러울 수가 없었다. 자기도 주인의 총애를 받지만 어떻게 해도 쥐르긴 족은 흰 뼈와 검은 뼈의 차별 의식이 골수까지 박힌 집단이었다. 그래서 좀 머무르고 싶은 마음을 읽었는지 테무진이 그를 잡는다.

"젤메 친구라고 했지?"

"모칼리요."

"아, 저번에 들었어. 여기서 기다려."

"쥐르긴의 종인데, 있어도 되는가요?"

"그게 왜?"

그런 걸 따지는 집안이 그런 풍경이겠는가? 게르 한쪽에는 메르키드 전 때 주워온 아이 둘이 나란히 앉아 있는데, 하나는 사내아이 쿠추이고 하나는 계집아이 알타니였다. 사내아이는 말끔하나 계집아이는 콧물이 입술까지 내려와 테무룬이 곁에서 소매 깃으로 쓰윽 문질러준다. 후엘룬이 옛이야기를 하던 중이었는지 다시 이야기를 잇는다.

"아까 어디까지 했지?"

"해가 일곱 개가 떴다고 했어요."

"맞아, 그래서 세상이 난리가 났어. 에구 에구, 큰일이야. 온 땅이 뻘겋게 타서 풀잎이 다 말라 죽네. 사람들이 안 되겠다 싶어 명사수를 불렀어. 에르히 메르겐."

그때 테무진이 끼어들었다.

"어머니는 누구에게도 그러지 않는데 왜 저한테만 꼭 이놈 저놈 하세요?"

후엘룬이 이야기를 하다 말고 돌아다본다.

"그래, 이놈아. 안 그러면 숨통이 막힐 것 같아 그런다. 어미라고 너를 이길 수 있겠니? 정 서운하면 끼어서 듣던지."

"하하, 타르박 얘기는 이미 들었어요. 옛이야기를 하는 솜씨는 어머니가 족제비할머니를 못 따라가는 걸 알지요?"

"계속 떠들면 밖으로 쫓는다. 이제 밤에 양 새끼를 울려도 쫓을 거야."

후엘룬은 함부로 말하고 돌아서는 기분이 괜찮았다. 어미의 말을 저토록 잘 듣는 자식이 어디 있는가. 그래서 더욱 신이 나서 떠든다.

"쿠추야. 그 명사수는 일곱 개의 해를 화살 일곱 개로 맞추겠다고 약속하고, 여섯 개를 쏘아서 맞췄어. 그리고 막 일곱번째 해를 쏘는 순간 제비가 가로막았으니 어쩜 좋아. 시위를 떠난 화살이 꼬리만 찢어놓고 말았지. 그래도 약속은 지켜야 하잖아. 에르히 메르겐은 울면서 엄지손가락을 자르고, 남자이기를 그만두고, 물을 마시지 않고, 마른풀도 먹지 않고, 캄캄한 굴에 들어가 타르박으로 변했어."

"와, 재밌어요. 그런데 제비한테 화를 내지 않고 참았어요?"

"왜 참아? 제비 때문에 일을 망쳤다고 몹시 화가 났지. 그래, 매처럼 빠른 얼룩말을 타고 해가 질 때부터 뜰 때까지 온밤을 추격했어. 한데, 얼룩말이 놓치고 만 거야. 더욱 화가 나서 앞다리를 싹둑 잘라버렸지. 얼룩말의 앞다리가 짧은 이유를 이제 알겠지? 또 제비도 화가 났어. 그래서 해가 질 때마다 말 탄 사람의 앞뒤를 날아다니며 조롱하듯이 빙빙 도는 거야."

테무진에게는 행복한 날이 계속되었다. 자무카는 그것이 그렇게 좋을 수가 없었다. 사실 알랑고아의 다섯 자식들에게서 나온 부족이 얼마나 많은지 자무카는 종파를 다 셀 수 없을 지경이었다. 바보 조상의 형이 만든 부족, 자식이 만든 부족, 또 자식들이 갈라져서 생겨난 부족들이 저마다 흰 빼랍시고 좀처럼 말을 들어먹지 않았다. 왜냐하면 자무카가 족외인 부족(자다란 부족), 즉 보돈차르 몽학이 주워온 여자의 뱃속에 있었던 오랑카이의 핏줄인 까닭이었다. 그에 비추어 테무진은 전혀 다른 사람이었다. 비록 보르지긴의 장손에서 장손으로 이어지는 종가는 아니지만 그 법통을 함께 가진 키야트 씨족의 장남으로서, 이미 부족연합체의 수령을 지낸 예수게이의 아들이었던 것이다. 자무카가 성격상 내놓고 말하지는 못하지만 간절히 바라는 게 있다면 그것은 테무진이 자신과 함께 행동해주는 것이었다. 만약 그렇게만 되면, 그는 겨우 족벌 싸움이나 할 뿐인 귀족 집단과 대의 명분으로 통치할 정치 집단의 차이를 내세워 어린 몽골을 재건하고, 나아가 고원을 통일할 자신이 있었던 것이다. 그래서 테무진을 한없이 배려했으며 또한 예수게이의 백성들이 테무진을 좋아하고 따르도록 마음껏 방치해두었다.

하지만 사람과 고기는 오래 두면 반드시 썩는 법이다. 두 사람이 뜨겁게 우애하기를 한 해 하고도 반이 지나가던 어느 날, 자무카는 테무진의 영향력이 커지자 자신의 세력 구도에 중대한 변화가 생기는 것을 발견하였다. 자무카가 존중하는 것은 인간 테무진이었지 개뼈다귀 같은 귀족들의 키야트 족보가 아니었다. 한데, 큰집의 종손이라는 것들, 또 그 큰집의 더 큰 종손이라는 것들이 자꾸 모임을 만들어 테무진을 불러내는데 냄새가 전혀 향기롭지 못했다. 몇 번이나 눈치를 주었는데도, 무슨 제사가 그리도 많은지, 전에 안 하던 종친회까지 다 챙기고 있었다. 자무카는 이를 보르지긴 내부의 귀족 집단이 준동을 하려는 전초로 보았다. 당장에 키릴툭이 이끄는 타이치우트족도 복속시키기가 어려운 터에, 기존에 순종하던 부족조차 나대기 시작하면 문제가 아닐 수 없었다. 만일 쥐르긴 족처럼 무장도 잘되고, 전투력이 센 자들이 요동을 치면 아직 울루스(유목국가)를 세우지 못한 자무카로서는 얼마든지 위기를 맞을 수 있었다. 그래서 두 귀족의 대표를 불렀다.

"알탄, 그리고 코차르. 그대들은 한때 왕자였지? 지금의 어린 몽골은 겉옷만 있지 몸뚱어리가 없어. 울루스를 세운다면 만백성이 축하할 일이야. 한데, 칸은 누가 할까? 나의 자다란 족과 그대의 보르지긴 족이 전쟁을 해야 될 것 같은데."

이렇게 들이대자 얼굴들이 하얗게 질렸다. 거기에 쐐기까지 박는다.

"죽은 씨낙타의 대가리로 살아 있는 거세 낙타를 떨게 하자는 수작이라면 집어치우라고 해. 나도 보돈차르 몽학 님의 자손이야."

테무진은 이런 불상사가 있었던 걸 까마득히 몰랐다. 그러다 계절 영지를 옮기던 여름 첫 달의 열엿새 붉은 만월의 날, 두 의형제가 행렬의 선두에서 막 출발하려던 참에 자무카가 조용히 테무진을 불렀다.

"형제! 어디로 갈까? 저 구름처럼 산그늘에서 머무르세, 말치기들을 위하여. 또 저 바람처럼 물소리가 들리는 골짜기로 가세, 양치기들을 위하여."

말은 귀족을 의미하고 양은 평민을 가리켰으니, 자무카는 공조를 제안한 것이었다. 하지만 테무진은 말뜻을 도대체 알아들을 수 없었다. 하나의 대열이 어떻게 두 곳으로 갈 수 있는가. 산지에 머문다면 말치기에게 좋을 것이고, 골짜기에 머문다면 양치기에게 좋을 것이다. 그렇다면 갈라서자는 말인가? 말속에 뼈가 있는 것은 분명한데, 줄기를 찾기가 어려웠다. 그래서 경솔한 실수를 하지 않기 위하여 슬그머니 대열의 뒤쪽으로 가서 어머니를 찾았다.

"어머니! 제가 지금 자무카의 말을 잘 못 알아듣고 있어요."

이때 주치에게 젖을 물리고 있던 버르테가 자세를 바꾸더니 딱 부러지는 의견을 내놓는다.

"여보, 그 사람은 변덕이 심하다고 들었어요. 이제 당신이 지겨워진 거죠. 밤에 멈추지 말고 가버립시다."

자무카가 보르지긴 족을 협박했다는 소문을 어디서 들은 것이다. 테무진도, 어머니도 여기에 일체 대꾸를 하지 않았다. 버르테가 다시 입을 연다.

"당신, 약혼하러 왔을 때 개를 무서워한다고 했죠? 그때 내가 겁쟁이를 만나는 줄 알고 등골이 얼마나 서늘해진 줄 아세요?"

버르테는 아홉 살 때의 일을 상기시키고 있었다.

"이곳에서 개가 되지 말고, 초원에 나가 늑대로 사세요."

테무진과 거의 같은 해석을 하고 있었던 것이다. 곁에서 어머니도 동의한다.

"버르테의 말이 맞는 것 같다. 그게 너야."

테무진은 곧 너커르(동지)들을 소집했다. 메르키드 전 때 참전한 동생들까지 일곱 명이 모인 것이다.

"오늘 이사할 때 나는 자무카가 멈춰도 계속 갈 생각이야. 보오르추 생각은 어때?"

"그럼, 식구를 늘려야지. 한 명이라도 많아야 돼."

"젤메 생각은?"

카사르가 끼어들었다.

"이 마당에 뭘 물어? 자무카 형이 큰집들 제사 지낼 때마다 인상 쓰던 거 몰라? 우리 친척들을 싫어하는 거잖아. 헤어질 거면 서두르자고. 한 사람이라도 더 데려가야 메르키드 놈들이 쳐들어오더라도 싸울 수가 있지."

동지들은 곧바로 흩어졌다. 이웃들을 만들러 간 것이다.

유목민이 계절 영지를 옮기는 것처럼 흥분되는 때는 없었다. 겨울 영지에서 봄을 건너 곧장 여름 영지로 옮길 때는 특히 더했다. 최전방에는 언제나 말 떼가 선다. 말은 눈이 좋아서 한밤중에도 전속력으로 달리고, 장애물에도 부딪치지 않는다. 그래서 말을 따라 나머지 가축들이 가는데, 많은 발자국들이 풀밭을 밟아서 거의 반들반들해져야 낙타가 걸을 수 있고, 낙타가 가야 무거운 짐이 이동되는 것이다. 낙타는 발바닥이 사막에 맞게 되어 있는 까닭이었다.

그날도 말은 사람을 따라, 소는 말을 따라, 염소는 소를 따라, 양은 염소를 따라, 낙타는 맨 뒤에서, 말 그대로 푸른 하늘이 만들어준 열을 지어서 가고 있었다. 사이사이에 끼어든 사람을 찾아 테무진 패거리는 눈코 뜰 새 없이 뛰어다녔다. 거세당하지 않은 새끼 망아지가 이제 종마로 나서기 위해 떠나는 기분이었다. 그래서 테무진은 낮에 짬짬이 쉬어두었다. 다음번 휴식 때 땅거미가 질 것이고, 자무카의 대열은 야영 준비를 하느라 시끄러울 것이며, 테무진은 멈추지 않고 계속 갈 것이었다. 보오르추가 서지 않는 한 말들도 계속 움직일 터이니, 뒤따르는 사람들이 테무진의 최초의 백성이 된다.

하지만 자무카는 초연했다. 맨 앞장에서 고개를 돌려보지 않고도 등 뒤의 풍경, 늦은 밤에 야영하는 풍경, 여름 목초지에 세워질 쿠리엔 풍경까지 그리고 있었다. 활기찬 대열이 모두 끝까지 가면 좋으련만 일부는 테무진을 따라가고 일부는 남아서 새로운 쿠리엔을 만들 것이었다. 대열이 등성이에서 엉기자 어미 말과 딱 붙어 있어야 하는 망아지들 틈에 다른 말들이 끼어들었는지 다투듯이 큰 울음을 우느라 난리가 아니었다. 이이, 힝힝힝-. 이이, 힝힝힝-. 세상의 어떤 소리가 어린 망아지가 목을 놓는 소리만큼 듣기 좋을까.

이윽고 저녁이 되어서 땅거미가 내리고 야영이 시작되었다. 자무카는 어둠 속에서 게르를 짓는 요란한 소리들을 기대고 앉아 밤 그림자가 너울너울 춤을 추며 빠져나가는 것을 보고 있었다. 철딱서니 없는 일부 백성들은 그것을 반기고 환영하는 분위기였다. 테무진을 따르는 자들이라는 게 대개 쓸모없이 입만 살아서 나불거리는 천덕꾸러기이기 십상이었다. 그러나 자무카는 왜 그리 허전한지, 또 테무진의 눈빛에서 결별의 빛이 읽히던 순간부터 왜 그리 깊은 고독감이 밀려오는지 알 수 없었다. 하지만 붙잡고, 구걸하고, 변명할 생각은 추호도 없었다. 그건 너무 옹색하지 않은가? 그래서 속으로 시를 읊어 달랬다.

어느 풀이 고통 없이 자랄 수 있는가
풀뿌리가 외치는 소리를 들꿩이 듣는다
바람은 어둠 속에서 혼자 날뛰고
땅은 귀에도 닿지 않게 소리 없이 우네

아쉽고 슬픈 이별의 노래였다. 어린 몽골이 울루스가 될 기회를 또 한 번 잃어가는 것을 자무카는 이렇게 우두커니 두고 볼 수밖에 없었다.

자무카가 그간에 백성을 통치하는 방식은 두 가지의 불완전한 압박에 의존하는 것이었다. 하나는 대규모 집단을 형성하는 쿠리엔이다. 자무카의 게르가 중앙에 자리하면 그의 심복들이 바람막이를 하고, 남은 백성들의 게르가 둥그렇게 큰 원을 만들어 적군이 돌진하거나 낯선 사람이 중앙에 들어올 수 없도록 울타리를 친다. 수많은 게르들이 모여 전투대형의 진지처럼 기동력 있는 이동마을을 만드는 것이다. 자무카의 부하들은 쿠리엔만 지키기 때문에 밖으로 쫓겨나는 것은 아주 위험하고 두려운 일이다. 그래서 백성은 시키는 대로 할 수밖에 없었다. 여기에 무슨 통치 이념이 있는가?

그러나 한편으로 가축이 많거나 부유한 유목민은 쿠리엔에 속하는 게 그렇게 불편할 수가 없었다. 대규모의 유목민이 한곳에서 사는 건 초지 문제로 늘 이웃과 충돌할 것을 작정하는 셈이다. 그 많은 가축을 먹여 살릴 초지가 한 장소에 누적되어 있을 까닭이 없으니, 누구나 자유롭게 돌아다니는 아일 식 유목(개별 유목)을 동경하게 되어 있었다. 특히 말은 엄청난 양의 초지를 소비하기 때문에 집단유목이 처음부터 불가능하였다. 나코 어른처럼 특별한 능력을 가져서 군마를 조달받으려는 자들이 경쟁적으로 보호하겠다고 나서면 모를까 안 그러면 힘센 자에게 많은 세금을 바치고 충성하는 길밖에 없었다. 이게 폭력 집단이 아니고 무엇인가.

사정이 이렇다 보니 세력이 약한 부족은 힘센 쿠리엔을 찾아서 동맹을 맺거나 예하 부족이 되어서 자무카의 보호를 받고자 했다. 이 같은 쿠리엔이 천 개가 모인다 한들 울루스가 될 리 없었다. 쿠리엔 식 유목을 청산하고, 영구 평화가 보장되는 아일 식 유목이 가능하려면 누군가 초원을 통일하여 거대 권력을 확보해야만 될 터였다. 인간이 인간을 사냥하는 야만적 행태를 뿌리 뽑을 통치 세력은 어떻게 해야 만들어지는가? 자무카가 테무진을 필요로 하는 지점이 바로 여기에 있었다. 자무카의 진영에 존재하는, 가문이라고 하는, 혈연관계에 기반하고 있는 수많은 폭력 집단이 이기적이지 않으려면 어떻게 해야 되는가? 유목민이 가축의 생태계를 지켜내듯이 통치자는 유목민의 안전과 생업을 관리할 명분과 힘이 있어야 된다. 그것을 제공할 수 있는 것은 유목민 집단의 충성심뿐이다. 테무진은 귀족에 속하면서도 가문의 기득권과 이해득실에서 빠져나와 바로 이 문제를 함께 고민할 수 있는 유일한 벗이었다.

자무카가 매우 착잡한 상태인 것을 아는지 모르는지 처여는 온갖 청승을 다해 노래를 부른다.

말 타고 싸우러 나가는
그이를 먼 곳으로 보내노라
임은 멀어지고
그림자조차 보이지 않네

노랫소리를 뒤로하고 테무진의 이동이 시작되었다. 겉으로 보기에는 한없이 초라한 행렬이었다. 숫자에 비추어 말도 얼마 안 되고, 담비외투를 입은 멋쟁이도 없다. 순전히 타르박 가죽을 걸친 하층민의 집합소였으니, 칠흑 같은 어둠이 감추어주기를 얼마나 잘했는가. 하지만 그들에게서는 남루한 차림새에 어울리지 않게 큰 감동의 물결이 출렁대고 있었다. 다들 들떠서 꿈속을 걷는 기분이었다.

"예수게이가 살아왔다! 메르키드 전 때 테무진은 전리품도 가져가지 않았다!"

테무진은 이동하면서 대열이 어느 정도일지를 가늠해보았다. 킬코 강을 건널 때 함께했던 염소서방 부대가 주류를 이루었다. 보오르추, 젤메, 카사르와 친했던 이웃들도 상당수가 묻어왔다. 자무카의 수하였던 쿠빌라이도 와버렸다. 그 밖에 테무진과 어울리고 싶어하던 사람 또한 부지기수였다. 자무카 진영에서 보면 뜨내기 부족의 절반에 가까운 백성을 퍼간 것이다. 줄잡아 오천 명? 유목민의 이동이 언제나 그렇듯이 테무진의 대열에서도 맨 앞은 말 떼였다. 말을 다루는 일이라면 타의 추종을 불허하는 보오르추가 선봉에 서니 그렇게 든든할 수가 없었다. 꼬리에는 벨구테이가 짐을 지키는 당번들과 아녀자들을 끌고, 사이사이에는 목자들이 끼어 있었다.

흥분해서 떠드는 것은 사람이나 가축이나 다를 바 없었다. 말이 발굽 소리를 내면 망아지들이 어미 말 곁에 붙어서 떨어지지 않으려고 갖은 짓을 다 한다. 어미에게서 한 발짝이라도 물러섰다가 헤어지기라도 하면 큰일이라 망아지들은 살짝만 건드려도 큰 소리로 운다. 그때마다 어미 말들이 자식을 부르는 소리, 망아지들이 어리광을 떠는 소리가 먼 지평선까지 쩌렁쩌렁 퍼져나간다. 그 뒤를 따르는 양과 염소들도 자야 할 시간에 깨어 있는 값을 하느라 갖은 심통을 내어 시끄럽게 울고 난리가 아니다. 신이 나는 것은 염소서방이요, 또 아이들이었다. 밤 이동 중에 동물이 떠드는 소리는 유목민의 심장을 고동치게 한다. 가축들이 날뛰어야 유목민은 비로소 살아 있다는 실감을 느낄 수 있었다. 대열의 곳곳에서 우-, 아-, 휘- 하는 각종의 외침 소리가 들린다. 역시 가축은 키우는 사람이 내지르는 음성을 들려주어야 안심하고 따라간다. 주인의 목소리를 듣지 못하면 혹여 늑대를 만날까 봐 겁을 먹는 것이다. 아이들이 졸려서 우는 소리, 관리하는 사람의 외침 소리, 말, 소, 양들의 울음소리. 그 엄청나게 시끄러운 소리들 때문에 다들 피가 끓는지 흥분을 가라앉히지 못했다.

그렇게 얼마를 갔을까? 테무진이 젤메를 부른다. 황금색 늑대귀 말이 번 서리의 어둠 속에서 감지된 수상한 농태를 읽어서 능짝의 근육을 움직여 테무진의 허벅지에 알려온 것이다.

"급히 수색대를 조직할 수 있어?"

"당연하지요. 대장님의 백성들을 좀 보십시오."

"먼 어둠 속에서 유목민 집단이 이동하고 있는 것 같아."

젤메가 신속한 동작으로 수색대를 만들어 떠났다. 대열은 아주 천천히 움직인다. 자무카 부대가 공격하지 않는 이상 인근에서 두려워할 집단은 없었다. 테무진이 한참을 살펴보니 저편에서는 잠결에 야습을 당한 것으로 착각했는지 상당한 규모의 쿠리엔 하나가 허겁지겁 도피하는 중이었다. 한참 후, 젤메가 수색을 마치고 와서 테무진에게 보고한다.

"타이치우트의 키릴툭 패거리인데, 우리가 떠나온 자무카의 영지로 피신했습니다."

"좋아, 그럼 우리가 키릴툭이 버려둔 야영지에서 쉬었다 가자."

테무진은 이렇게 하루 만에 일개 민간인에서 상당수의 백성을 거느린 유목민 지도자로 탈바꿈해버렸다. 군대를 운용할 줄도 알고, 실전을 지휘한 경험도 있었다.

"그럼, 쉬지요."

곁에서 호위대장처럼 움직이던 젤메가 권한다. 이내 테무진이 동의하여 신호를 보내자 보오르추가 뒤를 돌아보며 휴식을 명한다. 연쇄적으로 따르던 동물들이 걸음을 멈추면서 엄청난 크기의 굉음이 들리기 시작했다. 말들이 일시에 오줌을 싸는 소리이다. 소나 염소는 걸어가면서도 오줌을 싸지만 말은 휴식을 취할 때만 일을 보는 귀족적인 동물이라 그간 참았던 힘을 일시에 쏟아서 오줌발이 튀고, 온갖 정적을 삼켜버리는 폭포 소리가 난다. 다른 가축들도 더불어 오줌들을 싸느라 소리가 더욱 시끄러워진다.

아주 가늘고 고운 밤바람 소리를 배경으로 엄청난 굉음을 울리는 가축의 오줌 소리를 들으며 남몰래 눈물을 쏟는 사람이 있었다. 아무 소리도 없는 고요 속에서 한없이 속울음을 삼키는 여인은 후엘룬이었다. 예수게이가 죽고 초원에 버려져서 사투를 벌인 게 십 년이었다. 테무진이 키릴툭에게 붙들려 갔을 때는 죽었다고 생각해서 푸른 하늘에게 잘 봐달라고 밤마다 기도를 하기도 했다. 그러고도 얼마나 많은 고비를 넘었던지, 자기 때문에 아내를 빼앗겼을 때는 또 얼마나 속이 상했던지. 한데, 그 아들이 살아서 놀랍게도 십 년 만에 자기 쿠리엔을 거느리고, 기세를 우렁차게 올려 키릴툭을 쫓는 상황에까지 이른 것이다. 온밤 내내 들려오는 모든 소리가 아들의 숨소리이고 기침 소리이며 웃고 우는 소리였다. 후엘룬은 이 소리를 예수게이에게 자랑하고 싶었다.

'여보, 듣는가요? 저 시끄러운 소리들이 우리 테무진의 것이에요. 당신이 못한 일을 내가 했수그랴. 이제 죽어 하늘에서 만나거든 당신이 내게 잘 보여야 해요. 어제 버르테의 조언을 테무진이 듣고 따르는 걸 봤으니 이제 이승에 대한 미련은 접고 하늘나라에서 편하게 지내고 있으시구랴. 나는 테무진이 주치 문제를 이겨내는 걸 보면서 당신을 따라다녔으면 보지 못할 세상을 자식 때문에 볼 거라는 기대를 가졌어요. 이제는 당신이 있는 하늘보다 내가 있는 땅이 더 아름다운 곳이 될지 몰라요.'

어머니의 그런 기척을 테무진도 눈치 챘지만 일절 알은 체를 하지 않았다. 자신의 몸은 이미 혼자의 것이 아니라 자기를 따라온 수많은 사람들의 것이기도 하기 때문이었다.

키릴툭이 버리고 간 영지에서 금방 모닥불이 피어오르기 시작했다. 사람들을 부려놓자 구름처럼 뭉쳐졌다 풀어지는 어둠의 한쪽이 다시 뭉친다. 그 속에서 느닷없이 아이의 울음소리가 들린다. 키릴툭의 부족이 얼마나 혼비백산했는지, 아이 하나를 떨어뜨리고 간 것이다. 어둠 속에서 우는 아이를 후엘룬이 발견하여 얼른 뛰어가 끌어안는다.

"하마터면 늑대의 손을 탈 뻔했구나. 아가야, 내가 키우마."

순식간에 밤공기가 훈훈해진다. 누가 봐도, 앞으로 검은 뼈라고 천대받을 일은 없을 장면이 펼쳐진 것이다. 유목민은 계보가 없는 사람을 믿지 않는다. 말들도 족보가 있는데 사람이 어찌 없을 수 있는가. 자기의 출신지와 조상의 기원을 모르면 사람의 축에도 낄 수 없었다. 그래서 귀족들은 가문의 명예와 혈통의 순결성을 앞세워 출신이 의심되는 사람을 배척하고 각종 이해관계에서 소외시키거나 단독적인 씨족 집단을 형성하도록 압박하고는 했다. 그러다 보니 평민들은 가난도 서러운데 문중 권력에서도 밀려 얼마나 힘들었던가. 다들 숨통이 트이는지 까닭 없이 목소리들이 커져서 개 짖는 소리조차 묻혀버렸다. 그때 또 다른 소란이 일어 사람들이 그쪽을 둘러싼다. 보름달이 휘영청 밝아서 복판에 앉은 사람의 윤곽이 드러난다. 왼쪽 턱을 문지르는 것이 테무진이다. 옆에는 보오르추, 그 앞에 젤메가 서서 큰 소리로 떠든다.

"큰무당이 따라왔다니까요. 자무카 진영과 분리되는 숨 막히는 순간에 무당이 분위기를 우리 쪽으로 확 끌어왔어요."

테무진의 눈동자에 떨어진 달이 이슬처럼 빛난다.

"그래? 불러봐."

이내 외치는 소리가 들린다.

"무당님!"

"어-이."

능글맞은 대답과 함께 얼굴이 동글동글하게 생긴 사내가 세상에 무서울 것이라고는 없는 표정으로 까불대면서 테무진 앞에 덥석 앉는다.

"어라, 저건 텝텡그리가 아니잖아?"

자무카 진영의 최고 무당 코르치였다. 여기저기에서 소란이 일다가 테무진이 입을 열자 조용해졌다.

"무당은 왜 여기로 왔소?"

"아, 저는 원래 오랑카이 사람입지요. 보돈차르 몽학 님이 주워온, 거 뭐냐, 임신한 첩한테서 뿌리 뻗은 자손이니 자무카 님을 따르던 종자올시다."

"그런데 왜 온 거요?"

카사르가 자무카 님의 종자라는 말에 발끈하여 퉁명스럽게 쏘아대자 테무진이 말린다.

"카사르야, 누가 말할 때는 자르지 마라."

코르치가 머리를 긁적긁적하더니 친구들 앞에서 떠들 듯이 꿈 이야기를 꺼냈다.

"서야 모르지요. 이름 하여 간밤의 꿈이라 부르는 캄캄한 짐승이 알려줬으니까. 하여튼, 우리가 여름 영지로 옮겨가는데 누런 암소가 자무카 님 주위를 뱅뱅 돌더니 게르를 가득 실은 수레를 들이받지 뭡니까. 하필 자무카 님이 받혔던지 저쪽으로 나동그라지는 거예요. 아, 이런. 저놈의 암소가 미쳤나, 내 그냥 칼을 뽑아 들고 달려갔더니 가 없게도 뿔이 댕강 부러져서는, 자무카 님에게 부러진 뿔을 내놓으라고 마구 울면서 발로 흙을 파서 끼얹지 뭡니까요. 한데, 그때 뿔이 없는 황소가 또 한 마리 떡 나타나서는, 수레에 게르의 천창을 가득 싣고 땀을 뻘뻘 흘리며 떠드는 겁니다. 텡그리 님이 초원을 테무진에게 맡기기로 했다-, 나는 이걸 전하러 가는 길이다-. 이건 뭡니까?"

다들 숨을 죽이고 쳐다보았다. 큰무당이 절묘한 시기에 이상한 자리에서 테무진이 칸에 오를 거라는 예언을 해버린 것이다. 사람들이 웅성웅성 호기심을 나누며 테무진의 반응을 살핀다.

"무당이 그런 말을 하니 듣기는 좋소. 한데, 그게 그대에게 득 될 게 있어요?"

"있다마다요. 테무진 님이 위대한 칸이 되면 하늘의 비밀을 알려준 제게 큰 상을 내리지 않겠습니까요?"

"좋소. 그대의 말대로 된다면 만호장(만 명의 부하를 갖는 대장군) 자리를 주리다. 포상이 되겠소?"

"에헤, 대칸께서 그리 야박하십니까요? 텡그리의 속마음을 알렸으니 인심을 팍팍 쓰셔야지. 만호장은 당연하고, 에, 무당이 싸움만으로는 재미가 없으니, 쩝."

"허허. 갖고 싶은 걸 말해보시오."

"아주 예쁜 계집으로 서른 명을 주세요."

그 말이 떨어짐과 동시에 검은 벌판이 폭소로 덮였다. 테무진도 웃음을 멈출 줄 모른다.

"하하하. 좋소. 약속하리다. 허나, 예언이 틀리면 어떻게 할 테요?"

"거야 칸이 알아서 할 일이지요. 제가 틀리면 테무진 님은 칸도 아니면서 혼내시려고요?"

다들 웃지만 장난스러운 분위기는 아니었다. 누가 뭐래도 자무카 진영의 큰무당이 테무진을 따라온 사실은 덮을 수 없기 때문이었다. 백성들은 더욱 신명이 나서 다들 모닥불 주위를 돌며 춤추느라고 야단이었다.

자무카의 여름 영지는 다음 날이 되어서야 쿠리엔을 완성하였다. 중앙에 옴팍하게 들어선 게르를 나와서 주위를 둘러보니 소수가 빠져나간 줄 알았는데 빈자리가 생각보다 컸다. 아끼던 부하들도 여럿이 보이지 않는다. 누구보다도 무당 코르치가 없는 것이 입맛을 한없이 쓰게 만들었다. 처여에게 물어도 종적을 알 수 없으니, 간밤에 테무진을 따라간 게 틀림없다는 생각을 하자 대번에 천불이 솟는다. 그렇다고 의형제를 따라간 것을 화로 풀 수도 없고. 속이야 끓더라도 연기를 내뿜는 건 사내가 아니다. 불타는 화덕의 아궁이를 틀어막듯이 가슴을 누르며 그저 끄응, 하는 소리를 내볼 뿐이다. 그래서 부하들을 불러 주변 쿠리엔들이 어떻게 이동하는지, 여기저기 흩어져 있는 군소 집단들은 무엇을 하고 있는지 돌아보고 오게 했다. 멍릭, 그의 아들 텝텡그리, 테무진의 숙부 다리타이, 테무진의 사촌동생 쿠라르, 다른 숙부의 아들 네쿤, 쥐르긴 족의 세체 등이 모두 평소와 다름없는 자리에서 살고 있었다.

"말과 양이 뜯어 먹는 풀뿌리 밑에 차갑게 이간질하는 벌레가 숨어 있었다니!"

처여는 자무카의 그림자처럼 살아도 그게 무슨 말인지 알아들을 수 없었다.

자무카는 여전히 테무진을 소중한 형제라고 생각했다. 둘이서 함께 보낸 세월은 아름다운 강처럼 얼마나 빨리 흐르고 말았는가. 자무카에게 코르코낙은 단순한 계절 영지가 아니었다. 하늘에서 신탁이 내려오는 장소라 하여 어린 몽골의 칸은 언제나 그곳에서 낙점을 받았다. 3대 코톨라칸이 즉위를 할 때 백성들이 춤을 추어 땅이 파였던 이야기는 전설 중에서도 전설에 속했다.

"갈비까지 도랑이 파이도록, 무릎까지 먼지 흙이 쌓이도록. 하!"

간절한 꿈 때문에 하는 말을 처여가 잘못 듣고 대꾸를 한다.

"네?"

"됐다. 일 봐라."

언젠가 메르키드 전에서 돌아와 백성들에게 잔치판을 만들어준 것도 그 때문이었다. 뜻이 통하는 사람은 다르다. 만인이 보는 앞에서 테무진과 세번째 의형제를 맺을 때, 자무카가 메르키드의 수령이 착용하던 순금 허리띠를 주려고 가져갔는데, 테무진은 톡토아베키 진영에서 보오르추가 노획한 백마를 선물하려고 준비했었다. 고마운 일이 아닐 수 없었다. 순금 띠와 백마는 칸을 상징하는 것이고, 하나의 칸에게 필요한 것을 둘이 나누는 것은 어린 몽골을 함께 재건하자는 뜻이라고 그는 생각했다. 한데, 왜 헤어져 있는가 말이다. 테무진은 떠나는 날 아침까지도 전혀 마음의 동요를 보이지 않았다.

자무카가 한참 만에 또 혼잣말을 한다.

"감히 둘 사이를 멀어지게 했겠다!"

속으로, 그러한 불화와 충돌을 조장한 것이 보르지긴의 흰 뼈들이라고 생각하고 있었다. 한데, 처여는 그 말도 잘못 듣고 엉뚱한 방향으로 등골이 오싹해진다.

'아, 저 귀신!'

그의 주인님은 쓸개 뒤에 숨겨놓고 꺼내지 않은 말까지 알아듣는 신통력이 있었다. 누군가 이간질을 해서 테무진이 떠나갔다고 본다면 그것은 역시 누군가의 모가지를 떼어서 하늘로 보낼지 땅에 묻을지를 생각하고 있음이 틀림없다. 그렇다면 아이고, 큰일이구나! 코르치가 위태롭지 않은가? 처여는 무당을 죽였다가 신령님의 벌을 받을까 봐 땅이 꺼져라 한숨을 쉰다.

'테무진이 제발 막아줘야 할 텐데.'

당연한 일이다. 테무진은 따라온 백성들을 어떻게 지킬 것인지 한없이 고민하고 있었다. 그를 따르는 사람들은 대부분 어디에서도 사람 취급을 받지 못하던 소외층이었다. 가난뱅이 중에서도 가난뱅이들이라 게르의 기둥을 들짐승의 뼈로 만들고, 펠트가 없어서 지붕을 죽은 가축의 가죽으로 덮는 집도 있었다. 유목으로는 모자라 들짐승을 사냥하고, 물고기를 잡으며, 풀뿌리를 먹어야 하는 사람도 여럿이었다. 테무진은 그런 사람들을 징발할 생각도, 세금을 걷겠다고 갈취할 생각도 없었다. 모든 일은 각자의 능력대로 한다. 그래도 해야 할 일은 분명하니, 먼저 헤를렌 강 상류의 물안개가 피는 언덕에다 임시 쿠리엔을 치고, 자신이 첫 살림을 열었던 곳에서 여름을 나며, 장차 맞이할 날을 설계할 생각이었다. 그때 문제가 되는 것은 가혹한 시련을 이길 겨울 방목지를 확보하는 일이다. 생존에 필요한 초지가 아무데나 널려 있다면 전쟁이 왜 일어날 것인가. 초원에서 누군가 생존한다는 것은 다른 누군가의 초지를 침범한다는 것을 의미했다. 그렇다면 적의 침탈을 막는 것이 최우선의 과제였다. 더불어 살지 않는 자는 죽이는 수밖에 없다. 테무진은 날마다 보오르추, 젤메, 코차르 등을 모아 회의를 한다. 아무리 열심히 머리를 짜내도 군사력으로 해결할 길은 보이지 않는다.

"방법은 하나밖에 없어. 바람의 진원지를 계속 살피고 있다가 대피하는 것."

"어떻게?"

"전에 나코 어른이랑 젤메가 해봤잖아?"

"우리가 적진에 들어가자고?"

"아니, 다른 사람의 눈을 이용해야지. 자무카 진영에서는 멍릭아버지가 살아. 옹기라트에는 버르테의 큰오빠가 살고, 케레이트의 자카감보도 친해."

보오르추가 테무진을 물끄러미 쳐다본다.

"토오릴칸을 안 믿는구나!"

"그 아들을 안 믿지. 하긴, 강바닥의 진흙 속은 알아도 백전노장의 밑바닥은 알 수가 없지. 내가 사실은 가장 가까운 친척을 안 믿어."

"누구?"

"쥐르긴 족의 세체."

젤메가 끼어든다.

"대장님, 거기에 나랑 친한 모칼리라는 종이 있어요."

"아, 그 친구 매력적이야. 한데, 퇴짜 맞을걸? 믿을 사람을 못 찾으면 우리 사람을 보내야 돼. 그리고 언제나 비밀연락망을 가동해야지."

이렇게 머리를 싸매고 있을 때 보르지긴 부족의 귀족들은 저마다 계산속이 빨라서 테무진을 이용할 궁리를 하느라 바빴다. 특히 자무카의 충고 때문에 잠시도 긴장을 풀 수 없는 알탄의 심정은 절박했다.

“부족의 앞날에 방해가 되면 진골, 성골이 어디 있어? 귀족이라고 뱀처럼 혀를 놀리도록 놔둔다? 그럼 신분을 교체시켜줘야지.”

자무카는 능히 그러고도 남을 사람이었다. 이미 성난 매가 허약한 양 새끼를 훔치려는 듯이 하늘을 빙빙 돌기 시작한 낌새였다. 그들은 테무진의 곁에서 한 발짝 떨어지는 날이 곧 제삿날이 될 것을 본능적으로 알고 있었다.

어쨌든 자무카의 울분은 보르지긴의 귀족들을 차츰 테무진에게 쫓는 결과를 가져왔다. 그래서 하나하나 옮겨와서 오래지 않아 몽골 왕손의 핏줄이 모두 테무진에게 와버렸다. 그러던 어느 날 알탄이 찾아와 이상한 소리를 꺼낸다.

“오래전에 보르지긴과 타이치우트의 연합으로 어린 몽골이 섰어. 한데, 카불칸, 암바가이칸, 코톨라칸을 끝으로 여태 왕위가 비어 있단 말씀이야.”

그런 말이 테무진의 귀에 들어올 턱이 없었다. 유목민은 조상의 복수를 갚는 것을 세대와 세대를 잇는 의무로 삼았다. 예수게이는 어린 몽골의 장수로서 코톨라칸이 금나라와 타타르에게 당한 원한을 갚자고 전쟁에 나갔고, 그 후유증으로 독살 보복까지 당했다. 하지만, 정작 코톨라칸의 아들인 알탄은 복수의 의무를 저버렸을 뿐 아니라 그것을 이행한 예수게이에 대한 의리도 등졌다. 그들이 키릴툭에게 빌붙어 사는 동안 테무진은 몇 번을 죽었다 살았는지 모른다. 그것은 테무진을 한번 등진 다음에 다시 배신자를 지지하고 도와서 결과적으로 두 번 배신한 것이나 마찬가지였다. 그걸 왜 잊겠는가. 더욱이 키릴툭을 따라갔다가 안 되겠으니 자무카에게 가서 강아지처럼 굴던 것들이 또다시 자기 주변에서 어슬렁거리기 시작하는 것을.

‘핏줄로 푸른 하늘을 모독하는 자들!’

테무진은 알탄의 말에 관심조차 두지 않았다.

“아저씨! 손이 놀면 입도 논다고 했습니다. 백성들이 당장 먹을 것이 없으니.”

다른 일에나 신경을 쓰겠다는 소리였다. 알탄은 이 같은 반응이 한없이 거슬리지만 꾹 눌러 참는다.

‘머리가 컸다 이거지? 병아리가 늑대 소굴에서 털갈이를 하고 나올 줄 누가 알았나?’

과연, 위험한 것은 자신이었다. 메르키드 전 이후 타타르나 나이만, 케레이트에서는 모두 자무카를 어린 몽골의 수령으로 알고 있었다. 마침 오논 강, 톨 강, 헤를렌 강의 모든 부족, 모든 백성이 통합된 국가를 원하던 무렵이다. 그러다 자무카가 정말로 칸에 등극하면 어찌 될 일인가? 그래서 테무진의 비위가 상하지 않도록 겸손하게 일단 물러설 수밖에 없었다.

“나서기 좋아하는 개가 달보고 짖는다고 내가 꼭 그 격이네.”

해놓고, 돌아와서 짚어보니 참으로 잘했다는 생각이 든다. 아무리 생각해도 자신은 자무카를 제압할 능력이 안 되는 사람이었다. 테무진이 그저 눈 딱 감고 자무카만 눌러주면 어린 몽골의 칸이 될 첫번째 사람은 자신일 수밖에 없었다. 우선 어린 몽골의 1대 칸, 2대 칸, 3대 칸의 자식들이 모두 살아 있는데 소통의 복판에 있는 사람이 자신이었다. 그리고 지엄한 코톨라칸의 왕비이신 어머니가 눈을 성성하게 뜨고 살아서 뒤를 지켜주고 있다. 아버지의 직위를 아들이 잇는 것은 얼마나 자연스러운가. 조금 벗어난다 하더라도 그의 육촌인 쥐르긴 족의 수령 세체일 것이며, 더 양보를 한다고 하더라도 그 작은

집이자 예수게이의 아들인 테무진까지를 벗어나서는 안 될 것이었다. 문제는 피폐할 대로 피폐한 백성들인데, 가축도 몇 마리 되지 않고, 사는 꼴도 사람인지 짐승인지 알 수 없는 미천한 종자들이 자기 말을 듣지 않으니 누군가 장악해줘야 한다는 것이다. 그래, 자무카의 공세를 피할 바람막이도 되고, 공동으로 병력을 동원하는 전쟁 수행의 지도자도 되어줄 사람이 절대적으로 필요했다. 그가 테무진을 찾아다니는 이유가 여기에 있었다.

그런데 테무진은 검은 뼈들과 어울려 도대체 귀를 기울이지 않는다. 알탄은 이를 어찌할까 고민하다가 떠오른 사람이 멍릭이었다. 귀족들에게 고분고분한 사람을 시켜 테무진을 설득하는 것보다 좋은 방안이 없어 보였던 것이다. 그래서 만나게 되었다.

"자네가 예수게이의 심부름을 했던 사람이니 나서서 좀 설득해보게."

하지만 멍릭은 이미 테무진의 첩보전을 수행하는 어른이었다.

"그러려면 제가 출입을 많이 할 수밖에 없으니 다른 귀족들에게도 귀띔을 좀 해두시면 좋겠습니다."

"아이, 그러시게."

멍릭은 여우 꾀를 미워하지 않았다. 순박하기를 바라는 사람도, 칭송하는 사람도 아니었다. 다만 예수게이에게 빚이 있었고, 예의가 바른 테무진이 좋았다. 또 테무진 같은 성품만이 초원의 피 냄새가 섞인 바람을 멎게 할 수 있다고 보았다.

그동안 테무진은 쿠리엔을 젖통 호수 근처로 옮겼다. 가까이에 검은 나무들이 있어서 겨울을 나기에 적합했던 것이다. 그리고 기회만

나면 겨울 준비를 위한 사냥에 나섰다.

그날은 산양을 잡는 날이었다. 풀과 나무들이 노랗게 되자 말들에 살이 오르고 들짐승들도 통통해져서 뒤뚱거리는 모습이 절정에 이르렀다. 테무진의 쿠리엔에서는 자발적인 지원자 천삼백여 명이 모였다. 산양은 몸이 크고 양처럼 순한 동물이라 잡으면 고기는 겨울나기를 위하여, 뿔은 그릇을 만들기 위하여 요긴하게 쓰일 것이었다. 무기는 어릴 때 쓰는 연습용 활도 아니고 전쟁에 필요한 전투용 활도 아닌 고두리 화살을 준비시켰다. 누가 봐도 군사 훈련으로 보이지 않았다. 그러나 족제비를 잡는 것도 아닌데 왜 고두리 화살을 사용하는가? 여기에 테무진의 숨은 뜻이 있었다.

'단결한 까치가 수사슴을 잡는다고 하지!'

테무진이 사냥을 나가는 건 식량 때문이라고 말하지만 본뜻은 다른 데 있었다. 약소 집단은 언제 적의 침탈을 받을지 모른다. 지역의 위치, 특징을 파악해서 전투 전략을 선택, 실험할 필요가 있었다. 사냥을 하면서 전쟁에서 이기거나 졌을 때의 피해 정도에 대해서도 알고, 인원을 새로 짜고, 군사 조직을 어떻게 강화할지 답을 찾아 정비하지 않으면 안 되었다.

그날도 코르치가 깃발에 술을 뿌려 제사를 지내고 쇠가죽으로 된 굵은 소리가 나는 북을 두드렸다.

"에헴, 지난번에 새끼를 잡은 사람, 또 젖먹이 어미를 잡은 사람, 강에다 오줌 싼 사람, 재에다 물 뿌린 사람. 모두 신령님이 노하면 어떻게 되는지 알지요?"

주술 덕인지 대열을 움직인 지 얼마 안 되어서 산양 떼가 발견되었다. 말머리를 돌리는 동시에 감시하는 산양이 코로 크게 휘파람 부는 소리를 내자 산양 떼가 우르르 뛴다. 반대쪽에서 몰이를 해도 매복지에 속지 않고 방향을 틀어버린다. 그렇게 몇 차례를 반복했는지 모른다. 테무진도 아무 대책이 없었다.

"눈치가 정말 빠르구나!"

"저 녀석이 우두머리예요. 저 녀석이 없으면 산양이 퇴로를 못 찾습니다."

그러자 벨구테이가 신기하다는 듯이 나서서 말한다.

"카사르 형이 쏘면 단발에 명중할 텐데. 저걸 죽이면 전체를 잡잖아."

이때 코르치가 주의를 주었다.

"우두머리는 푸른 하늘의 것이라 우리가 잡으면 안 돼."

곁에서 테무진이 듣다가 젤메에게 지시한다.

"엉뚱한 생각을 하는 놈이 있을지 모르니 모두 연락해라. 산양 우두머리에게 활을 쏘는 것을 금한다."

그렇게 종일 추적했지만 겨우 스무 마리밖에 잡지 못했다. 먼 곳으로 돌아서 몰아오는 사람들은 죽도록 고생을 한 것에 비해 포획물이 작아서 투정을 부린다.

"대장님의 방식대로 하다가 산양을 어떻게 잡아?"

하지만 테무진은 기분이 그렇게 좋을 수 없었다. 그날도 산양에게 도피의 방법을 배운 것이다. 그래서 밤에 보오르추를 찾아서 떠든다. 양 기름에 꼽아둔 흰솜꽃이 타고 있었다. 곁에서 젤메가 이를 잡느라 머리카락이 타서 지지직거린다.

"적이 쳐들어와도 살 곳이 있어. 우두머리 산양을 보니 나보다 길을 훨씬 잘 알아. 보오르추가 몰았을 때 나는 산양들이 꼼짝없이 모두 잡힐 줄 알았어. 한데, 그 상태에서도 도망갈 곳이 있더라고!"

그렇게 이야기하고 있을 때 손님이 왔다는 전갈이 왔다.

"아닌 밤중에 손님이라니?"

모두 넷이었다. 서둘러 문을 열자 흰머리가 보이는 것이 멍릭의 일행이다. 언제나 신중하고 사려 깊은 분. 테무진은 그에게 아버지의 예를 빼먹지 않았다. 그날도 반가운 표시를 하느라 우스갯소리를 한다.

"뻐꾸기가 뻐꾹뻐꾹 우는 것은 여름이 왔다는 소식이고, 아버지의 흰머리가 희끗희끗 돋는 것은 가을이 왔다는 소식인가 봅니다. 하하, 먼 길을 밤중에 오셨어요?"

테무진이 머리를 숙이자 곁에 있는 손님들도 인사들을 한다. 머리에 희한하게 늑대 가죽을 뒤집어쓴 무당이 하나, 얼굴이 희고 곱상한 아낙네가 하나, 그 아들로 보이는 소년이 하나였다.

"훌륭한 수령이 되신 걸 축하드립니다."

늑대 가죽을 쓴 무당이 공손하게 말하자 테무진의 눈이 휘둥그레져서 활짝 팔을 벌린다.

"몰라볼 뻔했어, 허허추! 얼마 만이야?"

십 년 만에 보는 그리운 얼굴이었다. 키릴툭에게 테무진 일가가 버림받을 때 떠나가는 부족민을 붙들다가 창에 맞아 쓰러진 할아버지를 쏙 빼다 박은 사람, 바로 멍릭의 넷째였다. 테무진은 병문안을 갈 때마다 수발을 들던 넷째에게 늘 고마운 마음을 갖고 있었다.

"제가 신령님을 모십니다."

"말을 높이니 불편하네. 늑대 신령을 모신다는 소문은 들었어. 아주 힘들 때 늑대의 집에 가보았지. 보르칸 산에서는 꿈도 꾸었는데."

텝텡그리가 감격한다. 신령님이 주신 예감이 계속 적중하고 있었던 것이다. 오래전에 조드로 쫓겨온 사람들을 위해 늑대 굿을 할 때 게르 바깥에서 분명히 늑대 바람이 이는 걸 느꼈는데 역시 테무진이었다. 그 후 얼마나 자주 꿈에 나타났던가. 한번은 애꾸눈을 한 늑대가 오논 강을 가로질러 멀리 말 등뼈 산 쪽으로 가는데, 고개를 돌릴 때 보니 테무진이었다. 또 한번은 그 늑대가 오논 강 여자와 아는 체를 하는 게 이상하기만 하더니, 다음번 꿈에 늑대의 털이 담긴 주머니를 테무진이 가지고 있었다.

"테무진 수령, 늑대 털이 담긴 주머니는 가지고 있지요? 제 어머니 무당이 만든 부적입니다."

테무진도 놀라고, 텝텡그리도 놀랐다. 테무진은 털주머니 때문이고, 텝텡그리는 자신도 모르던 사실을 제 입이 내뱉었기 때문이었다. 모든 게 신령님의 일임에 틀림없었다. 자신이 모은 백성들을 자무카가 데려간 지 십 년 만에 모두 테무진에게 가 있을 것을 누가 알았겠는가. 말마디나 하는 사람은 다 그가 늑대를 파는 것이 앞뒤가 맞지 않는 낭설이라 보았지만 그래도 텝텡그리는 초원이 반드시 '늑대파'의 시대로 바뀔 것을 믿어 의심치 않았다.

멍릭아버지가 조용하게 입을 달싹거린다.

"아주머니를 소개시키려고. 자, 인사하세요."

"타타르 여자 울란체첵입니다."

"남편이 말 도둑이었다네. 이 부족 저 부족 떠돌아다니며 떼로 훔쳐 상인들에게 넘겼다니 큰 도둑인 게지. 그러다 활에 맞아 죽자 혼자 도망쳐 왔네. 이제 애비도 모르는 아이를 맡아달라고 하네. 추위가 오기 전에 타타르로 들어가겠다는 거지."

테무진이 일전에 타타르의 동태를 걱정하는 걸 보고 애써 찾아낸 것이 분명했다.

"아주머니, 위험한 일을 해도 되겠어요?"

"걱정 말게. 아주 요령이 있어."

아낙네도 자신감을 보인다.

"수령님, 제 알을 지키는 새가 늑대의 눈을 멀게 해 이기는 이야기가 있습니다."

테무진은 마음이 푹 놓였다.

"그럼, 가난한 백성들을 위해 고생 좀 해주세요. 나중에 돌아와 푹 쉬도록 보장하겠습니다. 그리고 절대 몸이 상하면 안 돼요."

테무진이 손을 꼭 쥐자 어쩔 줄 모른다.

"네, 수령님. 우리 애가 잘못하면 따끔하게 혼내주세요."

이내 후엘룬이 와서 모자를 데려가자 게르에는 부자만 남았다. 멍릭의 말이다.

"모칼리라는 청년이 있어. 잘라이르 족의 손에서 자랐는데, 원래는 코리 족이야. 놀랍도록 똑똑해."

"저도 본 적이 있습니다. 젤메하고 친해요."

"한데, 쥐르긴의 물을 먹는 이상 제 주인을 골탕 먹일 수는 없다 하네. 말은 맞지? 쥐르긴 족 소식은 내가 전함세. 모칼리는 텝텡그리하고 무당들을 설득하고 다닐 테니."

곁에서 텝텡그리가 거든다.

"수령님도 무당을 대할 때 자무카나 귀족들처럼 함부로 하면 안 돼요."

"고맙네. 그리고 아버지는 너무 열심히 하지 마세요. 오래 살아야지요."

그때 멍릭이 잔뜩 목소리를 깔았다. 거의 들리지 않는 크기이다.

"자무카와 키릴툭이 손을 잡았어. 알탄은 무서운지 세체를 열심히 만나고. 그들이 어린 몽골의 칸을 번갈아가면서 맡자고 제안하면 어떻게 할 텐가?"

"아니, 울루스를 둘로 쪼개자는 소리 아닙니까? 자무카와 키릴툭은 결코 물러설 사람이 아닌데. 또, 자무카는 제 형제예요."

"하여튼, 수령이 알아서 할 일이고, 참 텝텡그리가 할 말이 있다 하네."

텝텡그리는 별로 심각한 표정도 짓지 않는다.

"이번 겨울에 많이 죽어나갈 거예요. 초원이 어지러울 때 잘해야 합니다."

"전쟁인가, 조드인가?"

"아주 무서운 추위가 올 거예요. 가을 가뭄이 시작되면 준비를 단단히 하세요. 백성들은 한 사람이라도 더 살리는 사람을 따릅니다."

사실이었다. 텝텡그리는 며칠 전 기러기 떼가 남김없이 떠나가는 것을 보고 곧장 개미집을 확인했다. 개미 둥지가 꿩이 사는 데가 아닐까 싶을 정도로 높이 솟아 겨울나기가 예삿일이 아닐 것을 일러주고 있었다. 굿을 하면서 불을 피울 때도 풀포기가 온통 하얀 재로 변해 바람에 날린다. 까마귀들도 가까이 와서 시끄럽게 굴고, 참새 떼는 날마다 난리가 몰아치기라도 하는 듯이 떠든다. 이렇게 엄청난 추위가 닥쳐오리라는 것을 하늘과 땅 그리고 모든 동물들이 예고하고 있었다.

듣고 보니, 전날 젤메가 붉은 달이 원숭이별 밑으로 기어 다닌다고 투덜대던 것이 다 그런 조짐이었다. 테무친은 대번에 마음이 급해진다.

2

이이, 힝힝힝. 모든 게르가 구릉 너머로 사라졌다. 황금색 늑대귀 말의 발굽을 따라 어지러운 귀뚜라미 울음이 끊겼다가 이어진다. 군데군데 솟은 바위틈에서 짐승 같은 바람 소리가 그르렁거린다. 테무진 일행이 정상에 오르자 그해 가을의 마지막 귀뚜라미 소리가 모두 멈췄다.

"마침내 떠났구나!"

테무진이 숨어 살던 시절에 머무르던 늙은 늑대를 두고 이르는 말이다.

말 등뼈 산에는 수많은 뼈들이 흩어져 있었다. 흰빛이 바랜 뼛조각에서는 푸른 하늘에 오래 잠겨 있었는지 이끼가 돋아 푸른빛이 돈다. 바위 앞 땅바닥에는 말 머리, 염소 턱, 양의 발목뼈들이 뒹군다. 달의 아들이 노후를 보낸 흔적들이다.

"아마도 죽었겠지."

보오르추가 뒷말을 보태려다 꾹 다물어버린다. 테무진의 입에서 탄성이 나올 때는 몰입을 방해하면 안 되는 때이다.

"아아!"

그럴 때의 모습은 마치 시간의 목격자 같았다.

세상에는 수없이 많은 생명들이 있다. 어떤 것은 알에서 나오고, 어떤 것은 자궁에서 태어나며, 어떤 것은 습지에서 탄생한다. 그것이 자라고 변하는 동안 각자 땅에서 머물고, 물에서 머물며, 또, 불 속에, 바람 속에, 꽃 속에 머문다. 모두 푸른 하늘의 지체들이고, 대지로 사용된 거북이의 연결체이며, 또한 누군가의 자식들이다. 그 위로 강물이 흐르는 것처럼 삶이 흐른다. 그 위로 나그네가 지나가듯이 죽음과 소멸의 때가 스쳐간다. 우주의 구석진 어느 자리에 서서 테무진은 지금 그것을 느끼고 있었다.

지상은 또 한 차례, 숱한 생명이 쓸려갈 징조로 가득했다.

'보르칸 산이 이르시던 무서운 시간이 오려나 보다!'

자연의 낯빛이 바뀌는 것을 자연의 최고 자식인 인간만 못 알아듣는 건 놀라운 일이다. 테무진이 길게 한숨을 뿜는 동안, 길 잃은 들꿩 한 마리가 바위에 묻은 온기라도 쬐어보려고 한참을 쳐다봐도 날아가지 않았다. 젤메가 활을 치켜들자 테무진이 손사래를 친다.

"며칠 살지 못할 텐데, 뭐."

바위가 식었는지 들꿩은 이곳저곳 자세를 바꿔 앉더니 다시 날아가버렸다.

"아침에 내린 눈 쪼가리 봤어?"

이번에는 테무진이 코르치에게 묻는다.

"무슨 말씀이신가요?"

"눈송이가 바늘처럼 생긴 게 내렸잖아. 혹독한 추위가 임박한 게 맞지? 오늘부터인가?"

"겨울 짐승은 내일 새벽쯤 쳐들어오기 시작할 겁니다."

조드는 푸른 하늘의 사자 중에서도 가장 무섭고 난폭한 놈이었다. 조드의 거대한 발자국이 성큼성큼 다가오면 달아날 수 있는 자는 아무도 없다. 오직 제 뜻대로 뼈아픈 채찍을 휘둘러 겸손한 생명은 살릴 것이며 건방진 것들은 거둬갈 것이다.

테무진은 열심히 뛰었는데도 준비가 덜된 채 그날이 왔다는 생각에 마음이 아팠다. 그가 한 일은 사실 초원에서 처음 시도되는 통치

행위였다.

텝텡그리가 다녀간 뒤, 테무진은 여러 날을 회의하고 궁리를 거듭한 끝에 조드를 방비하는 행동 지침을 만들었다. 유목민이 가축을 관리한다고는 하지만 스스로 동물처럼 사는 터라 지시를 따를 턱이 없었다. 그래, 쿠리엔이라는 안전지대를 만든 주인으로서 백성들에게 엄포를 놓은 것이다.

전원회의를 소집한 날, 다들 전쟁이라도 난 줄 알고 황급히 집결했다. 한데, 테무진이 활도 매지 않고, 주치를 안고 있자 여기저기 웅성대고 깔깔거린다. 하지만 이내 포효하는 연설이 터지자 눈빛들이 달라졌다.

"푸른 하늘이 보낸 저승사자가 길을 떠났다. 무서운 겨울 짐승이 곧 우리 앞에 올 것이다. 천 마리의 늑대가 쿠리엔을 습격하듯이 사나운 발톱을 세워 우리를 때리고 할퀴고 물어뜯을 것이다. 그럴 때 아버지들은 어떻게 해야 하는가? 아이들을 보라!"

테무진이 주치를 쳐들어 엉덩이의 푸른 반점을 내보였다. 일제히 숨을 죽인다.

"이것이 푸른 하늘의 손자국이다. 그대들이 낳았어도 그대들만의 자식이 아니라는 징표이다. 이번 조드에 아이를 죽인 자는 큰무당 코르치가 다음 사항을 점검할 것이다. 하나라도 어긴 자는 사형에 처한다. 하나, 다음 명령이 있을 때까지 겨울 목초지에 들어가는 것을 금한다. 둘, 건강 상태로 불합격 판정을 받은 가축은 모두 도살한다. 셋, 가정마다 말똥, 소똥, 낙타똥을 게르 높이로 쌓는다."

그리고 테무진이 다시 주치를 치켜들었다.

"나는 목숨을 여기에 걸겠다. 이 아이가 죽으면 카사르가 나를 처형할 것이다. 다시 말한다. 사형은 이 자리에서 집행되며, 나는 약속을 지킬 것을 푸른 하늘에 맹세한다."

어떤 웅성거림도 없었다. 테무진의 표정이 그렇게 무서울 수 있다는 것을 백성들은 처음 보았다. 그리고 숨 쉴 틈도 주지 않고 코르치는 호구조사에 들어가고, 염소서방은 목초지 관리에 들어갔다. 또, 보오르추의 말 검사를 시작으로 대대적인 가축 점검이 실시되었다.

다들 낯선 일이었다. 그간 유목민의 지도자는 무엇을 빼앗거나 약탈할 권한을 주는 일밖에는 한 적이 없었다. 그런데 테무진이 난데없는 지침을 만들어 지키도록 강요한 것이다. 날씨조차 말짱할 때라 일부 목자들은 말도 듣지 않는다. 하지만 집행자들의 기준은 아주 엄격하였다. 특히 보오르추는 먼 곳에서 풀을 뜯는 말까지도 발육 상태를 구별하여 앞으로 취해야 할 일을 가르쳤다. 어떤 말이 왜 살이 찌고, 왜 살이 찌지 못했는지 이유까지 밝혀준다.

"저 말은 안 되겠어. 추위가 오기 전에 잡는 게 좋아."

"쓸 만한 말을 왜 그러세요?"

"너무 늙었어. 눈밭에 파묻지 않으려면 정신 차리라고."

남은 가축들은 젤메가 벨구테이를 데리고 다니며 허약한 순서로 잡도록 했다. 후엘룬 어머니도 아낙네들을 모아서 보르츠를 만든다. 조드를 견디기 위해서 꼭 필요한 연료를 확보하는 일에 막내여동생은 물론 메르키드에서 주워온 쿠추와 알타니, 타이치우트의 영지에서 데려온 쿠쿠추까지 나섰다.

그리고 그러한 일이 절반을 막 넘어섰을 때 쾌청한 날이 밝았다. 바로 그때를 기다려 테무진이 마지막으로 목초지를 점검하느라 말 등뼈 위에 오른 것이다.

테무진은 조드가 어떤 전쟁보다 무섭다는 것을 너무나 잘 알았다. 거대한 자연의 몸살 앞에서 낱낱의 목숨은 얼마나 미천한지 모른다. 그는 언젠가 지독한 생존 투쟁의 현장을 바로 그곳에서 목격했다. 장소 하나하나가 실감나지 않을 수 없었다.

말 등뼈 산에 오르면 저승 손님이 밟고 갈 젖통 호수의 사지(四肢)가 한눈에 보인다. 그에게 제2의 고향이나 다름없는 검은 심장 산은 겨울 초지의 온상이었다. 키릴툭에게 탈출하여 움막에 숨어살 때 광폭한 검은 조드의 발톱 아래서도 그곳에서는 황금 말 여덟 마리가 모두 풀을 뜯고 살아남았다. 호수 건너 나무가 한 그루씩 서 있는 곳은 북쪽 사면이라 눈이 늦게 녹으며 바람도 타지 않는다. 그리고 검은 나무가 빼곡한 숲은 하얀 조드가 단골로 점령하는 곳이다. 그 희디흰 악마의 외투를 어떻게 벗겨야 잘했다 할 것인가? 흰머리를 풀어 헤친 귀신 바람이 덮쳐올 때는 어느 쪽으로 붙어야 난(亂)을 피할 것인가?

그런 마음을 코르치가 읽었는지 묻지 않은 대답을 주워섬긴다.

"대칸! 숲에는 바람이 휘젓고 다닐 여백이 없습니다. 눈이 쌓여도 말을 앞세워 길을 내고, 소와 염소를 뒤따르게 하면 대지의 맨살이 드러날 수 있어요. 게다가 곳곳에 구덩이를 파두면 얼지 않은 샘물이 퐁퐁 솟을 수도 있습죠. 푸른 하늘은 거북님이 숨 쉴 구멍을 어딘가에 반드시 남겨두거든요."

코르치는 멋대로 떠드는 것 같지만 언제나 테무진의 마음을 정확히 꿰고 조언하는 재주가 있었다. 대지를 거북님이라 부르는 것도 마음에 들고, 장소를 불문하고 꼭 대칸이라 불러서 은근히 섬기는 뜻을 전하면서 긴장을 풀어주는 씀씀이도 여간 고마운 게 아니다. 그리고 그것은 망가진 영혼들로 가득 찬 집단에서 발군의 무당 자질을 증명하기에 부족함이 없었다. 당장, 돌아오는 길에 언덕 아래서 인기척이 나더니 앙칼진 목소리가 들린다.

"어른이면 나이 값을 해야지, 술주정뱅이야."

다가가보니 소녀가 주워 모은 소똥을 사내가 발로 차서 엎지른 흔적이 역력하다. 그러고도 사내가 쓰러진 걸로 보아 어린 계집에게 허튼수작을 걸었다가 만취한 상태라 이기지 못하고 나동그라진 것이 틀림없었다. 젤메가 말에서 내려 사내를 툭툭 차보니 허공에 침을 뱉는데 모두 제 낯에 떨어진다. 인사불성의 진경이었다.

'전쟁이나 한다면 모를까, 쯧. 술로 수컷 흉내를 내는 꼴이라니! 푸른 하늘이 왜 데려가고 싶지 않겠는가?'

테무진은 한없이 심란하였다. 쿠리엔에 있는 사내의 상당수가 저 모양이라 코르치에게 묻는다.

"저걸 어쩌야 좋아? 술을 못 마시게 금지시킬까?"

"안 됩니다. 술은 추위를 버티라고 푸른 하늘이 주신 숨구멍이에요."

저녁이 되자 사방은 바람 한 점 없이 고요했다. 초저녁에 뜬 달이 휘영청 밝더니 순식간에 등불이 꺼지듯이 깜깜해진다. 그리고 서서히 바람이 일어 멀리에서 주정뱅이의 코골이 같은 소리가 가까워진다. 테무진이 이번에는 젤메를 불렀다.

"날이 밝으면 구덩이를 담당할 당번도 정해야겠어."

그때 무쇠처럼 무거운 바람이 쿵, 하고 게르에 와 부딪친다. 먼 길을 달려오다 펠트에 막혀 몸을 누였나? 금세 기절했는지 아무 소리도 나지 않는다.

"대칸님, 기이이 왔네요."

한파는 그렇게 와버렸다.

이튿날, 아침부터 하늘이 쩡쩡 갈라지듯 북을 울린다. 초원은 벌판이건 언덕이건 숲이건 공포에 떨지 않는 곳이 없었다. 숲의 입구까지 강바람이 진주한다. 너르디너른 평원을 건너오며 기운이 한껏 세진 바람이 살갗에 슬쩍 닿기만 해도 필살의 한기가 느껴진다.

동장군(冬將軍)의 공습이 가장 먼저 시작된 곳은 초원에 홀로 방치된 외톨이 게르들이었다. 특히 강둑을 탄 바람은 물살을 딛고 와 성깔이 매운지, 땅바닥에 잔뜩 엎드려 있는 게르 하나를 금방 뒤엎을 것 같았다. 한눈에 봐도 허술한 인간의 둥지가 하필 조드가 오는 길목에 앉아 변을 당할 위기에 처했다. 속에는 기운이 하나도 없는 여자가 자식 둘을 데리고 살고 있었다. 오논 강 여자의 가족인데, 그녀는 성병이 알려진 후 사내의 발길이 끊긴 지 오래되어 실한 살림이 하나도 없었다. 펠트의 곳곳이 닳아서 겨울 짐승이 침탈하기가 너무 좋았다.

그녀는 날씨가 심상치 않자 여기저기 얽힌 끈들이 바람을 견딜 수 있는지 확인하고 게르에 들어가 구멍이 숭숭 뚫린 곳들을 안에서 막았다. 그리고 다시 큰아들이 주운 마른 나무토막과 소똥을 되는대로 긁어다 게르 안에 쟁인다. 그래도 걱정이 가시지 않는 건 그토록 듬직한 작은아들이 심한 몸살을 앓는 까닭이다. 어린 소년이 겨울 준비를 한다고 날마다 노루 사냥을 다니더니 기어이 몸져눕고 말았다. 실상은 과로에 과로가 겹친 데 불과하지만 먹은 게 없어서 일어나지 못한다. 초원의 겨울은 혹독한 것이다. 낮인데도 날이 전혀 밝지 않았다. 천창으로 햇살이 한 점만 떨어져도 때를 알 수 있을 텐데……. 점점 어두워지면서 강풍이 설쳐댄다. 폭풍에 돌풍이 엉겨 땅 위의 모든 것을 날려버릴 기세였다. 큰아들이 몰고 온 양들이 한 덩어리로 게르 뒤에 모여 울기 시작한다. 몸을 움직일 때마다 추위가 파고들어 맹수처럼 물어뜯기 때문일 것이다.

오논 강 여자는 잔뜩 긴장되었다. 이렇게 무서운 추위가 닥쳐온 날은 늑대도 산에서 견디지 못하고 게르 근처로 내려온다.

'이러다 나코 어른의 양 떼들을 죽이면 어떻게 하나?'

화로에서는 불꽃이 미친 듯이 춤을 추고 그에 맞추어 그림자가 흔들린다. 그 순간에도 어김없이 거친 바람이 강줄기를 쓸고 오면서 밀가루 눈을 뿌리고 간다. 얼음 쪼가리와 눈이 섞여 폭우처럼 시끄러운 소리도 게르를 때린다. 바람은 미친개처럼 계곡을 누비며 울고 다닌다. 멀리서 달려와 게르의 버팀대를 뽑으려 드는지 흔들리더니 기둥 하나가 우지끈 부러지는 소리를 냈다. 오논 강 여자는 작은아들을 당겨 끌어안는다. 형은 한없이 어두운 얼굴로 쳐다볼 뿐이다. 화로에 마른나무를 가득 채웠어도 온도가 무섭게 떨어지고 있었다. 추위가 옷깃을 파고들고 바람이 늑대의 송곳니처럼 급소를 찾아 날뛴다.

"아이고, 저 무서운 짐승!"

늑대의 송곳니가 한번 박히면 어느 것도 살아날 수 없다. 오논 강 여자는 강풍이 마치 살아 있는 맹수이기라도 하는 것처럼 손짓까지 해가며 악담을 퍼붓는다. 두 아들이 누울 자리가 미덥지 않았던지 바닥에 양똥을 한 겹 더 깔고, 화덕에도 계속 소똥과 마른나무를 채워 넣는다. 화덕의 쇠붙이가 빨갛게 달았다가 금방 가라앉는다. 양 기름으로 피우는 등잔불은 꺼진 지 오래되었다.

"안 되겠다. 젤메 삼촌이 와야겠어."

날이 밝자 젤메는 눈곱도 떼기 전에 화로부터 단속했다. 아침에는 장작을 피우면 좋으련만 테무진이 나무를 베지 못하게 하니 어쩔 수 없는 일이다. 기름기가 많은 소똥은 제대로 말라서 돌덩어리 같다. 그래서 불쏘시개로 부슬부슬한 말똥을 놔두어야 안심이 된다. 그리고 게르를 나서자 양들이 문 앞까지 와서 떨고 있었다. 양 떼가 아니라 할까 봐 아무 순서도 없이 머리를 맞대는 대로 원을 그린다. 몸을 다닥다닥 붙여서 체온의 열기를 지키는 게 그나마 다행이라 할 것이다. 젤메가 혀를 찬다.

'저것들은 목자가 없으면 다 죽고 말 거야. 자기들끼리 칸이라도 하나 뽑지.'

혹독한 추위는 생명력의 서열을 보기 좋게 갈라놓는다. 조드가 죽음까지 덮는다 해도 산 사람을 덮지는 못할 것이다.

그날도 젤메는 손님을 마중 나가기로 되어 있었다. 한데, 며칠째 이어지는 추위가 더욱 기승을 부린다. 성난 바람은 저승으로 데려갈 가축의 머릿수를 덜 채웠는지 분주하게 대지를 순찰한다. 잠시 오줌만 싸고 있어도 천 개의 바늘이 얼굴을 찔렀다.

'하늘이 쇠붙이처럼 꽝꽝해서 새들도 날지 못하는구나!'

그는 살갗이 드러나지 않게 복면을 쓰고 무장을 한다.

쿠리엔을 벗어나자 바람이 으르렁거리는 소리가 잦아드는가 싶더니 별안간 발정 난 수낙타처럼 미쳐 날뛰기 시작한다. 한 곳이라도 차이면 성치 못할 것이다. 눈보라가 까맣게 들이쳐 달리는 말도 귀밖에 보이지 않았다.

"이럴 때는 손님이 안 왔으면 좋겠네."

그 시간에 자무카 진영을 빠져나온 멍릭도 같은 생각을 하고 있었다.

"조드를 핑계로 약속을 미룰 자들도 아니고, 에헴."

게르에서 쉬고 싶은 마음이야 굴뚝같지만 그래서는 안 되겠어서 말을 재촉했다. 츄-.

하늘은 가죽부대 안에서 휘저어진 마유주 같은 빛깔을 하고 있었다. 모래 무더기 아래 허리가 구부정한 노인이 바람을 피해 앉아 있는 줄 알았는데 독수리였다. 얼어붙은 땅에 무릎을 꿇고 해 뜨는 쪽으로 부리를 쳐든 모습이 을씨년스럽기만 하다. 바람이 거칠어지자 지독한 눈 폭풍에 겁을 먹은 양 떼가 흩어진다. 이미 통제 수위를 넘어버렸다.

'에구, 저 가엾은 미물들!'

일단 흩어진 양들은 추위에 길을 잃을 것이고, 독수리는 그 순간을 기다릴 것이다. 식사 시간이 가까운 것을 까마귀라고 모를 리 없다. 재 너머에는 이미 죽은 짐승들이 눈과 서리로 된 작은 언덕을 이루고, 독수리 세 마리가 잘 차려진 자연의 밥상을 받아 만찬을 즐기고 있다. 멍릭은 숨을 들이마실 때마다 허파가 찢어지는 통증을 느낀다. 서둘지 않으면 흰머리를 풀어 헤친 귀신 바람에 휘말려 테무진보다 먼저 예수게이를 만나는 수도 있다. 그 생각을 하자 지난날이 떠올라 정신이 번쩍 든다. 기회가 있을 때 액땜이라도 해야지 그 상태로 저승에 갔다가 뭐라 변명할 것인가. 게다가 말하지 않는다고 아버지의 원수까지 잊을까? 타이치우트의 키릴툭은 왕년에 테무진을 죽이기 위해 집요하게 추적했다가 실패한 자였다. 한때는 자무카와도 경쟁하더니, 테무진이 독립하자 자존심이고 뭐고 없이 곧 자무카에게 붙었다. 아울러 군대를 강화하는 꼬락서니가 가관이었는데, 마침내 급소가 포착된 것이다. 타이치우트 중에 이기리스 족의 보투라는 명사수가 테무진에게 매혹됐다 하여 알렸더니, 막내여동생의 신랑감으로 삼겠다고 주선을 청한 것이다. 그날이 대면하기로 한 날이었다.

'가다가 얼어 죽어도 하는 수 없지. 보투를 테무진에게 보내는 것은 키릴툭의 송곳니를 뽑아서 테무진에게 줘버리는 거나 마찬가지일 테니.'

흰머리를 풀어 헤친 귀신 바람이 부는 냄새를 젤메도 맡았다. 손님을 맞기 위해 헨티 쪽으로 가는 중이었다. 초원의 날씨는 평평한 곳이 없이 머리 위의 구름에 따라 가물거나 눈이 오거나 돌풍이 불거나 얼음덩이가 되어 있었다. 그래서 하나의 드넓은 평원에서 각양각색의 한파가 들어서 검은 조드, 하얀 조드, 얼음 조드, 눈보라 조드를 진열해놓는다. 젤메는 그나마 쓸 만한 준마가 있어 그 속을 헤치고 간다.

북쪽 산꼭대기에서 이내 검은 안개가 끼더니 눈구름이 몰려와 사방을 구분할 수 없게 만들었다. 광야에 눈 더미가 쌓이고, 끝없는 얼음바다가 펼쳐진다. 그것이 무서워서 자취를 감추었는지 사람도, 가축도, 야생동물도 발자국 하나 남겨놓지 않았다. 고개 끝에 떠돌이 게르 두 채가 소똥을 쌓아둔 것처럼 희미하게 보인다. 뒤쪽은 바람에 다져져서 탄탄한 눈이 덮여 있으며, 앞쪽은 안개 속의 구멍 같은 문이 보인다. 다가가보니 게르 앞에는 벌써 소 두 마리가 꼬꾸라져 있고, 놀란 개가 반가운지 화를 내는지 알 수 없게 짖는다.

"테무진의 쿠리엔에서 온 젤메라고 합니다."

안에서는 찢어진 델을 걸치고 머리가 잔뜩 헝클어진 여자가 입에서 김을 뿜는다. 앞치마에 소똥을 담고 있는 것이 옆 게르에 사람 구실을 못하는 늙은이가 있는 게 틀림없었다.

"오늘은 지나간 사내가 없지요?"

"눈밭이 말해주는 걸 내게 묻네요? 사내는커녕 발 달린 짐승 한 마리를 못 봤어요."

매캐한 연기가 게르의 천창으로, 또 덮개문의 구멍으로 조금씩 빠져나간다. 손님이 들어설 곳에는 굶어 죽은 가축의 가죽을 벗겨다 놓아서 앉을 자리가 없었다. 그래도 여자가 화로에 연료를 채우자 언 소똥이 녹느라 연기가 꾸역꾸역 나와 눈을 뜰 수 없다. 그 속에서 눈물범벅으로 불씨를 부는데 볼 언저리가 한없이 곱다.

"사방이 깜깜해지니 내 여편네인지 남의 여편네인지 모르겠네."

"그럼, 확인해보시구랴."

명품의 넉살에 명품의 답변이었다. 젤메가 묻지도 않고 안아다가 침상에 눕히자 사내 손길을 탄 지가 얼마나 되었는지 가슴의 고동이 뛰느라 살갗이 흔들린다.

인간의 감정처럼 뜨거운 불길은 없다. 그 험한 추위에도 신체의 어디에 불씨가 담겨 있는지 연기도 나지 않고 온몸이 달아오른다. 콧구멍은 작지만 굴뚝보다 성능이 좋아 열기를 숨 가쁘게 뿜어댄다. 건너편 게르에서 바람결에 섞여오는 소리는 기관지가 성치 않은 노인이 콜록거리는 것이었다. 추워서 옷도 벗지 않고 중요 부분만 내놓고 일을 치렀다. 그리고 아랫도리를 막 추스르는데, 가죽이불에 덮인 아기가 보인다.

"아비는 어디 갔수?"

"바람이건 구름이건 보이는 대로 아비라 합지요."

게르 안에 있는 물건들은 사내의 손길을 타지 못한 흔적이 역력하다. 젤메는 대번에 오논 강 누이가 떠올라 가슴이 미어질 듯했다.

그 가엾은 일가족의 풍경을 젤메는 보지 않아도 알 수 있었다. 남정네가 없는 집이란 어디나 똑같다. 양 떼만 동그랗게 모여 이리 우르르 저리 우르르 대가리를 들이밀 테고, 바람이 불 때마다 딱딱, 덜걱덜걱, 뿔이 부딪치는 소리. 춥다고 메에- 메에- 애걸하는 울음은 동장군의 콧대를 높여줄 것이다. 조드의 편에서야 급할 게 없다. 점령지의 가축들을 덥석 무는 게 아니라 공포의 강도만 높이면 대지가 스스로 청소를 한다. 자연은 제 젖꼭지의 숫자가 맞을 때까지, 맨 가장자리에 서 있는 양부터 하나하나 쓰러뜨려 근육을 얼리고, 피를 얼리고, 뇌를 얼릴 것이다.

"그 집에 성한 것은 작은놈밖에 없지. 야무지지만 너무 어려서 탈이라."

혼잣말을 해놓고 마음이 더욱 급해져 견딜 수 없다. 젤메가 얼른 몸을 일으켜 서두른다.

"이 여편네한테도 사내 값은 해주고 가야지."

그 많은 밤들에, 또 극단의 온도하에 산다는 것은 팽팽한 긴장의 연속일 따름이다. 두 채의 게르 사이에서 양 한 마리가 다리를 떨며 걷다 서기를 반복한다. 그러다 바람이 슬쩍 등을 밀자 맥없이 쓰러져서는 경련을 일으키며 축 늘어져버린다. 제기랄, 뒤란에서도 사정은 마찬가지였다. 날씨가 얼마나 지독한지 다들 진이 빠져 어린 것, 병든 것, 새끼 밴 것 순으로 죽음을 기다린다. 그나마 생생한 것들도 배고픔을 참지 못해 죽은 양의 털을 풀인 듯이 뜯고 있다. 당장에 필요한 게 바람막이였다. 서둘러 게르를 드나들며 이곳저곳 만지는 사이에 여인이 술렝(설렁탕의 원조가 되는 고기 국물)을 내왔다. 후루룩 마시는데 개 짖는 소리가 들려 덮개문을 밀쳐보니 제법 잘생긴 총각이 서 있었다.

"이기리스 족의 보투라는 사람입니다. 테무진의 쿠리엔이 먼가요?"

"머네 가깝네 할 것 없이 갑시다. 나 급합니다. 참, 테무진 장군의 몸종 젤메요. 하하하."

보투는 별 희한한 어른을 다 본다는 표정이었다.

"약속을 지키려고 왔지만, 날 풀린 다음에 불러도 됩니다."

젤메야 그런 말을 귀에 담을 턱이 없는 사람이다. 앞뒤 가리지 않고 끌고 가 테무진 앞에 대령시켰다. 마침 테무진은 중무장을 하고 눈 덮인 산을 관망하다 손을 내민다. 순간, 보투의 입이 쩍 벌어진다.

숲에는 눈이 가득 차서 어디에서나 흔한 하얀 조드가 머물고 있었다. 한데, 산채만 한 눈 무더기를 웬 사내가 말 떼를 앞세워 허물어뜨리는 게 장관이다. 서른 마리의 말 떼가 열을 지어서 두두두두 내달릴 때마다 하늘까지 닿는 하얀 성벽들이 무너지고 그와 함께 푸른 산채가 모습을 드러낸다. 그와 함께 거대한 눈이불 속에서 이, 벼룩이 뛰쳐나오듯이 말 떼가 빠져나온 흔적 속으로 소와 염소가 따라 들어가 길을 내고 있었다.

지상의 정원에는 생명마다 자신의 위태로움을 이기려는 비수가 있는 법.

'아, 조드와 저렇게 싸우는 수도 있구나!'

쿠리엔에도 사람이건 가축이건 젊고 건강한 것들만 보이고 비실비실한 물체는 하나도 없다. 게르마다 연기가 꾀허서 아르갈의 향기가 코를 찌르고, 곁에 쌓인 소똥은 초원을 다 뒤져 긁어모았는지 봉우리가 높다랗다.

보투가 넋을 잃고 있을 때 테무진이 팔짱을 끼어서 게르로 끌어들였다. 불꽃이 날름거리는 화로 곁에는 멍릭이 먼저 와서 기다리고 있었다.

"어서 오시게. 추위를 뚫고 왔는데, 어찌 대접해야 할까?"

"괜찮습니다. 저도 말들을 보니 힘이 납니다."

그때 테무진이 물었다.

"보투도 말이 많다면서? 말 부자라고 들었어."

"네, 준마 서른 마리를 가지고 있어요. 여동생을 주신다니 열다섯 마리를 내놓겠습니다."

처음에는 그 말을 잘 못 알아들었다고 생각했다.

"대단해. 준마 서른 마리?"

"네, 신부 값으로 열다섯 마리를 준비했습니다."

거기서 테무진의 표정이 딱 굳었다. 젤메가 화로를 살피는 척 발등을 밟아서 눈치를 준다. 보투가 당황하여 얼굴이 붉어졌다. 서른 마리를 다 주겠다고 하라는 뜻인가?

테무진이 한참 만에 입을 연다.

"내가 사람을 잘 못 보는지, 그대가 나를 잘못 아는지 모르겠어."

멍릭이 재빨리 끼어들어 보투가 활을 얼마나 잘 쏘는지 설명하지만 테무진의 귀에 닿지 않는다.

"젤메, 여동생을 불러와."

한참 침묵이 흐른 후에 테무룬이 도착했다.

"예쁜가? 나는 모르겠어. 유목민 딸이니 초원에 흔한 계집이겠지.

하지만 나는 가슴 바깥에다 내놓고 쳐다본 적이 없어서."

말을 하다 고개를 숙이고 한참 뜸을 들인다.

"아까는 참지 못할 뻔했어. 보투! 혹시 낙타 키워봤어? 어미가 새끼에게 젖을 안 주지. 정이 없어서라고 하던데, 난 생각이 달라. 양은 착해 보이지만 새끼가 죽어도 돌아선 자리에서 잊고 말아. 남의 새끼에게 젖도 잘 먹이더라고. 그게 나쁜 일이겠어? 한데, 낙타는 말이야, 새끼가 죽으면 어미가 목숨이 다할 때까지 울데. 사막에서 자식을 잃으면 낙타의 새끼를 같이 묻잖아. 잔인한 일이야. 어미가 죽는 날까지 그 자리를 찾는 것은 무엇 때문일까? 죽도록 고생해서 낳기 때문이 아닐까? 낙타는 자궁이 작잖아. 실수할까 봐 미리 밝히는 거야. 내 여동생은 낙타 새끼처럼 컸어. 전에 메르키드와 싸울 때 준마 열다섯 마리가 아니라 천오백 마리가 죽는 걸 봤는데, 난 눈물 한 방울 안 흘렸지. 저 아이가 죽으면 어떻게 될까?"

누구도 숨 쉬는 소리조차 내지 못했다.

"부자와 사돈할 생각은 없어. 한데, 저게 꼭 내 걱정을 한다고. 난 그게 아주 아파. 여동생을 위해서 살 수가 없는 몸인데. 숫자가 작지만 내게는 백성이 있고, 이 백성을 나는 조드에게도, 타타르에게도, 금나라에게도 빼앗길 생각이 없어. 그럼 저 아이는 시집을 어디로 가야 하나? 나와 싸우지 않을 부족에게 보내는 수밖에 없지. 나는 보투가 마음에 들고, 이런 이야기를 하고 싶어서 보자고 했는데, 준마 열다섯 마리를 주겠다고 하면 난 뭐야? 자, 한 가지만 판단하면 돼. 보투의 부족이 나의 적이 되지 않게 할 자신이 있으면 데려가. 미안해. 이야기가 좀 재미없게 되었으니 나의 멍릭아버지에게 답을 주면 좋겠어."

보투는 혼이 나가버렸다. 태어나서 그렇게 무서운 사람을 본 것도, 또 그렇게 감동적인 말을 듣는 것도 처음이었다. 멍릭이 어색한 분위기를 수습하려고 자리를 정리한다.

"조드 때문에 바쁠 테니 다시 보기로 하자고. 테무진! 가도 되지?"

"아버지는 우리 집에서는 왜 안 주무세요?"

"바빠. 또 보게. 보투도 같이 갈까?"

"네."

자리가 끝나자 젤메가 비로소 긴장이 풀어지는지 날숨을 내쉰다. 그리고 불쑥 떠올랐는지 화다닥 움직이기 시작한다.

"오논 강 누이가 걱정돼서 안 되겠어요."

해놓고, 복면을 뒤집어썼다.

눈 덮인 광야란 외부가 없는 감옥과 같다. 눈안개까지 짙어서 젤메는 도통 감을 찾을 수 없었다. 흰빛을 오래 본 까닭에 눈앞에 검은 얼룩도 서린다. 몇 역참을 갔는지, 제자리걸음을 하는지 알 수도 없다. 해종일 하나의 흔적을 발견한 것이 핏자국이었다. 길 잃은 양이 독수리에게 내장을 뜯겼는지 배가 갈라져 죽어 있었다.

눈은 미련 없이 계속 내린다. 오논 강 쪽은 헤를렌 강 쪽과 왜 이리 다른가? 아무리 생각해도 방향 감각이 서지 않아서 고삐를 바른쪽으로 당겨봤는데, 회색의 새가 말을 듣지 않는다. 그렇다면 맞을 것이다. 말은 설원에서 길을 찾을 수 있는 유일한 생명체였다. 더구나 회색의 새가 주인에게 가는 걸 모를 턱이 없으니, 젤메는 쥐었던 고삐를 놓아버렸다. 손목을 소매 속에 감추고 아무리 움츠려도 가지가 부러진 나무처럼 팔다리가 찢겨 나가는 것만 같다. 말의 갈기와 턱밑에 매달린 고드름의 길이로 내달린 거리를 가늠할 수밖에 없는데, 말발굽 밑에서 눈이 뽀드득거리는 소리가 그나마 속도를 삼켜버렸다. 그래도 도대체 짐작할 수 없는 상태로 하늘이 희미해지는 게 저녁이 오는 모양이다. 밤이면 기온이 걷잡을 수 없이 떨어질 것이다. 믿을 것은 회색의 새인데, 녀석의 생각을 알 수 없었다. 오직 거칠게 뿜어대는 콧김 밑으로 눈송이가 투두둑 내려앉는 소리를 들으며 마음을 달랠 뿐이다.

그 시각, 오논 강 여자는 큰아들을 보낸 것을 후회하고 있었다. 젤메가 온다고 조드가 온순해지는 것도 아니다. 유일하게 대화를 주고받던 상대가 지평선에서 지워진 순간 그녀는 무서운 세계에 갇힌 사실을 뼈저리게 깨달았다. 침묵이 늑대처럼 우글대는 세계, 끊임없이 숨통을 조이는 추위 앞에서 생명의 연대감을 나눌 '소통하는 물체'마저 사라진 세계, 정적의 무서움을 증명하는 우주 속 고립무원의 공간에 자신이 놓여 있었다. 그때 한파라는 맹수가 들릴 듯 말 듯 하는 발소리를 내며 얼음 위를 지쳐오는 기척은 얼마나 공포감이 드는가. 그녀는 아무 형상이 없는 맹수를 그러나 선명하게 바라보고 있었다.

'제발, 작은아들이 물리지 않아야 할 텐데. 제발, 정신을 차릴 때까지 지켜야 할 텐데.'

오논 강 여자는 어둡기 전에 땔감을 확보해야 해서 양 떼의 바람막이로 세워진 작대기를 몇 개 뽑아도 되겠는지 살피러 갔다. 한 덩어리로 뭉쳐 있는 양 떼가 펑펑 쏟아지는 눈발 속에 꼼짝도 못하고 서서 묻혀가고 있었다.

'그까짓 털은 눈도 녹이지 못하면서 왜 달려 있는지 몰라.'

곱슬곱슬한 양털은 눈송이를 한 올도 녹이지 못하고 곱게 받쳐 들어서 더욱 잘 쌓이게 한다. 가엾은 것이 산 채로 눈 더미에 매장되는 이유가 거기에 있었다. 대신에 날카로운 바람 소리에 공포를 느끼는지 끝없이 콧구멍을 벌름거린다. 그렇게 버티는 모습을 보자 도저히 작대기를 뽑을 수 없었다. 모든 생명체는 서 있어야 살 수 있다. 쓰러지는 순간이 죽는 때이다. 그렇담 나무토막처럼 여위고 가죽만 남은 몸통들이 얼마나 견딜 수 있을까? 거기에 결정타를 먹이는 바람 가리개를 차마 걷어올 수 없어서 놔두고 돌아와 새 걱정을 시작한다. 큰아들은 변을 당하지 않았으면 젤메의 품에 안겼을 것이다.

'그럴 수만 있다면 돌아오지 못하게 하면 좋으련만.'

허나, 대자연은 그런 것에 아랑곳하지 않는다. 밤이 깊어갈수록 바람의 목청이 커지고 있었다. 별들은 희뿌연 밀가루 공기 너머에 있는지 보이지 않는다. 그 순간에도 게르는 폭행을 당하는 행인처럼 너덜거리고, 흰머리를 풀어 헤친 귀신 바람은 패거리로 모여들어 구타를 가하는 것처럼 게르를 한껏 부풀렸다가 마구 짓밟아댄다. 또 갈빗대가 부러지는 소리. 몇 대가 나갔는지 알 수 없었다. 극한의 추위는 세상의 물건을 모두 연기로 바꾸어도 물러가지 않을 것 같았다. 아침이 되었을 때 오논 강 여자는 게르 주변에 쌓아둔 땔감이 점점 바닥이 나자 부스러기를 쓸어서 긁어 넣고, 잠든 아들에게 부탁한다.

"깨더라도 절대 밖에 나가면 안 돼."

부스러기야 금방 타고 만다. 오논 강 여자는 돌아오지 않고, 화로는 바쁘게 식어간다. 불씨가 꺼질 지경에야 겨우 얼음에 뭉쳐 있는 나뭇가지를 구했다. 불길에 녹이자 검은 연기를 뿜어댄다. 그동안에도 수베테이의 몸은 점점 식어가서, 열만 내리면 좋은데 체온이 떨어질까 무섭다. 영양실조 상태라 죽어가는 새처럼 눈을 못 뜬다. 오논 강 여자가 참았던 울음을 기어이 터뜨리고 말았다.

"수베테이!"

눈물범벅으로 주위의 마른 가지를 추려 화로에 넣자 다시 연기가 걷히고 불꽃이 살아나 미친 듯이 춤을 춘다.

"죽지만 말아라. 수베테이, 넌 장군이 된다고 했어."

그렇게 무서운 밤을 견뎠는데, 이튿날도 여전히 똑같은 날씨가 이어지고 있었다. 오논 강 여자는 큰아들이 기적처럼 밤을 이기고 테무진에게 도착한 사실도 몰랐다. 더욱 중요하게는, 그녀의 인생에서 유일하게 삶의 시간이 소중하다는 것을 가르쳐준 위대한 동생이 등에 장작을 지고 몇 시간 후면 당도하리라는 사실도 모르고 있었다. 아는 것은 한 가지, 땔감이 모두 떨어져서 마지막 불씨가 눈을 감으면 제 몸보다 소중한 작은아들이 죽는다는 사실뿐이었다. 그래서 마침내 그녀는 결단을 내렸다. 수베테이가 가물거리자 작심한 듯이 옷을 벗는다. 그리고 아들의 볼이고 손이고 가리지 않고 젖가슴에 파묻는다. 온기가 약해지자 아예 상체를 벗어젖혀서 아들의 몸에 문지르기 시작했다. 온 살이 빨갛게 터질 것 같아도 상관없이, 젖가슴이 벌레에 물린 것처럼 얼룩이 져도 상관없이, 오돌토돌 돋은 돌기에서 군데군데 꼭지가 떨어져 피가 나도 상관없이.

조금이라도 버티면 젤메가 당도할지 모른다. 그래, 최대한의 버티기에 들어간 것이다. 이제 눈에 뵈는 게 없다. 아들의 밥그릇으로 쓰던, 나무로 만든 함지박도 깨뜨려 불태웠다. 목재로 된 압다지도 낙타가죽을 벗겨 불길에 처넣었다. 게르의 옆구리에 매달린 갈빗대도 뽑아서 화로에 넣고, 급기야 작은아들을 덮었던 두꺼운 털옷까지 불씨로 써버렸다. 더 이상 태울 게 없자 양 떼의 바람막이를 위해 세워둔 작대기가 생각난다. 잘하면 뛰어갔다 오는 동안 무사할지 모른다. 그래서 덮개문을 열고 나가는 순간, 낭창낭창하게 휘어지는 자연의 채찍이 일격을 가했다. 그리고 바로 휘청거리는 때를 기다려 흰머리를 풀어 헤친 귀신 바람이 사자 떼처럼 덤벼들어 목덜미를 마구 물어뜯었다. 피가 흐르는 것처럼 뜨거운 것이 몸통 아래로 기어 내려간다. 이내 우두머리 사자의 아가리 같은 것이 그녀를 물어서 먼 허공을 향해 획 던져버렸다. 몸통이 가벼운 종이 한 장처럼 어디로 날아가고 말았다. 그로써 오논 강 여자는 공중에서 숨통이 끊긴 채 원래 가려고 했던 작대기 근처에 널브러졌다. 슬픈 역사 하나를 이어가던 질긴 생명체에 대한 학살이 완료된 것이다.

마침내 겨울이 지났다. 조드는 유목민의 삶을 초토화시켰지만 인간이 보지 못하던 것을 보여주고 갔다. 고원에 엄청난 추위가 머무는 동안 푸른 하늘처럼 영원한 것과, 낱낱으로 존재하는 찰나의 생명들이 너무도 극적이고 생생하게 대조되었다. 하지만 그렇게 큰 것을 알기에 지상의 삶은 너무 작고 바쁘기만 했다. 동굴처럼 긴 죽음의 악몽이 남아 있지만 그것과는 상관없이 날씨가 풀리자 대지는 태연하게 재생의 길을 걷는다. 죽은 가축은 제자리에서 풍화되고, 아직 덜 썩은 사체에서도 싹이 돋아 조드의 흔적을 하나씩 지워간다. 하지만 테무진은 가혹한 기억이 그냥 사라지도록 놔둬선 안 된다고 생각했다. 지난 약속을 지키지 않으면 다음 약속도 의미를 얻지 못할 터. 그래서 다시 쿠리엔 전원회의를 소집하여 가을에 했던 약속을 재차 확인했다. 그리고 눈 하나 까딱하지 않고 실천에 옮긴다.

조드가 머무는 동안 어린 자식을 잃은 사람은 도합 여섯이었다. 규칙을 어긴 것은 둘이었는데, 그들은 여전히 술을 마시며 방탕하다 또 사고를 쳤다. 말 젖으로 마유주를 담을 때 생기는 하얀 찌꺼기를 최음제로 이용하여, 얼굴을 알건 모르건 또 어미건 딸이건 가리지 않고 희롱하다가 발각되어 맞아 죽기 직전이었던 것이다. 테무진은 이웃이 체벌하는 것을 금지시켰다. 그리고 백성들 앞에서 평소와 똑같은 어조로 정황을 설명한다. 두 사람은 사형 집행자들의 화살이 시위를 떠날 때까지, 겁만 주고 말겠지, 했다. 한데, 그럴 리가 있는가! 선 자리에서 뉘우칠 기회도 없이 눈을 감고 말았다. 그로 인해 백성들은 공권력이라는 아주 낯설고 무서운 힘을 목격하게 되었다. 공권력이란 참 이상한 것이었다. 이제까지 유목민이 본, 인간이 인간에게 가하는 모든 상해는 반드시 원한관계를 남겼는데, 그것은 나중에 복수할 대상조차 찾을 수 없게 만들었던 것이다.

그것도 끝이 아니었다. 이어서 버르테가 여자들을 데리고 음식 준비를 하고 뒤쪽에서 후엘룬 어머니가 아기를 안고 있다가 테무진에게 넘겼다. 이내 노루의 갈비뼈 한 대가 아기의 손에 쥐어져서 테무진이 높이 치켜들어 보여준다. 울거나 칭얼대는 모습을 보인 적이 없는 버르테의 아들 주치가 건재하다는 것을 확인시키는 동작이었다. 그것을 신호로 잔치가 시작되자 다들 고기 냄새를 맡고 눈이 휘둥그레진다. 태반이 겨울 동안의 영양 결핍을 쐐기풀을 달여 먹는 것으로 보충하고 있었다. 그런데 쿠리엔에서 피워 올린 모닥불에서 들파 굽는 냄새, 고기 삶는 냄새가 진동을 한다. 저마다 군침을 흘리다 못해 창자까지 요동을 쳐서 정신을 차리지 못할 지경이었다. 그런데 두고 보니 지난가을에 집단사냥으로 잡았던 들짐승이 한 마리도 수령의 배에 들어가지 않고 고스란히 자기들 앞에 돌아온 것이다.

백성들은 조드를 물리친 지도자를 침이 마르도록 찬양했다. 사냥을 할 때의 무용담이 다시 화제가 되고, 시끄럽게 떠드는 목소리들이 흥겨운 노랫가락으로 바뀐다. 그제야 참모들이 게르 안에 차려진 술과 고기 앞에 모였다. 테무진이 가장 좋아하는 회포의 자리였다. 그런 경사를 젤메가 넉살도 안 부리고 지나갈 턱이 없었다.

"아무리 추워도 갈증은 난단 말씀이야. 그럴 때는 바가지도 없이 떠먹는 물이 최고 맛있어. 그게 약수지. 아, 그 여편네 참. 남의 발길이 닿지 않는 샘물을 풀포기만 슬쩍 치우고 몰래 떠먹는 기분이라니! 그래도 나는 물 마신 값은 항상 하고 오는 사람이야."

웬 약수 이야기를 하나 싶었는데, 곰곰이 들어보니 여자 이야기라 금방 생기들이 돈다. 그중에서도 가장 신이 올라 맞장구를 치는 사람은 예언자 코르치였다.

"그런 약수터를 삼십 개나 가지고 다니면 얼마나 좋겠어? 한 달 내내 새 물을 마시지. 나그네가 싫증을 내지 않으니 샘물도 솟구칠 맛이 나지. 안 그래?"

다들 어처구니없어서 웃는다. 보오르추는 애매할 때면 꼭 종마를 들어 비유한다.

"젤메, 종마는 거세마보다 수명이 칠 년은 짧아. 무엇 때문이겠어?"

"까짓것 칠 년 더 사는 게 문제야? 맛있는 물을 먹는 게 최고지."

그러면서 젤메는 온갖 넉살을 떨다가 사람들이 자지러지는 틈을 타 두 번이나 밖에 나가서 억-, 억-, 하고 피울음을 토했다. 그러고는 들어와 또 농담을 시작한다. 아무리 즐겁게 웃고 떠들어도 가슴 밑바닥에서 올라오는 몇백 년 묵었는지 모르는 슬픔을 삭일 길이 없었다.

'젠장, 틈이 조금만 나면 데려올 참이었는데!'

까마득한 옛날에 기적처럼 살아남은 두 쌍의 남녀가 자식을 쳐서 칠십 마리의 소가죽으로 풍무를 만들어 쇠 벼랑을 뚫어버린 위대한 사건의 계승자는 이제 자기밖에 없다. 보르칸 산 대장장이의 마지막 핏줄이 바로 오논 강 여자와 자신이었던 것이다.

그렇게 잔치가 이슥해지고 있을 때 테무진이 슬며시 중요한 이야기를 꺼낸다.

"알탄이 사람을 보냈어. 어린 몽골을 재건하자, 테무진이 칸을 맡아라, 쥐르긴 족하고도 얘기가 끝났다! 이걸 어떻게 생각해?"

난데없는 얘기였는데, 동생 카사르가 미리 준비나 한 듯이 말을 받는다.

"지금 형을 가지고 노는 거야. 삼하(세 강줄기가 흐르는 대지)에서 자무카가 제일 센데, 그 형 몰래 칸을 세우면 어린 몽골이 쪼개지는 거지. 그것도 우리가 약자라고. 오천 명으로 이만 오천 명을 당해? 자무카는 무기도 많아. 다른 쿠리엔들도 그쪽으로 줄 설 거고. 그래, 실컷 싸우고 나면 귀족 놈들이 쓱싹 요리할 셈인 거지. 하여튼 그놈들 속은 하는 짓마다 똥 냄새를 풍겨."

카사르의 분석에 다들 기가 죽었다. 듣고 보니 상황이 너무나 명료했던 것이다. 그런데 테무진이 웃으면서 다른 측면을 상기시킨다.

"카사르의 이야기가 어찌나 정확한지 저게 형이었으면 좋겠다는 생각이 들 때도 있어. 활을 잘 쏘는 신궁이라 그런지 표적물을 잘 놓치지 않지. 한데, 카사르야! 활을 잘 쏘는 사람들은 작은 것을 취하느라 큰 것을 잃을 때가 많아."

무슨 뜻인지 몰라 다들 머리가 바쁘다.

"한곳을 꿰뚫어 보면 나머지가 안 보이는 거야. 중심을 쳐다볼수록 주변이 지워지는 거지."

보오르추가 거기서 문득 영감을 얻었는지 잘생긴 눈을 끔벅끔벅한다.

"생각해볼 문제 같아. 귀족들의 속셈이야 카사르 말이 옳지. 한데, 테무진이 칸이 된다! 이러면 얘기가 달라지잖아? 준마는 고삐를 쥔 사람이 끄는 거야. 힘센 사람은 세상을 힘으로 움직일 수 있다고 보지만, 사실은 힘이 움직이는 방향을 조절하는 사람이 움직이는 거라고."

바로 그것이었다. 테무진은 귀족 같은 건 안중에도 없고, 자무카와 어떻게 하면 충돌을 피할 수 있을까를 고민하는 중이었다.

"보오르추도 그렇게 생각해? 나는 알탄에게 이렇게 답했어. 어린 몽골을 쪼개지 맙시다. 정히 그래야 한다면 두 분도 나서주세요. 저와 알탄 어른, 세체 어른이 공동 대표를 맡는 연정체제를 구성하는 겁니다. 그리고 언젠가 보르지긴과 타이치우트가 연합하듯이 우리도 자무카와 손을 잡아야지요."

하지만 그들이 어떻게 자무카와 손을 잡을 수 있는가. 울루스도 없는 떠돌이 백성을 그때까지 지켜온 건 순전히 자무카의 지도력이었다. 허울뿐인 귀족들이 흰 빼랍시고 연합정권을 운운했다가는 앉은자리에서 저승 손님이 되기가 십상이었다. 다들 테무진을 따라간 후 자무카의 심정이 어떤지는 이미 정보망에 잡혀 있었다. 멍릭에 의하면, 조드가 지나자 줄줄이 눈 더미가 녹아서 초원의 곳곳이 거대한 수렁이 되어 있었다. 어떤 지역은 발이 빠져서 말이 못 가는 곳도 많았다. 그걸 보며 자무카가 이렇게 말했다는 것이다.

"흰 뼈? 놈들의 뼈가 정녕 검지 않고 희다면 저 진흙길을 가로질러 보라고 해. 그때도 늑대처럼 하얀 발자국이 찍히면 내가 흰 뼈 대접을 해주지."

자무카의 기세가 하도 등등하기 때문에 알탄이 종종걸음을 하고 찾아올 수밖에 없다는 것을 테무진은 훤히 알고 있었다. 한데, 그런 복잡한 사정을 고려할 것도 없다는 참모가 한 사람이 있었다.

"대칸! 미인 삼십 명이 아까우십니까? 왜 자꾸 시간을 끄시는지. 저는 즉위식 날 굿할 옷을 이미 손질해두었습니다."

테무진이 어처구니없어서 묻는다.

"그렇게 말하는 이유가 있을 텐데, 또 꿈을 꾸었는가? 미인을 더 달라는 건 아닐 테고."

"그렇지요. 이번 꿈은 제 것이 아니고 보르칸 산신의 것이니 거기다 한 열 명쯤 올리십시오."

느닷없이 보르칸 산을 들먹이자 젤메가 열이 올라 눈을 부라린다.

"어라? 간이 배 밖에 나오셨네. 보르칸 산신님을 뭘로 알고."

"대칸, 보르칸 님에게는 아주 예쁜 딸이 셋이 있어요. 몸매가 어찌나 고운지 사뿐사뿐 지나가기만 해도 초원이 살살 녹지요. 큰딸은 헤를렌, 둘째딸은 오논, 셋째는 톨이라 하는데, 가장 아끼던 딸 오논을 놈홍 달래(태평양)라는 왕자에게 시집을 보냈어요. 큰딸 헤를렌도 바이칼이라는 왕자 놈이 데려갔습죠. 한데, 막내가 남았어요. 큰딸, 둘째딸이 시집갈 때 뒤도 안 보고 떠났으니 보르칸 님이 화가 나서 평생 돌아오지 말라고 엄명을 내렸지 뭡니까? 결론적으로다가 막내만 잘 따르면 삼하에서 무슨 문제가 있겠느냐, 이러십니다요."

논지를 일거에 뒤집는 의견이었다. 헤를렌 강, 오논 강, 톨 강의 백성들을 어떻게 다스리는가 하는 게 핵심인데, 코르치의 말 속에 이미 답이 들어 있었다.

"톨 강이라면 토오릴칸의 영지 아닌가?"

"저야 모릅지요. 제게 빚을 지신 분께서 알아서 하실 일이라."

테무진의 의문은 쉽게 풀렸다. 귀족들이 자무카를 피한다 해도 무서운 토오릴칸에게 걸려들 게 틀림없었다. 토오릴칸은 내심 어린 몽골을 테무진 진영과 자무카 진영으로 분단해서 관리하려고 여간 공을 들여온 사람이 아니었다. 메르키드를 치고 나서 전리품을 테무진이 차지하도록 권할 때 그가 자무카를 견제하려는 심보를 허파 밑에 감추고 있다는 것을 테무진도 알고 자무카도 알았다. 그때, 심장을 뭘로 만들었기에 그럴 수 있는지 자무카는 신기하기만 했다. 가진 것이라고는 덜렁 불알 두 쪽밖에 없는 자가 절호의 기회를 잡았으면 장식물 하나라도 더 챙기려고 갖은 눈치를 살펴야 옳은 테무진은 전리품을 포기해서 모두 자무카에게 돌아가게 만들었다. 얼마나 감동적이었던가! 자무카가 테무진을 끌고 가 일 년 반을 동고동락한 이유가 거기에 있었다.

신기한 일이었다. 조드를 겪고 나서 초원의 모든 세력은 일제히 겸손하지 않을 수 없었다. 나이만은 산간지방을 눈 더미에 파묻고 서역 상인들에게 구걸하고, 발자국 조드를 만난 타타르는 춘궁기 때문에 금나라를 찾아다니며 강아지 노릇을 했으며, 메르키드의 잔존 세력은 초원 북부를 누비는 비적(匪賊)질로 연명하는가 하면, 케레이트는 남부 사막의 낙타들이 떼죽음을 당해서 무늬만 좋은 호랑이가 되었다. 어린 몽골은 사정이 더욱 나빠서 초원의 생명체 감축 대상 1호가 되었으니, 제대로 힘을 쓸 만한 족벌이 남아 있지 않았다. 겨우 백성을 살린 자무카조차 대대적으로 나무껍질을 벗기고 수액을 마시며 말의 정맥까지 뽑아 먹었기 때문에 좀처럼 회복의 기미가 보이지 않았다.

더 이상의 기회는 없을 것이었다. 때마침 텝텡그리와 모칼리의 활동으로 무당들이 온갖 찬사를 퍼뜨리는 바람에 테무진의 명성은 귀신에 씐 것처럼 높아져가고 있었다. 확실히, 그는 가난을 딛고 일어섰으며, 인정이 많고, 친구들의 공로를 높이 산다는 점에서 여느 지도자와 뚜렷이 구별되었다. 또 평민의 아들 보오르추, 종 젤메 등이 테무진의 생각과 계획을 지휘하고 수행하는 모습은 누구나 그렇게 될 수 있다는 희망을 갖게 했다.

알탄이 다시 찾은 것은 키야트의 귀족들조차 가축을 잃고 굶어 죽는 사람이 생긴 오후였다. 제아무리 왕손이라도 예전처럼 무엇을 빙빙 돌려 말할 여가조차 없었다.

"테무진 사촌! 한 집단에 수령이 여럿이면 곤란하지. 아우님이 칸을 맡으시게. 우리가 충실히 따르겠네. 사냥을 할 때면 짐승을 몰아줄 거며, 전쟁터에서는 방패막이가 될 터요, 전리품을 얻으면 모두 바치겠어."

"세체 어른의 마음도 같을까요?"

"그렇지, 이번에 피해를 많이 입었어."

테무진은 물러설 자리가 없었다. 아니, 물러설 까닭이 없었다.

"그렇다면 방금 맹세를 몽골국을 선포할 때 백성들 앞에서 해주실 수도 있습니까?"

"당연하지. 전쟁 때 말을 듣지 않으면 검은 머리를 땅에 구르도록 떨어뜨리게. 평화로울 때는 죽음의 들판으로 내몰아도 좋네."

테무진은 깜짝 놀랐다. '검은 머리'란 명백히 부하를 지칭하는 표현인데, 바로 코톨라칸의 적자가 그런 말을 했던 것이다.

"좋습니다."

하지만 입만 달싹거릴 뿐 소리가 나오지 않았기 때문에 알탄은 못 알아듣고 한참을 멍하게 있다가 곁에서 멍릭이 알려줘서야 인상이 펴져서 돌아갔다.

테무진이 칸에 오른다는 소식은 많은 사람을 정신없게 만들었다. 가장 바쁜 이는 보오르추. 그는 날마다 머리를 싸매고 귀족들의 준동을 막을 계책을 찾느라 머리털이 빠질 지경이었다. 나코 어른에게 후궈 남질의 비법을 묻기도 하고, 소수 씨족의 수장들에게 혈통의 한계도 듣고 또 들었다. 누구나 내리는 결론은 백성을 다른 방식으로 조직하지 않으면 칸이 힘을 쓸 수 없다는 것이었다. 가령, 쥐르긴 족은 막강한 군대 조직이었다. 예하 씨족 중에서 힘깨나 쓰고 활 좀 쏘는 명장을 다 모았기 때문에 휜 뼈라는 말은 허울일 뿐 내막은 무력 조직에 다름없었다. 키야트의 귀족도 수많은 유랑민을 흡수하고, 종이라 또 가신이라 하여 가축을 맡긴 자들이 많아서 언제라도 독자적으로 병력을 동원할 수 있다는 것인데, 그 일당백의 무장력을 어떻게 해체하느냐, 이게 큰 숙제가 아닐 수 없었다. 쥐르긴 족의 수령 세체, 키야트의 귀족 알탄 같은 사람이 테무진을 칸으로 옹립하는 속셈도 무장력에서 자신 있기 때문이었다. 놈들의 손발을 어떻게 묶어야 옳으냐? 놈들의 병력을 전쟁이나 집단사냥 때 칸의 뜻대로 움직이는 수는 과연 없느냐? 보오르추는 머리에 쥐가 내리는 것 같았다.

사실, 테무진의 소망은 간단하다.

"토오릴칸도 군대를 열 명 단위로 이끌고 자무카도 군대를 그렇게 쪼갰어. 나도 백성을 그렇게 나누고 싶어."

한데, 겉으로는 이웃의 관례를 말하지만 속에는 의미심장한 뜻이 숨어 있었다. 젤메의 탄성이 바로 그것을 증명했다.

"역시나 대장님이 최고야. 가문의 서열? 문중의 파벌? 이런 거 싹 치워버려."

과연 어떻게 해야 그럴 수 있단 말인가? 보오르추는 쥐르긴의 종 모칼리가 수완이 뛰어나다 하여 얼마나 찾아다녔는지 모른다. 결국 그의 주인들은 손대지 않겠다는 약속을 하고 지혜를 빌렸다.

"칸께서 앞으로 흉노의 전통대로 하겠다고 발표하시면 눈치채지 못할 겁니다. 흉노의 조직 편재에서 중요한 것은 경칭을 없애는 거예요. 열 명의 책임자를 십호장, 또 열 명의 책임자를 백호장, 또 열 명의 책임자를 천호장. 그리고 칸이 천호장을, 천호장이 백호장을, 백호장이 십호장을 뽑는 게 어려울까요? 누구나 자신의 책임자 말만 듣도록 하면 족벌이 끼어들 수 없어요. 그걸 칙령으로 내놓고, 즉위식 때 서약을 받아놓아요."

칙령은 테무진의 귀를 실로 솔깃하게 하는 게 아닐 수 없었다.

"코르치, 난 참기 힘든 놈들이 있어. 아무리 싸움질을 한다고 남의 불씨에 오줌을 싸는 놈, 근친상간은 또 뭐야. 사내가 종마보다 못해서야 가정이 지켜지겠어? 흐르는 물에 빨래를 해서 물을 못 마시는 경우도 봤다고. 푸른 하늘이 천둥 벼락을 치면 틀림없이 그놈들을 때리지. 벼락 맞을 짓을 왜 할까? 그자들은 푸른 하늘의 바깥에서 사나? 내 말은 이런 걸 칙령에 넣으면 어떻겠느냐는 거야."

무속을 따르자는 건데 어떤 무당이 쌍수를 들지 않겠는가.

"대칸! 말씀하신 게 아주, 아주 중요합니다. 옛날에 한 여신이 아들을 잃고 한없이 슬피 울었습니다. 눈물을 얼마나 쏟았는지 강이 되었어요. 어떤 신이 세상을 돌다가 강물이 방해가 되자 여신이 앉은 모습 그대로 산을 만들어버렸지 뭡니까? 결국 산의 풀과 나무는 그녀의 털이요, 강과 물은 눈물입지요. 거기에 오줌을 싸는 놈들은 벼락을 때려야 마땅합지요."

조드의 후유증이 얼마나 심한지 당시 초원은 거의 무법천지가 되어 있었다. 말 도둑이 들끓고, 강도가 횡행하며, 부족과 부족, 씨족과 씨족 간에 셀 수 없이 싸움이 일어났다. 코르치도 거기서 행해지는 만행에 치를 떨던 터라 칙령을 선포하는 안을 열렬히 지지했다.

그렇게 신이 난 사람들 가운데 가장 넋이 팔린 사람은 역시 젤메였다. 그는 태어나서 처음으로 부하를 이끄는 대장이 되라는 명을 받았다.

"아이고, 난 종노릇만 해도 좋은데."

테무진이 귀족들의 심부름이나 할 가능성은 전혀 없으니, 머잖은 날에 놈들이 도발해올 것은 정해진 이치였다.

'그래, 칸을 위해 목숨을 헌납할 충성심과 신의를 가진 난공불락의 용사들이 반드시 있어야지. 그럼, 물고기 부대가 필요하단 말씀이야.'

물고기는 눈을 감지 않는 동물의 표상이라 적을 경계하는 친위대를 일컫는데, 여기에 대한 젤메의 구상은 독특했다. 우선, 오논 강 누이의 작은아들을 전령으로 세워놓고, 상당수의 친위대원을 소년들로 구성했다. 테무진의 어린 동생들부터 메르키드에서 데려온 쿠추, 타이치우트에서 주워온 쿠쿠추, 보오르추의 사촌동생, 오논 강 누이의 큰아들, 울란체첵의 외아들. 이런 열 살짜리 소년들을 동원하자 그것도 군대냐고 웃는 사람이 많았다. 한데, 보오르추가 골라준 최고의 준마를 배급하고, 누구에게도 밝히지 않은 무기, 바로 보르칸 산 대장장이의 풀무로 만든 비밀 병기로 무장을 시키고 보니 사정이 영 다르게 되었다. 자무카의 진영에서 배운 화살촉, 아버지가 고안한 말 지뢰는 최첨단 장비였다. 게다가 테무진이 즉위하는 대로 칸의 숙소를 빙 둘러서 친위대를 배치하고, 화살이 닿는 거리까지 아무도 접근할 수 없게 하는 복안도 세워두었다. 누구든 침범하는 순간 젤메가 전쟁을 불사할 거라는 것은 보지 않아도 훤한 일이 되었다.

오천 명의 백성으로 십만 명의 나라를 끌고 가려는 생각이 그들을 이렇게 바쁘게 만들었다. 쿠리엔의 백성들은 한없이 흐뭇했다. 자무카 진영에서 천덕꾸러기로 사는 게 슬퍼서 고생할 각오를 하고 따라와보니 어느 순간 별나라에 닿은 기분이 들다니! 그런데 사실은 그것도 전부가 아니었다. 실제로는 그들이 생각하는 것보다 훨씬 큰 덩어리가 있었다.

초원의 생태계에서 늑대는 먹이를 다투지 않기 위해서 흩어지지만 여전히 연락을 유지하는 것이 필요했다. 연락망의 범위가 어찌나 큰지, 늑대 한 마리가 내는 소리는 멀리 가지 않지만 그들의 비상 신호가 연결하는 범위는 아주 먼 곳까지 이어졌다. 테무진 세력을 늑대파라고 부르는 것은 그런 의미에서 적확한 표현이었다. 테무진을 칸으로 옹립한다는 소식은 만리장성 아래까지 퍼져서 버르테의 큰오빠를 통해 타타르에서 일하는 울란체첵에게도 전달되었다. 그녀는 상인의 아내로 가장하고, 기회만 있으면 타타르 여인들의 넋을 빼놓지만 혼자 일하는 게 전혀 외롭지 않았다. 마음만 먹으면 돌아갈 거점이 있고, 아들은 수령의 집에서 자라며, 칸의 친위대에 뽑혔다는 소식까지

왔다. 오직 감격스러울 뿐. 자기도 볼 낯이 서려면 뭔가 중요한 공을 하나 세워야 할 판이라 그녀 역시 눈코가 빠지도록 바쁘지 않고는 배길 수 없었다.

그렇게 분주하던 끝에 즉위식이 하루 앞으로 다가오게 되었다. 하지만 테무진은 좀처럼 마음의 안정을 찾지 못한다.

"때와 시를 잘못 택한 건가?"

코르치에게 물어도 고개를 저을 뿐이다.

칸의 칭호를 받으면 좌군과 우군을 보오르추와 젤메에게 맡길 생각이었다. 평민과 종의 자식에게 군대를 맡기면 엄청난 파장이 일어날 것이다. 그것은 새로 태어난 울루스가 혁신의 대장정에 돌입할 것을 예고하는 것이나 다름없었다. 유목제국은 모두 혈연 위주의 통치 구조를 바탕에 두고 군사 조직만 십진법으로 운영한다. 감히 씨족을 해체하여 사회 근간을 변경시킬 생각은 누구도 엄두를 내지 못했다. 하지만 그렇게 하지 않으면 어떻게 신의의 공동체가 만들어지는가?

그런 엄청난 일을 앞두고 보르칸 산에도 다녀올 틈이 없이 지나가다니. 그래서 푸른 하늘이 꾸짖는 건가? 해거름이 되자 세상은 햇살이 닿는 곳과 닿지 않는 곳으로 나뉘어 너무 밝거나 어두웠다. 저녁노을은 바위 위에서 빛나고, 등성이마다 한없이 고운 은빛이 머물며, 드넓은 초원은 대지의 그림자로 가득했다.

"형, 내일 얼마나 모일까?"

바람 소리가 커서 동생의 음성도 잘 들리지 않는다.

"카사르! 인간의 머리를 세지 마. 푸른 하늘에게 맡기자."

보오르추도 왔다가 테무진이 너무 착잡해 보여서 말을 걸지 못하고 혼잣소리를 한다.

“드러나지 않은 백성이 많아서 숫자를 가늠할 수 없어.”

테무진에게는 모습을 드러내지 않은 그림자 백성이 많아서 아무도 규모를 짐작할 수 없었다. 테무진 자신도 마찬가지였다. 그래서 더욱, 메르키드에게 버르테를 빼앗길 때 보르칸 산에 올라가 반드시 기도를 올리겠다고 맹세한 약속을 지키지 못한 것이 마음에 걸렸다.

‘아, 보르칸 산이시여.’

하지만, 그곳에는 이미 테무진의 사람이 지나간 흔적이 있었다.

보르칸 산에는 세 개의 오보(행인이 복을 비는 돌무더기)가 있다. 작은 오보는 기슭에, 중간 오보는 중턱에, 큰 오보는 산정에. 기슭에 있는 오보는 누구나 가는 곳, 중간 오보까지는 어지간한 준마로도 오를 수 있었다. 하지만, 큰 오보는 사정이 전혀 달랐다. 테무진의 사람은 중간 오보를 지나면서 땅에 무릎을 꿇고 세 번 절하고, 또 세 번의 성수를 뿌려 불의 수호신에게 예를 갖췄다. 동쪽으로 대기의 신, 서쪽으로 물의 신께도 절을 올리고, 북쪽을 향해서도 죽은 영혼들에게 술을 뿌렸다. 그리고 얼마나 죽을 고생을 했는지 아무도 모른다.

머리에는 시종 천지가 탄생하던 태초의 풍경이 담겨 있었다.

> 높고 높은 하늘이 안개로 덮여 있을 때
> 넓고 넓은 대지가 먼지로 덮여 있을 때

실낱같은 강줄기가 바다로 자라고, 디딤돌만 한 흙덩이가 대지로 크던 시간을 거슬러 그는 마침내 정상에 섰다. 그리고 언젠가 자르초디이가 그랬듯이 아홉 번 절을 하고 땅에 이마를 내었다.

늑대의 왕이여! 당신을 뭐라 불러야 합니까?

그때 하늘이 물결처럼 춤을 추고 구름이 갖가지 생명체의 모양으로 떠내려가는 것이 보였다. 바위 모서리에 찢기는 바람이 늑대가 우짖는 소리를 낸다. 그러다 어느 순간 눈앞이 환해졌다. 태초에 있던 것, 가장 큰 것, 모든 것의 근원이 되는 것, 푸른 하늘의 육체인 것, 바로 칭기스(대지가 생기기 이전의 바다)가 눈에 들어온 것이다.

'그럼, 칭기스라 하리까?'

세상의 모든 것을 끌고 가는 자. 땅 위에서도, 땅속에서도, 허공을 나는 새의 단단한 뼛속에서도 칭기스의 숨결은 멈추지 않는다. 자연의 일거수일투족도, 바람도 칭기스가 이동하면서 일으키는 공기의 파동이다. 동식물의 피도 칭기스이다. 낱낱의 생명체들은 살을 둑과 바닥으로 한 칭기스의 자루일 뿐. 인간의 목숨도 피와 뼈 속으로 흐르는 칭기스의 기운이 모습을 드러낸 외관에 불과하다. 보라! 사람의 몸에서 칭기스가 모두 빠져나가면 그 자리에는 형편없는 모양을 한 찌꺼기가 남는다. 결국은 모두 칭기스의 부하인 것이다.

그는 너무나 기쁨에 차 그 이름을 불렀다.

"오, 잿빛의 푸른 늑대여! 칸이여! 칭기스여!"

바로 텝텡그리였다. 그는 보르칸 산에서 마침내 칭기스칸이라는 칭호를 받아 가슴에 안고 뛰기 시작했다. 날이 밝기 전에 칸을 만날 수 있을 것이다.

한편, 쿠리엔에서 서성대던 테무진도 갑자기 마음이 편해졌다. 가슴속에서 파도가 출렁이는 소리가 들리고, 내면 깊은 곳에서 살아 있는 감정들이 철석이며 부딪치는데, 넘치지는 않는다.

"코르치! 예전에 죽은 것들, 부서진 것들, 썩은 것들이 다 살아서 저녁 빛 속으로 돌아오는 기분이야!"

과연, 한 소년이 젤메의 군대를 상징하는 검은 기를 들고 가는데, 돌려세우면 꼭 테무진의 어린 시절이 들여다보일 것 같은 기분이 들었다. 키릴툭에게 붙들려 죽을 뻔했던 것이 딱 그 나이였다. 그래서 불러보았다.

"혹시 수베테이?"

"네, 칸."

"젤메에게 네 이야기를 들었어."

소년이 황송해서 한쪽 무릎을 꿇고 고개를 깊이깊이 조아린다.

"아니야. 너랑 대화를 하고 싶은 거니 불편하게 하지 마라. 내일 백성이 많이 모일까?"

칸이 말단 친위대원에게 이렇게 묻는 게 얼마나 엉뚱한지 몰랐다.

"엄청나게 모일 것 같습니다."

"왜?"

"푸른 하늘이 돕기 때문입니다."

"푸른 하늘이 어디에 있는데?"

그것을 어떻게 답한단 말인가. 한데, 테무진에게도 의문이었던 것이 느닷없이 개안을 한 듯이 눈에 보였다.

"저기 말을 타고 서 있는 사람을 봐. 한 발짝 앞으로 갔다 뒤로 갔다 하고 있어. 저 왔다 갔다 하는 흔들림 속에 들어 있지. 가만히 서 있으면 될 것을 왜 앞뒤로 오가겠어."

그때 보오르추가 왔다가 그 말을 엿들었다. 역시, 칸이었다. 다음 날 있을 즉위식이 내내 걱정이었는데 푹 자도 되겠다는 생각이 든 것이다.

"달이 예쁘게 서 있네. 아니, 똑바로 누워 있는 모습인가? 하여튼 기울어져 있으면 안 좋은데, 바른 모습이라 내일 비도 안 오겠어."

3

서력으로 1189년 여름 첫 달의 길일이었다. 헤를렌 강, 오논 강, 톨 강의 백성들이 대거 움직여 하늘의 새 떼들도 놀랄 지경이었다. 막 끓기 시작한 파리 떼도 어디로 숨었는지 보이지 않았다. 어떤 쿠리엔은 사내가 한 명도 없이 출동해 아낙네들이 가축을 돌보는 동안 게르 전체가 비는 경우도 있었다. 최종 집결지는 푸른 호수. 검은 나무들이 서 있는 곳에 말과 사람이 뒤섞여 북새통을 이룬다.

"젖통 호수를 왜 푸른 호수라 하는 거요?"

부족장회의에서 칸을 뽑으면서 테무진에 관련된 명칭을 모두 바꿔 버렸다. 무당 코르치의 주장이 관철된 것이다.

"하늘의 것은 희고, 땅의 것은 검고, 그 안의 자식들은 푸르니, 에헴!"

칭기스칸의 것을 죄 푸른 명찰로 바꿔서 지상의 질서를 새롭게 하자는 취지였다. 코톨라칸 이후 울루스를 구경하지 못한 목민들은 저마다 호기심에 차서 입을 다물 수 없었다.

"칸을 이렇게 옹색한 데서 모셔서야 어디?"

천신이 내려올 수 있는 곳이어야 한다고 말하지만 부족장들은 내심 자무카의 서슬이 무서워 평원으로 나갈 엄두를 내지 못했다. 테무진의 측근들은 오히려 좋았다. 죽음에 내몰린 어린 소년이 늑대가 우글대던 골짜기에 찾아와 상처 입은 들짐승처럼 외로움을 견딘 곳이다. 누가 그 시절을 눈물 없이 돌아볼 수 있는가? 황금색 늑대귀 말도 이곳에서는 풀포기 하나, 돌멩이 하나를 그냥 지나치지 못하고 울음소리가 커진다.

실로 엄청난 인파가 모여들었다. 누구도 예측하지 못한 숫자였다. 저마다 떠들던 사람들이 아홉 개의 톡 기(여든한 마리의 종마의 갈기 털로 만든 깃발)가 오르자 일제히 입을 다문다. 부족마다 백색 수호기를 만들어 공동체의 안녕과 신의 가호를 기원하는 관습이 있었다. 이날은 여러 씨족과 부족을 대표하는 아홉 개의 흰 수호기가 등장하였다. 여덟 개는 팔방을 수호하고, 높이 솟은 톡 기는 울루스의 위엄을 드러내는 것이었다.

상이 차려지자 제사가 시작된다. 코르치가 하얀 무당 옷을 입고 버드나무 잎을 태우더니 하늘의 명으로 칸의 이름을 공표하였다.

"칭기스, 칭기스, 칭기스-칸!"

다들 합창으로 따라 외쳤다.

"칭기스, 칭기스, 칭기스-칸!"

이윽고 새로운 칸이 나와 개국을 선포한다.

"저는 푸른 하늘의 명을 받들어 오늘부터 몽골국을 수호할 것을 맹세합니다."

그리고 이를 알리기 위하여 보르칸 산 쪽으로 활을 쏘아 올리자 만백성이 입을 모아 세상에 외친다.

"우리는 몽골의 백성이다. 호래, 호래, 호래-."

후엘룬은 모든 움직임을 건너편 검은 심장 산에서 내려다보고 있었다. 콧대 높은 알탄의 어머니, 또 세체, 코차르 등 문중 어른들을 단 아래 앉힌 채 버르테가 카툰 모자를 쓰고, 주치가 왕자 자리를 차지해 있다. 어찌 이런 날이 온다는 말인가? 그녀는 가슴이 벅차서 말을 잇지 못한다.

"아이고, 내 강아지!"

믿을 수 없는 일이다. 테무진 옆에 세우자 주치조차 품위가 하늘을 찌른다.

주치는 거의 어미 품을 기억하지 못할 만큼 할머니의 손바닥에서 큰 아이였다. 후엘룬이 누구도 가볍게 여기거나 서운하게 대할 수 없도록 어찌나 싸고돌았는지, 사람들은 그 아이가 메르키드에서 잉태되어온 손님이라는 사실을 잊어버렸다. 그러나 후엘룬은 분명히 느끼고 있었다. 도대체 칭얼대는 법이 없어서 처음에는 그냥 조용한 성격이라고 생각했다. 어미에게 혼날 때도 매서운 회초리를 아파하거나 슬퍼하지 않았다. 한데, 어떻게 철부지가 혼내는 것을 고마워할 수 있단 말인가? 후엘룬이 그것을 의심하기 시작한 것은 여섯 살 때였는데, 말을 타는 걸 보고 눈이 확 뒤집혔다. 순둥이도 아니요, 둔한 아이도 아니었다. 평생 봐오는 중에 그렇게 제 힘으로 등자에 오르는 아이는 그 손자가 처음이었다. 더욱 소름이 돋는 것은 테무진이 말타기를 가르칠 때 전혀 내색을 않고 시키는 대로 따랐다는 점이다. 눈여겨보니 역시 아프다는 말, 배고프다는 말을 아예 모르는 듯이 군다.

'어쩔거나. 저 녀석이 다 알고 있었네.'

하지만 그건 혼자만의 비밀이었다. 그런 사태 속에 테무진도 버르테도 태연하게 살면서 나날이 놀라운 역사를 만들어가고 있는 것이다.

테무진이 연설을 하려는지 다시 단 위에 섰다. 후엘룬은 테무진의 동작이 바뀔 때마다 눈물이 흘러 입술을 타고 목으로 넘어온다.

'저렇게 많은 사람이 내 아들의 백성이라니!'

아흔네 명의 천호장들이 길거나 짧은 꼬리를 단 채 테무진 앞에 열을 지어 섰다. 칭기스칸은 이를 푸른 군대라 명명했다. 남은 한 개 아흔다섯번째 천호장은 친위대장 젤메인데, 그는 혹시라도 있을지 모르는 자무카의 침탈을 막기 위해 잠시도 자리에 있지 못하고 돌아다닌다. 싸움에는 이골이 난 사내였다. 소년 용사 하나가 뭐라고 말을 하자 젤메가 대원들을 다급하게 소집한다. 정체불명의 집단이 먼지를 일으키는 것을 즉각 출동하여 진압해버렸다.

"어디서 오는 자들이냐?"

"주리야드 씨족인데, 즉위식을 보러 왔소."

숫자도 많지 않고 싸울 태세도 갖추고 있지 않아서 목소리가 한결 누그러진다.

"보고되지 않은 이유를 설명해보시오."

"우리는 원래 타이치우트의 맹우예요. 지난가을에 사냥을 갔다가 테무진 수령을 만났습지요. 우리야 사백 명밖에 안 돼서 겁을 먹었는데 수령님이 도와줬어요."

"그래서 축하하러 온단 말이오?"

"네. 사실은 타이치우트가 늘 얕잡아 보고 횡포를 부립니다. 테무진 수령은 자기의 옷도 백성들과 나눠 입고, 사냥감도 돌려준다는 이야기를 들었어요. 소드를 어떻게 대처했는지도 다 압니다. 오늘은 키릴툭 몰래 오느라 일부만 왔지만 받아준다면 모두 옮길까 하니 장군님께서 좀 도와주세요."

젤메는 내용도 고맙지만 장군님이라는 경칭을 듣고 온몸이 스멀거려서 어쩔 줄을 몰랐다. 한 명이라도 끌어들여야 하는 판에 귀부한다는데 내칠 리가 있겠는가?

"따라오시오. 호수 쪽으로 올라가면 좋은 자리가 있을 거요."

보오르추는 테무진의 집사처럼 근거리에서 칸이 할 일을 점검한다. 며칠간 준비한 참모들의 구상이 절차에 담기지 못할까 봐 긴장해 있었다.

보오르추가 앞장서서 구십오 천호장의 충성 서약을 모두 끝냈다. 이어서 부족장회의에 참가한 귀족들이 제단에 나가 톡 기에 술을 뿌리자, 마지막으로 알탄, 코차르, 세체 등 칭기스칸의 집안 어른들까지 서약의 예를 올린다.

"전쟁의 날에 공격 명령을 어기면 검은 머리를 땅바닥에 버리고 가라. 평화의 날에 마음을 어지럽히면 속민에게서 떼어내버리고 가라."

이를 지켜보는 코톨라칸의 미망인은 코웃음을 친다.

"늑대 새끼처럼 벌판에서 자란 아이를 놓고 별짓을 다 하네. 제까짓 게, 칸?"

예수게이가 죽자 후엘룬에게 제사 음식도 나눠주지 않고 내쳐버린 할머니였다. 큰 소리로 주변이 듣게 흉을 보지만 한 곳도 동요하지 않는다. 테무진의 동지들이야 혼을 바쳐 일하는 사람들이다. 그들은 격식 의례가 끝날 때까지 고요하지만 테무진이 반드시 중심을 세우고 가리라는 것도 알고 있었다.

하지만 백성들은 기념할 만한 명언 한마디 나오지 않는 즉위식이 시시해서 하품이 나온다. 칭기스칸이 칙령을 발표하기 위해 단에 올라도 좀처럼 엄숙해지지 않았다. 그래도 테무진은, 이제 칸의 재량으로 첫 발언을 하려는 순간 설움으로 울창했던 날의 풍경이 주마등처럼 스쳐간다. 하늘에서는 바보 조상 보돈차르 몽학 님이 텅 빈 광야로 쫓기던 날에 보았던 수리매 한 마리가 머리 위를 돌고 있었다.

'가야 하리라. 저들을 끌고, 매일매일 하늘에 닿듯이.'

백성들은 발언할 시간이 되어도 한참 뜸을 들이는 칸에 대해 실망하는 기색이 역력했다. 그래서 다시 웅성거리는 소리가 들리기 시작할 때 차분하기 이를 데 없는 목소리가 종소리처럼 퍼져 나온다.

"백성들이여! 나는 광야에 구름이 쉬어가는 만큼도 안 되는 인생을 부귀영화나 누리자고 칸이 된 사람이 아니다. 별은 왜 어둠 속에서 빛나는가? 대지는 왜 짐승의 썩은 육신을 기다리는가? 사슴은 왜 얼음바위에 돋아난 돌이끼를 뜯는가? 모두 푸른 하늘의 뜻이다."

테무진의 목소리가 점점 커지더니 마치 하늘에서 떨어지는 벼락처럼 어느새 사람들을 꼼짝 못하게 묶어버렸다.

"내가 태어나기 전부터 사람들은 싸우고 있었다. 여러 나라, 여러 부족, 여러 씨족, 여러 게르가 온통 싸우고 있었다. 자식은 아버지를, 아우는 형을, 아내는 남편을 거스른다. 사람의 발길이 닿는 곳마다 끊임없이 죽이고 강탈하고 약탈하는 일이 벌어진다. 모두가 푸른 하늘을 등진 반역자, 도둑놈, 거짓말쟁이, 반란자이니, 이런 게르의 천창에는 햇빛도 비칠 수 없었다. 이런 집에는 밤이 되어도 알랑고아 님이 만나던 달빛도 찾아오지 않는다. 그들의 말 떼도 영원히 쉴 수 없다. 준마가 왜 그런 사람을 태우고 다니다 거꾸러져 초목과 함께 썩어야 하는가! 질서가 없고 신의가 사라진 부락에서 누가 머리를 하늘에 두려 하는가!"

이것이 스물여덟 살짜리 칸의 연설이었다. 쩌렁쩌렁 울리는 그의 청천벽력 같은 음성을 듣자 귀족들은 혼란스러웠다. 전쟁터에 앞장서라고 뽑아놓으니 전혀 다른 불안감을 안겨주고 있었던 것이다.

"저거 오래 두면 안 되겠는데."

세체가 중얼거리는 말을 알탄이 잘 못 들어 손으로 귀를 쫑긋 세운다. 그때 연단에 있는 칸의 입에서 더욱 무서운 말이 튀어나오자 두 사람 다 화들짝 놀라고 만다.

"백성들은 오늘부터 칸을 비롯한 모든 사람에게 경칭 대신 이름을 불러라. 인간의 위엄은 신분과 직위에서 나오지 않는다. 나는 세상을 더럽히는 자를 엄단할 것이다. 인간을 믿을 수 없게 하는 자, 조상들의 미덕과 품위를 짓밟는 자는 절대 지나치지 않겠다. 불과 재에 오줌을 싸는 자는 사형에 처한다. 수간하는 자는 사형에 처한다. 흐르는 물에 빨래를 하는 자는 사형에 처한다. 말을 훔치는 자, 이웃을 염탐하는 자, 약자를 돕지 않는 자도 모두 사형에 처한다."

선량한 목자들이야 듣기 좋은 말뿐이지만, 귀족들은 사사건건 걸리는 말투성이니 불편하기가 이루 말할 수 없었다. 하지만 화살은 시위를 떠나버렸다.

즉위식이 끝난 후 칭기스칸은 곧 두 개의 사신단을 만들어 토오릴칸과 자무카에게 보냈다. 토오릴칸은 사신이 도착하자 대번에 무릎을 쳤다.

"테무진이 몽골국의 칸이 되었음을 전하러 왔습니다."

옳거니! 너무나 기쁜 나머지 당장에 축사를 전하되 하지 않아도 될 말까지 덧대었다.

"테무진이 칸이 되다니, 정말 축하할 일이로구나. 너희들은 테무진이 나의 아들인 것을 알지? 누구든 충성의 맹세를 어기면 용서치 않겠다. 나 말고 또 어디로 사신을 보냈는고?"

"자무카에게 보낸 것으로 압니다."

"암, 아비가 없어도 똑똑하단 말씀이야."

하지만, 자무카는 말할 수 없이 심사가 복잡하였다. 형제가 칸이 된 것을 일단 축하하지 않을 수 없다. 한데, 배신자들은 어찌해야 하는가? 분단으로 치닫는 작금의 사태는 또 어찌해야 하는가?

"좋다. 형제가 칸이 된 것을 축하했다고 전해라. 테무진은 그럴 자격이 있는 사내야. 허나……."

속이 끓는 걸 참고 견딜 수도 없었다. 그래서 또 어려운 말이 나온다.

"불은 물을 날려버리고, 물은 불을 꺼뜨린다고 둘이 다르다고 생각하는 자들이 많아."

처여가 술렝을 끓이는 솥에서 김이 힘차게 솟아오르는 것을 보면서 하는 말이었다.

"저건 물인가, 불인가? 둘이 함께하면 저렇게 고운 하늘이 만들어지지. 한데, 물과 불의 옆구리를 긁어 떼어놓는 놈들이 있어. 값을 치러야 옳겠지?"

공기가 심상치 않다고 느껴지자 사신은 일어서고 싶어진다.

"가서 그렇게 전할까요?"

"아니, 알탄과 코차르에게 전해. 너희들은 테무진 형제와 내가 분리되지 않았을 때 왜 칸으로 삼지 않았는가? 내 앞에서 한 번이라도 테무진 형제를 수령으로 인정한 적이 있었는가? 그런데 지금은 어떤 마음을 품고 그를 칸으로 뽑지? 끝까지 지켜본다고 일러라. 신의를 어기면 놔두지 않으리."

살벌한 대답이었다. 온통 팽팽한 긴장감이 돌아서 숨을 쉬기가 거북했다.

멍릭은 그날 칭기스칸의 즉위식에 가지 못했다. 자무카의 진영에서 살고 있었기 때문이다. 즉위식 풍경은 여러 사람에게 들어서 낱낱이 알고, 더없이 흡족한 기분이 들었다. 자기도 숨은 공신자였던 것이다.

'제법 모양새가 나왔구나!'

확실히, 테무진은 아버지보다 어머니 쪽을 닮은 사람이었다. 예수게이는 둘도 없는 용장일지언정 백성의 마음을 끌고 다닐 줄 몰랐다. 한데 테무진은 무슨 일을 하건 꼭 백성의 마음을 가져가버린다. 겨울 짐승이 와 있을 때 테무진이 보투를 혼낼 때도 일이 잘못될까 봐 멍릭의 간담이 얼마나 서늘했는지 모른다. 여동생을 취하는 대가로 준마 열다섯 마리를 내놓겠다고 했다고 그렇게 된서리를 치다니! 한데, 그 일로 오히려 보투를 얻어서 보란 듯이 구십오 천호장의 앞줄에 세워놓았다.

테무진이 사람을 늘려가는 과정은 이상하게 백성들의 마음에 매번 파문을 일으켰다. 언젠가부터 멍릭은 그럴수록 자무카 쪽이 신경이 쓰여서 견딜 수 없었다. 똑똑하기로 치면 자무카를 따를 자가 어디에 있는가. 하지만 세상사처럼 바닥을 들여다보기 어려운 게 없었으니, 세상은 늘 오체가 따로 놀고, 가슴과 머리가 분리되며, 그 손발이 어디에선가 보이지 않게 움직인다. 그것은 전혀 예측하지 못했던 방식으로 나날이 자무카의 것을 퍼다가 테무진 앞으로 옮겨놓고는 했다.

그리고 어린 몽골의 상당수가 결집해 몽골국을 선포하고 칭기스칸을 뽑은 후에는 자무카의 심경이 이루 말할 수 없이 사나워져 있었다. 그렇다면 누군가는 반드시 된서리를 맞을 것이고, 그 앞자리에는 자무카의 팔이 쉽게 닿는 곳에 있는 자기 같은 사람이 될 것이 틀림없었다.

'젠장, 삶은 왜 이렇게 힘든 것인가? 아무리 관록이 쌓인다 해도 긴장을 풀면 안 되는 것이로구나.'

멍릭은 조심성이 많은 성격이라 언제나 근심이 끊이지 않았다. 그래서 잠시 테무진의 정보 활동을 중단할 뿐 아니라 텝텡그리와 모칼리도 쉬게 해두었다.

유목민으로 산다는 것은 멍릭이 아니라도 누구나 힘든 일이었다. 조드를 겪고 나서 초원의 살림들은 하나같이 피폐해 민심이 말할 수 없이 사나워져 있었다. 얼음에 덮였던 초지는 금방 복구되지만 조드에 할퀸 민심은 좀처럼 복구될 길이 없었다. 그래서 하루하루가 연주를 앞둔 현처럼 팽팽하게 당겨져 잘못 건드리면 툭 끊어질 것만 같았다.

그때, 칭기스칸 진영에서는 '천호제'의 완성을 위해 보오르추가 어지간히 뛰고 있었다. 그는 휘하의 천호장들이 명실상부한 지휘 체계를 갖추게 하려고 애쓰지만 귀족들의 오지랖에 싸인 용사들은 손도 댈 수 없었다. 천호장 대부분이 귀족들의 사람들이라 칭기스칸의 명령이 있더라도 접수될 수 있는 구조가 아니었다. 그것이 교체되려면 공훈의 크기가 달라져야 하고, 공훈의 크기가 달라지려면 전쟁이 필요했다. 보오르추는 인간이 가진 권력이 아무리 하찮더라도 그것을 쥔 자가 그냥 내려놓는 것을 본 적이 없었다. 절망스러운 현실이었다.

그러던 어느 날 멍릭은 뼈가 얼어붙는 것 같은 소식을 들었다. 칭기스칸이 즉위하는 날, 구십오 천호장 중에 백성들에게 능력을 인정받아 장군이 된 건각들이 몇 있었다. 말 그대로 칭기스칸의 시대가 찾아낸 새로운 장수들이었다. 그 하나로 조치다르말이라는 말치기가 있었는데, 그는 조드의 여파로 말 도둑이 늘어서 경계를 게을리하지 않았다. 그에게 칸의 말은 얼마나 전율이 일었던가. 말을 훔치는 것은 중대 범죄이므로 사형에 처해야 한다! 그것은 말치기의 자부심을 상당히 높여주는 이야기이기도 했다. 만약 현장에서 말 도둑을 만나면 자기 같은 장수가 처형을 해야 마땅한 일이었다. 그래, 무장을 하고 지내는데, 하필 말 도둑이 그의 거미줄에 걸려든 것이다. 조치다르말은 기다렸다는 듯이 추격전을 개시했는데, 뒤쫓아 가면서 아무리 엄포를 놓아도 도둑이 멈추지 않았다. 칸의 명령이 있었는데 그것을 왜 참아야 하는가? 바로 거기에 문제가 있었다. 도둑이 다름 아닌 자무카의 동생이었던 것이다.

칭기스칸에게 동생 카사르가 있듯이 자무카에게도 태차르라는 동생이 있었다. 둘 다 용기 있고 씩씩하지만 성격들이 급해서 행동거지가 거칠었다. 태차르는 형의 뜻을 감히 거스를 수 없지만, 테무진에 대해서 불만스러운 게 한두 가지가 아니었다. 무엇보다도 자무카 진영에서 분리되어 나갈 때 백성들에게 딸린 가축을 모조리 빼앗아야 마땅했다. 왜냐하면 테무진은 메르키드 전 때 전리품을 받지 않았던 사람이고, 그것으로 명예를 얻었던 사람이 아닌가. 일부 백성이 그를 자발적으로 따라갔다 하더라도 자무카의 쿠리엔에서 자란 가축들은 명백히 자무카의 것이기 때문이었다. 한데, 형이 눈감아주니, 몽골국을 선포하고 칸에 올랐다는 소식이 당도하고 말았다. 기분 같아서는 당일에 군대를 몰고 가서 가축을 빼앗고 즉위식을 엎어서 한껏 조롱했으면 좋겠건만 형 때문에 차마 그럴 수 없었다. 그 밑에서 구십오 천호장이 임명되었다는 소수 귀족과 쥐르긴 패거리들도 눈에 거슬리기가 이를 데 없었다. 그러던 어느 날 알량한 천호장에 오른 조치다르말의 말 떼를 보았다. 조드를 어떻게 났는지 털빛에 윤기가 자르르 흐르는데, 여간 고깝지 않아서 기어이 도발을 한 것이다.

"갈라설 때 말들도 놓고 갔어야지. 제까짓 게 뭔데 우리 것을 가지고 가?"

조치다르말은 이런 태차르의 생각을 알 턱이 없었다. 다만, 말 도둑이 들자 처음에는 경고를 하고 되찾아올 생각이었다. 그런데 활을 쏘며 추격해도 멈추지 않고 저항해오는 것이다.

'어라! 저게 칸의 말을 우습게 아네?'

조치다르말은 미련 없이 정조준을 해서 시위를 당겨버렸다. 말 도둑을 현장에서 즉사시킨 것이다.

그 소식을 접한 자무카는 하늘이 무너져라 진노하였다. 자꾸 거슬리는 것을 참고 누르고 견뎌주기를 몇 번째나 했는지 몰랐다. 하지만 그의 성깔에 물꼬가 트이자 둑이 무너지듯이 분노가 터져 초원을 쓸고 내려간다.

"테무진이 한 일은 아니지만, 칭기스칸의 법이 한 일이야. 어린 몽골을 위해 가장 앞장서 싸운 자다란 족의 명예가 이렇게 밟혀도 되는 건가? 정말이지 믿을 수가 없구나. 말 몇 마리 때문에 다른 사람도 아닌 내 동생이 죽는 일이 생기다니!"

자무카는 곧장 전쟁 준비를 서둘렀다. 예하 부족과 연맹 집단을 소집해 당장 열세 개의 쿠리엔을 조직해 응징하러 갈 날짜를 받은 것이다.

한편, 조치다르말은 죽은 놈이 하필 자무카의 동생이라는 말을 듣고, 지체하면 안 되겠어서 곧바로 칭기스칸을 찾아가서 엎드렸다.

"칸! 죽을죄를 졌습니다. 자무카와 충돌하지 말라고 했는데, 큰 문제가 생기고 말았습니다. 말을 훔쳐가는 놈이 끝까지 제 것이라고 우겨서 죽일 수밖에 없었는데, 그 도둑이 하필 자무카의 동생이었습니다."

말을 듣는 순간 칭기스칸은 눈앞이 캄캄해졌다.

'문제가 터지고 말았구나!'

입에서 탄식이 터져 나오지 않은 것은 절망할 줄 모르는 성격 탓이었다. 아직 지휘체계도 확립되지 않았고, 약자이며, 진압할 힘도, 피할 명분도 없다. 퍼뜩 떠올릴 수 있는 요구는 두 개 중 하나. 전면전을 걸어오거나 조치다르말의 목을 갖다 바치라는 것. 후자는 눈꺼풀이 한 번 여닫힐 틈도 없이 폐기해버렸다. 저자가 무슨 잘못을 했는가. 칸이 선포한 명을 집행했다고 억울하게 죽을 자리로 떠넘겨진다? 안 될 일. 오히려 다른 천호장의 귀감으로 삼도록 해야 할 터였다. 당장에 쥐르긴 족이 말을 안 들어 보오르추가 얼마나 애를 먹고 있는가? 게다가 자무카의 힘이 세더라도 자신은 이미 몽골국을 선포하고 칸에 오른 자였다. 사사로운 관계에 얽매인다면 앞으로 믿고 따를 부하가 없을 것이다.

그는 사태를 수습할 방안이 떠오르지 않지만 난처한 기색을 보일 생각이 눈곱만큼도 없었다.

"조치다르말! 누가 엎드리라 했는가? 그대는 나를 기쁘게 하지 않았느냐? 때로는 비를 피하고 싶어도 맞아야 하는 경우가 있지. 폭풍우가 오거든 내 뒤로 숨어라."

칭기스칸은 조치다르말을 안심시키고 즉각 작전회의를 소집하였다. 아무 말이나 털어놓아도 될 만한 사람들만 부른 것이다.

"내가 자무카의 동생을 죽이고 말았어. 말을 훔치는 걸 어떻게 해?"

참으로 심란한 이야기를 경쾌하게 전한 것이다. 하지만 잠깐의 침묵도 견디기 힘들었다.

"칸! 제가 자무카라면 그런 상처를 안고 그냥 지나갈 수는 없습니다."

보오르추의 말을 코르치가 받는다.

"대칸! 미리 말하건대 살고 싶어서 하는 소리가 아닙니다. 작전을 어떻게 세우더라도 절 가장 위험한 곳에 보내주세요. 한데, 대칸의 첫 싸움을 자무카 형제와 하는 모양은 보기가 안 좋습니다. 피할 수 있는 명분과 지혜를 찾아보는 게 어떠실지."

"그러게. 피 냄새를 맡지 않고 빠져나갈 수는 없을까?"

그런 맥없는 대화를 카사르가 그냥 지나칠 사람이 아니다.

"형, 아니 칸! 높은 자리에 오르더니 겁이 많아졌어요? 피하자고? 노루 새끼들처럼 벌벌 떨면서 도망이나 다니면 사냥꾼은 재미있겠네."

"카사르! 구르는 바퀴 밑에 머리를 집어넣는 뱀은 어리석은 녀석이야."

동생을 타이르지만 어떤 경우에도 용기를 잃지 않는 모습이 사실은 고마웠다. 약한 자는 더 약해진다. 전쟁을 할지 말지 결정할 수 있는 사람은 자무카뿐이었다. 그 때문에 조치다르말이 괴로웠는지 소리 없이 나와 목을 내민다. 음성에 낮은 흐느낌이 섞여 있다.

"칸! 이놈을 죽여주세요. 제 목을 쳐서 자무카에게 보내면 전쟁을 피할 수 있습니다."

"조치다르말! 우리는 아주 중요한 문제를 이야기하고 있어. 앞으로 불필요한 말은 금할 것을 명한다. 목숨을 내놓으려거든 다음번 전쟁 때 선봉에 서라."

칭기스칸에게 무한한 힘을 제공하는 것은 하나의 심장으로 여러 개의 영혼을 작동시키는 그의 입이었다. 그래서 젤메도 거들 수밖에 없다.

"칸! 자무카가 싸움을 원할지, 아니면 다른 걸 원할지 모르잖습니까? 동태를 먼저 살펴야지요? 제가 다녀올까요?"

"아냐, 메르키드를 칠 때처럼 속도전으로 돌격해올지 몰라."

그 시각, 자무카는 작전회의를 하자고 소집령을 내려놓고 잠시 테무진을 위한 애도의 시간을 갖고 있었다.

'형제여! 몽골국은 앞으로 이틀 안에 어린 몽골에게 진압될 것이다. 그대가 어떻게 나의 공격을 피할 수 있는가. 어리석도다. 내가 있는데 어떻게 칸이 될 수 있다고 생각했는지 믿을 수 없어. 태양 앞에서 달빛이 무슨 의미가 있다고 그 고생을 했는지. 낮에 뜨고 지는 달은 슬프지 않은가?'

하지만 그것은 자무카가 과소평가한 것이었다. 그 무렵, 칭기스칸의 쿠리엔에는 보투가 테무룬을 맞으려고 데릴사위로 와 있었다. 난데없는 손님을 맞아보니 위급함을 전한다. 그의 아버지가 이기리스의 족장으로서 자무카가 소집한 작전회의에 갔다 와서 알게 된 정보를 보내온 것이다. 상황은 긴박했다. 다음 날 해 뜨면 출정하기로 결의되었는데, 열세 개의 날개를 펴서 덮치기로 했다는 것이다. 이는 급히 칭기스칸에게 전달되었다.

"자무카 형제가 전쟁을 택했어. 내일 열세 개의 날개로 기습할 거야."

"대칸! 내일은 흉일입니다. 자무카 수령이 흥분한 거 같아요. 대칸의 지혜가 필요한 때라 봅니다."

"아니, 코르치는 왜 자꾸 자무카를 수령이라 하는 거요?"

칭기스칸이 다시 동생을 단속하였다.

"이건 코르치만의 문제가 아니야. 카사르! 내일 적진에는 이기리스 족이 있어. 보투는 아버지의 군대와 맞서야 해. 자무카는 옹기라트족도 동원시켰어. 버르테의 오빠가 둘이나 그 안에 있어. 형제가 싸울 때 아버지는 누구 편을 들어야 하는가? 푸른 하늘은 누구를 살려야 하는가?"

고민할 시간도 없었다. 칭기스칸은 떠오르는 대로 지시한다.

"작전 지휘는 내가 하겠어. 보오르추! 해가 뜰 때까지 열세 개의 쿠리엔을 소집할 수 있을까? 그리고 적이 추격해도 꼬리를 물리지 않을 선봉대를 만들어 앞장서줘. 나머지는 바위산을 탈 수 있도록 준비해. 반드시 달란 발조드로 유인해야 해. 장기전이 될 수 있으니 보르츠도 준비하자. 행동 개시."

조금도 지체하지 않고, 곧장 열세 개의 쿠리엔을 소집했다. 정확히 해 돋는 시간에 보오르추가 선봉대를 만들어 칸 앞에 대기시켰다.

날이 흐린데도 동이 트자 바람이 숨을 멈췄다. 하늘이 열리고, 구름장 틈으로 햇살이 터진다.

"이번 전쟁은 독특한 것이다. 우리는 지는 싸움을 하지만 용사들은 죽지 않을 것이다. 이 전투는 예행연습을 해둔 것이야. 언젠가 집단 사냥 때 산양의 우두머리가 도망가던 걸 기억하나? 내가 그 길을 따를 것이다. 어렴풋한 분노는 금방 지평선 너머로 사라질 것이다."

그리고 출발에 앞서 칭기스칸도 푸른 하늘을 올려다보며 속말을 하고 있었다.

'자무카여, 스승 같은 형제여! 길일이 아니고 흉일을 택했구나! 분노에 사로잡혀 스스로 무너지지 말기를. 무리한 공격을 해와도 내가 살아나면 그때는 어떻게 할 텐가? 제발 돌아올 수 있는 만큼만 멀어지기를.'

칭기스칸은 달란 발조드에서 자무카를 기다렸다. 적에게 공격당하기 좋은 장소. 빨리 시작되어 빨리 쫓겨야 싸움도 빨리 끝난다. 하지만 외양은 조금도 허술해 보이면 안 되었다. 몽골국의 군대답게 검은 수호 톡 기 아래 열두 개의 병력이 줄 지어 있었다. 열외로 서 있는 보오르추의 선봉대는 여기저기 자유롭게 것고 다닌다. 젤메가 뽑은 소년들이 태반인지라 자무카가 보면 한숨이 나올 것이다.

'볼살의 젖내도 빠지지 않은 것들에게 고삐를 쥐어주다니!'

허나, 칭기스칸의 생각은 달랐다. 절대 죽어서는 안 되는 아이들을 가장 위험한 위치에 세우는 것은 백성을 한 명도 잃지 않으려는 의지의 표현이었다. 그래서 준비 상태를 벌써 몇 번째 확인하는지 모른다.

"보오르추, 속력을 낼 수 없는 말이 있으면 지금이라도 열외를 시켜."

"염려 마세요. 본대가 걱정이지 저희는 날아다닐 겁니다."

"적의 화살이 닿는 곳까지 접근하면 안 돼. 몽골의 꿈과 미래를 나는 저 녀석들에게 맡겼어."

보오르추가 명예를 걸고 가려 뽑은 최고의 준마들 위에 안장도 얹지 않고, 장비도 풀어버렸다. 화살이 맨살에 박히지 못하도록 하는 비단 갑옷만 걸친 승마 선수들이, 중무장을 하고 백병전을 준비한 기마병들과 맞붙는 셈이다. 육박전을 하면 절멸하고 경주를 하면 압승할 것이다. 일부러 예비 말도 부족하게 두어 기동력을 높였으니, 준마가 아니라 숫제 새를 탄 듯이 사뿐해 보이는 게 당연했다. 그래도 충성심이 하늘을 찌르는 아이들이라 혹시라도 정면 대결을 시도할까 봐 다른 무기를 감추었는지 점검하고 다시 점검한다.

칭기스칸이 봐도 군대가 아니라 새 떼였다. 그것도 며칠씩 갇혀 있다가 탈출한 것처럼 천방지축으로 퍼덕대는데, 가만히 보니 주동이 수베테이 형제이다. 곁에 있는 건 메르키드에서 주워온 쿠추, 또 하나가 눈에 익어 들여다보다 칭기스칸이 큰 소리가 나도록 제 뒷목을 친다. 이제야 주치인 걸 발견한 것이다.

'어머니는 어쩌자고 저 녀석을 풀었단 말인가.'

그래도 자랑스러웠다. 칸의 자식이 전쟁터에서 앞장서야지 뒤로 빼면 아비는 뭐가 되는가. 조심성이 많은 보오르추가 데리고 있으니 크게 위험하지는 않을 것이다. 그것을 안다는 듯이 보오르추가 멀리서 팔을 돌린다. 안심하라는 신호였다.

이윽고 자무카의 군대가 시야에 잡히자 소년 용사 하나가 손에 든 깃발을 높이 쳐든다. 인간에게 여덟 살, 아홉 살…… 이런 나이가 있다는 게 얼마나 위험한지 어른들은 모른다. 타이치우트 족이 버리고 간 쿠쿠추가 혹시라도 자기 부족이 있을지 몰라 시늉하는 것이다. 그립고 미운 사람들! 어린 마음에 상처를 입히고 떠난 고향 사람들에게 외면당한 존재감을 실컷 과시하고 싶은 것이다.

자무카는 어처구니없었다. 거리가 멀어서 분명하지는 않지만 아무리 봐도 제1선에 키가 껑충하게 서 있는 게 주치, 그렇다면 곁에도 쿠추, 쿠쿠추 등 테무진의 식솔들이다. 새파란 것들이 앞에 나선 까닭에 생사를 가른다는 긴장감이 살지 않는다. 그래도 혀를 차지 않을 수 없었다.

'형제의 존경스러운 면면을 또 한 번 보는구나! 어린 몽골의 귀족 중에서 가장 위험한 자리에 가장 사랑하는 가족을 배치했던 지도자가 한 번이라도 있었던가?'

그러면서도 감탄사를 바로 공격 명령으로 바꾸었다.

"쳐라! 중심을 관통하라."

가차 없이 중앙을 뚫을 생각이었다. 가까이 오면서 자무카의 명령이 정교해진다.

"몽골국의 전쟁 신을 모신 검은 수호 톡 기부터 부러뜨려라."

똑같은 순간에 칭기스칸도 작전 지시를 하고 있었다.

"첫번째 화살이 시위를 떠나는 순간 열두 개의 방향으로 도피를 시작하라."

절묘한 대결이었다. 자무카는 전투력에 대한 자신감을 바탕으로 열세 개의 방향에서 하나를 치려고 내달리고, 칭기스칸은 선봉대 하나로 열세 개를 감당하면서 남은 대열을 기러기 떼처럼 끌고 바위 계곡으로 도피하려고 몸을 빼고 있는 것이다. 그랬을 때 장애물은 조급증이었다. 칭기스칸이 외치는 소리가 들린다.

"늑대는 적 앞에서 뛰어서 달아나지 않는다."

태연해지는 것도 전술이다. 늑대는 적어도 은폐물이 가려줄 때까지는 열세를 보여주지 않는다.

적진이 다가오자 보오르추의 선봉대가 전방을 교란하기 시작하였다. 맨 앞에 수베테이가 섰는데, 그의 동선은 정확히 적의 사정거리를 표시하는 눈금 같았다. 활을 아무리 쏘아도 모두 말발굽 아래 떨어진다. 그의 사뿐한 동작은 거친 공격을 마치 망치로 파리를 내려치는 모습처럼 우습게 보이도록 만들었다. 하지만 적이 조금만 공격 방향을 바꾸려 해도 딱 그만큼의 거리를 따라가 화살의 머리를 돌리지 못하게 한다. 이쪽에서 쏜 화살은 저쪽에 닿고 저쪽에서 쏜 화살은 이쪽에 닿지 못하는 마상 곡예를 하는 것을 모두가 보고 있었다. 근접해 있는 보오르추의 눈길도, 원거리에 있는 젤메도, 또 칭기스칸도 그 모습을 보면서 놀라움을 감추지 못한다.

"젤메! 수베테이 아버지가 뭘 하던 사람이라고 했지?"

"앉은뱅이에 꼽추였습니다. 평생 말에 오르지 못했으니, 오논 강 누이가 미치고 만 거죠."

"저 아이는 정말 하늘이 내린 장수로구나."

급기야 수베테이는 적들을 꽁지에 달고 멀리 달아나서 다른 토착 부족이 사는 쿠리엔을 빙 돌아오고는 했다.

그동안 칭기스칸의 군대는 야트막한 바위 계곡으로 퇴각해갔다. 겉으로 봐서는 혼비백산하여 열두 쪽으로 쪼개진 파산의 대열이었다. 하지만 내막은 칭기스칸의 통제하에 별로 급할 것도 없이 말이 발굽을 다치지 않도록 조심히 빠져나오는 질서 정연한 후퇴였다.

계곡을 가득 채우고 있는 것은 말이 바위이지 사실은 평지고 언덕이고 가릴 것 없이 모서리의 돌출 부위가 온통 칼날로 되어 있었다.

"칼바위를 피하는 요령은 말을 따르는 것이다. 고삐를 채지 말고 알아서 가도록 놔두어라. 괜히 조절하다 삐끗하면 다리가 상하고 살점이 베어져 나간다."

부하들은 말 그대로 '피 냄새를 맡지 않고' 자무카의 그물망을 빠져나가는 놀라운 지도력을 보고 있었다. 누구나 자신감이 붙지 않을 수 없었다. 이내 봉우리에 닿아 방패로 벽을 만든다. 산양이 떼로 몰려가서 쉬던 곳에서 말도 쉬게 하고, 다들 내려서 여장을 푼다. 아무리 강한 군대도 그곳까지 추격할 수 없다는 것을 칭기스칸은 가을 사냥 때 우두머리 산양에게서 배웠다. 그리하여 언젠가 오천 명의 백성을 지킬 천혜의 요새로 감춰두었던 곳을 마침내 써먹은 것이다.

칭기스칸 군대가 후퇴하는 과정을 자무카는 급할 게 없는 눈으로 쳐다보았다.

"근처에 높은 산이 있어, 숲이 있어? 몇 발자국이나 가려고? 자, 놈들을 사냥하러 가자."

한데, 계곡의 초입에 성급하게 들어선 말들이 쓰러지고 말았다. 곳곳에 피 칠갑을 해서 고통스럽게 꿈틀댈수록 중상을 입는다. 쓰러진 말 위에 탄 병사들도 치유할 수 없는 중상을 입었다. 칼바위가 가득 차서 쫓아갈 수가 없었던 것이다.

푸른 하늘은 인간이 모르는 것, 보이지 않는 것, 닿을 수 없는 것을 대지에 셀 수 없이 감춰두고 있었다. 저런, 쯧쯧. 접전이 가능해야 본때를 보일 텐데 상대가 어찌나 겁을 먹는지 치열한 상황이 만들어지지 않는다. 장수들은 들떠서 사기충천하지만, 자무카는 허탈해서 견딜 수 없었다. 아무리 오합지졸을 데리고 있어도 칭기스칸이 비겁자의 소리나 듣고 물러설 위인이 아니라는 걸 그는 너무나 잘 아는 사람이었다. 한데, 백성이 다치지 않는 것으로 만족할 뿐 도대체 저항해오지 않는다. 포위를 좁히려 했지만 기마전을 하는 게 불가능한 지형이었다.

'저곳까지 어떻게 갈 수 있었지?'

몇 번 기습을 시도하다가 결국 입구를 막고 기다리고 있었다. 배고플 때가 되자 장기전을 준비했는지 식사까지 한다. 더 이상의 전투가 안 되는 상황이었다.

그때서야 자무카는 민망해진다. 그가 지금 어떤 처지에 있는가? 칸에 즉위한 지 얼마나 됐다고! 칭기스칸이 패전의 불명예를 감내하는 원인은 하나밖에 없을 것이다. 분노한 형제에 대한 예의일 터. 순간, 명예를 동냥받았다는 생각 때문에 발길을 돌릴 수 없었다. 테무진이 밉지 않은 것과는 별개로 내면의 공허감이 엄습해오는 것을 어쩌지 못한다. 처여가 흉일이라고 말리는 것도 뿌리치고 와서 치명적인 빚까지 지고 가다니!

바로 그 점을 적진에서 손금을 들여다보듯이 읽는 이가 있었다.

'수령이시여! 자다란 족이 배출한 최고의 영웅 자무카 님이시여! 제발 더 이상의 비참을 겪지 마소서. 이번 전쟁은 수령님의 완패입니다. 들어설수록 수령이에요.'

코르치가 중얼대는 넋두리의 꼬랑지가 잠깐 입 밖으로 삐져나오고 말았다. 그것을 카사르가 듣고는 칭기스칸에게 하는 말로 알았는지 피가 끓어 견디지 못한다.

"칸! 놈들을 반격하지 않을 거예요? 패전해서 놀아가려고?"

"카사르, 전쟁은 아직 끝나지 않았어. 그리고 전사자가 없는 전투가 어떻게 패한 전투인가?"

대화가 엉뚱한 곳으로 튈까 봐 코르치가 나서서 두 팔을 쫙 벌리고 바닥에 엎드렸다.

"대칸이시여. 저는 오늘처럼 훌륭한 작전을 머리에 털 나고 처음 봅니다. 반격은 우리가 아니라 세상이 해줄 테지요. 자무카 수령은 흥분해서 신령님의 말도 알아듣지 못해요. 경솔하게 날뛴 걸 민심이 용서하지 않을 겁니다."

카사르는 볼이 퉁퉁 불어 있다.

"용서하지 않으면? 죽이기라도 한다는 말이오?"

"암, 민심 속에는 귀신이 산다는 걸 장군은 어찌 모르오."

코르치는 결코 간단한 무당이 아니었다.

자무카는 아무리 광야를 돌아보아도 전쟁을 통해 외쳐보려던 소리가 메아리로도 돌아올 길이 없었다. 겉으로는 승전이지만 내막은 아니다. 그것을 예하 장수들이 알 턱이 없었다.

"자무카 수령, 칭기스칸 군대는 초전에 박살이 나고 말았습니다. 전쟁이 뭔지도 모르고 날뛰던 아이들은 어디로 내뺐는지 종적을 찾을 수 없습니다."

자무카가 가만히 눈을 감고 일언반구도 하지 않자 다시 보고를 한다.

"치노스 족의 쿠리엔에 다람쥐 같은 놈이 숨어 있다는 정보가 있습니다."

자무카가 눈을 떴다.

"어떤 놈이냐?"

"수령님과 헤어질 때 테무진을 따라간 놈의 하나가 아닌가 합니다."

누군가 근거 없이 해본 소리가 잘못 접수된 것이다. 치노스 족은 타이치우트의 예속 씨족이라 몽골국과 어린 몽골이 싸우는 것을 매우 마뜩찮게 여긴 건 사실이었다. 그것도 너무 가까운 곳에서 벌어지는 일이라 혹시라도 주인들 싸움에 종의 등살이 터질까 잔뜩 긴장해서 품게 된 생각이다. 초원에서 안전을 보장하는 것은 힘밖에 없다. 칭기스칸이 공격하지 않을 것은 아는데, 자무카가 어떻게 움직일지는 알 수 없어서 경계를 늦추지 않았다. 한데, 자무카 군대가 그것을 대결 태세로 읽었는지 전쟁을 뜻하는 검은 기를 앞세우고 급습해버렸다. 그리고 눈 깜짝할 사이에 화살을 쏟아붓더니 약탈을 시작한다. 때 아닌 날벼락에 젊은이들이 활을 쏘며 저항하지 않을 수 없었다. 하지만 얼마나 버티겠는가. 영락없이 늑대 앞의 개가 된 꼴이었다.

"자무카 수령! 항복하리까? 우리 치노스 족이 무슨 잘못을 했다고 이러는 겁니까?"

처참하게 발겨지고 나서야 씨족장은 사태의 본질을 알았다.

"숨기고 있는 놈을 내놓아라."

"아하, 이제 모함까지 하시려고요? 정말이지 칭기스칸을 따라가지 못한 게 후회가 되는군요."

"뭐야?"

세상에서 자무카를 가장 힘들게 하는 말이 있다면 그것은 어느새 칭기스칸을 따라간다는 말이 되었다.

'좋아. 너희들 눈에도 흰 뼈가 높아보인단 말이지?'

자무카는 선 자리에서 칼을 뽑아 두말없이 내리쳐버렸다. 그러고는,

“모가지를 잘라 말 꼬리에 달아라.”

그래도 분이 풀리지 않는다. 자신이 왜 그리 화를 내는지 이해가 잘 되지 않았다.

“이제부터 이놈의 종자들을 처형하겠다. 어린 몽골을 이탈하는 자가 어떻게 되는지 보여주겠어. 가마솥을 내오고 물을 끓여라.”

남을 기습적으로 경악시키려는 자는 비정상적인 수단을 사용해야 한다. 사람을 솥에 삶아서 죽이는 것은 금나라가 유목민 지도자에게 사용하던 극악한 처형의 방법이었다. 자무카는 알탄을 포로로 잡으면 그렇게 죽이려고 구상해두었던 것인데 엉뚱한 순간에 사용할 생각이 난 것이다.

치노스의 쿠리엔에서 찾아낸 가마솥은 도합 칠십 개에 이르렀다. 그곳에 모두 물을 채우고 부글부글 끓자 자무카는 무려 칠십 명의 치노스 귀족을 서열대로 집어넣었다. 부하들도 넋이 팔린 사람들처럼 수령이 시키는 대로 할 뿐이다. 너무나 급작스런 결정이라 피아가 모두 소리도 내지 못하고 공포에 질려 있었다.

“솥뚜껑을 닫아!”

단말마의 비명이 칠십 번이나 허공에서 잘려 뚜껑 밑에 깔린다. 찌뿌드드한 날씨에 귀신의 울음이 구름 속에 가득 담겨 있었다. 잔인한 처형이 집행되는 동안 검은 구름이 일어나 하늘을 덮어버린다. 흉일에 날씨까지 안 좋아 이내 비가 들이치기 시작한다.

이렇게 해서 전쟁은 최종 종결되었다.

치노스 족을 칠십 명이나 가마솥에 삶아 죽인 소식은 순식간에 초원에 퍼져 만인을 경악시켰다. 그것은 자무카를 배신했다가 어떻게 될 것인지 경각심을 일으키고 공포감을 느끼게 하기에 충분했다. 그러나 너무도 명백히 정반대의 효과를 만들기도 했다. 적어도 유목민이라면 누구나 이승이 아무리 힘들더라도 죽어서는 푸른 하늘의 품에 안기리라는 한 가닥 꿈을 안고 사는데, 자무카는 뚜껑을 덮어서 죽인다. 이승의 넋이 승천하는 것조차 막아버린다. 이런 천인공노할 일이 어디 있는가? 그것은 무당 코르치가 예견한 대로 민심 속의 귀신을 건드려 자무카를 지지하던 여론조차 다 잡아먹게 하고 말았다.

칭기스칸은 숙영지에 돌아온 후에야 자무카가 엄청난 일을 저지른 것을 알게 되었다. 초원에서 죽음은 흔한 것이다. 엄혹한 자연조건에서 살아남기 위해 유목민은 누구든지 용감하고 유능하지 않으면 안 되었다. 그래서 다들 전사처럼 험한 환경과 싸우다 보면 누구나 예기치 않게 죽을 수 있었다. 모든 것은 바람처럼 사라져가는 것, 누구나 지상에 얼마나 많이 머무는지가 중요한 게 아니라 얼마나 절정의 순간을 살아가는가를 중시하게 돼 있었다. 까닭에, 이승에서 저승으로 건너는 것을 방해하는 것은 간단한 범죄가 아니었다. 푸른 하늘이 아무리 멀리 있어도 그것은 바람이나 공기처럼 날아서도 오고, 숨 쉬는 생명체 안에 귀신으로 스며들어서 삶의 모든 순간에 교감되기도 한다. 신은 거리가 멀어질수록 사라져가는 게 아니라 더 깊어져가는 것이다. 그래서 동물을 잡을 때도 피 속에 영혼이 깃들어 있다 하여 피를 흘리지 않게 하며, 게르를 칠 때도 거대한 생명체를 죽이지 않기 위해 흙에 말뚝을 박지 않는다. 한데, 푸른 하늘의 것을 차단하다니!

그 일로 언젠가 후엘룬을 뿌리치고 떠난 많은 백성들이 자무카를 등지고 돌아오게 되었다. 대부분 테무진 일가를 버린 적이 있었지만, 세월이 흘러 이제 전혀 다른 이야기를 한다. 가지 주워들은 말에서 뼈가 굵어지고 살이 붙어 영웅 전설이 탄생할 지경이었다. 전쟁이 끝나고 가장 먼저 당도한 것은 텝텡그리를 앞세운 멍릭 일가였다. 사람들 앞에 처음 나타날 때부터 늑대파의 출현을 예고하던 이 위대한 무당의 가족이 돌아오자, 고원의 거대 세력인 망구트 족의 현자 코일다르도 씨족 집단을 인솔해 귀부하였고, 그의 동맹자인 주르체데이도 오로오드 씨족을 송두리째 데리고 휘하로 들어왔다. 그래서 코르치가 건의를 하지 않을 수 없었다.

"대칸! 아직 속민이라 할 수 없는 집단이 많아졌습니다. 대칸의 보호를 받는 수많은 씨족들이 각자 문중의 이해득실 속으로 돌아가지 않으려면 어떻게 해야 합니까?"

그 문제로 보오르추와 젤메는 거의 과로사를 걱정할 정도로 뛰고 있지만 조직 정비가 쉽지 않았다. 무엇 하나 가진 것 없이 출발한 칭기스칸에게 이렇게 많은 '목숨을 가진 전리품'이 확보되면서 쿠리엔의 백성들은 전혀 새로운 문제에 관심을 모으게 되었다.

'칸이 과연 귀족들을 진압할 수 있을까?'

이른 봄, 오논 강가에서 벌어진 잔치는 그 문제 때문에 비상한 관심을 모으게 되었다.

칭기스칸은 옛 백성들이 돌아온 것을 기념하여 어머니를 모시고 보르지긴 족, 쥐르긴 족 등과 즐거운 자리를 만들어 회포를 풀고 싶었다. 초대받은 손님들이 모인 후로도 칸의 합석이 잠깐 늦어진 것은 젤메 때문이었다. 젤메는 수베테이가 오논 강 물소리만 들으면 이명을 호소하는 통에 거의 울상이 되어 있었다.

'저 녀석이 제 어미를 닮게 되면 어떡하지?'

강물이 출렁이는 소리가 제 어머니의 목소리로 들린다는데 어찌할 도리가 없었다. 칭기스칸이 그래서 친히 다독일 필요가 있었다.

"수베테이, 부탁할 것이 있어. 앞으로 피건 눈물이건 네 몸에서 흘러나온 물이 대지에 떨어지는 것을 허락하지 않겠다. 땅은 어머니야. 네가 흘린 물이 어머니의 살갗에 닿아도 된단 말이냐? 그리고 이걸 받아. 어머니가 널 지키기 위해 사용한 것이니."

오논 강 여자가 가슴에 품고 다니던 늑대 털 주머니였다. 수베테이는 칸이 이렇게 특별한 애정을 보일 줄은 몰랐다.

"분명히 말해두는데, 수베테이의 몸은 나의 것이야. 네 몸 안에 언제나 내가 숨 쉬고 있다는 걸 잊어선 안 돼."

감동을 받아서 숨조차 제대로 내쉬지 못한다.

"네, 맹세하겠습니다. 칸!"

이러고 돌아와 자리에 앉는데, 눈에 조금 당황스런 소란이 목격되었다.

칭기스칸의 요리를 맡은 집사가 첫 동이의 술을 후엘룬, 카사르, 세체의 순으로 따르고 두번째 술동이를 들어서 세체의 작은어머니에게 따르는 순간 정실부인이 집사의 뺨을 후려친 것이다.

"무엄한 놈! 국모였던 나를 깔보다니. 왜 내 잔에 먼저 따르지 않는 거야?"

칸이 서열을 없앴기 때문에 그런 것은 누구도 의식하지 않는 일이었다. 집사는 귀족에게 당한 일이라 대들지는 못하지만 한없이 억울하여 눈물을 그치지 못한다.

"이 나이에도 뺨을 맞으면서 일해야 하네."

이를 지켜보게 된 칭기스칸이 얼굴을 붉으락푸르락하면서 겨우 참고 있는데, 이번에는 벨구테이 쪽에서 소란이 일었다. 그날 수최 측에서는 벨구테이가 잔치를 총괄하고, 쥐르긴 측에서는 부리 장사가 총무를 맡았는데, 한참 경황이 없는 틈에 웬 사내 하나가 황금색 늑대 귀 말의 고삐를 훔치려다가 발각된 것이다. 벨구테이가 참을 턱이 없었다.

"네, 이놈! 꼼짝 마라. 칸이 타는 말을 손대려 들다니!"

이 사내가 하필 쥐르긴 족이었다. 그래, 부리 장사도 재빨리 다가와 역성을 든 것이다.

"몰랐다 하잖소. 그냥 지나갑시다."

"난 저 사람의 답변을 들으려는 거요."

"어허, 몰랐잖아요."

이러면서 억지로 떼어내는 바람에 두 사람이 서로 배를 밀어붙이는 싸움을 하게 되었다. 부리 장사는 엄청난 기운을 자랑하는 거인이었다. 그렇다고 벨구테이가 피할 위인이 아니다. 당장에 결투 신청을 하고 칼을 꺼내는데, 눈 깜짝할 사이에 부리 장사의 칼이 벨구테이의 팔뚝에 선명한 줄을 그어버렸다. 하여, 피가 뚝뚝 떨어지는 모습이 멀리 앉은 칭기스칸의 눈에도 다 보였다. 참지 않고 당장에 자리에서 일어섰다. 전례가 없는 역성이었다.

"벨구테이! 네 팔을 어떤 놈이 그랬느냐?"

쥐르긴 족이 왕손의 종가라 하여 아직 기틀이 완전하지 못한 칭기스칸의 왕권을 희롱하고 있음이 명백하였다. 벨구테이는 형의 성격을 알기 때문에 빨리 수습하려고 서두른다.

"이거요? 괜찮습니다. 옛 부족이 다들 돌아왔으니 형님이 잠깐만 참으세요. 귀족들과 이제 겨우 친해지고 있지 않습니까?"

"어떤 놈이 잔칫날에 내 동생에게 감히 이런단 말이냐. 잡아와라."

명령이 떨어진 이상 보오르추, 젤메, 코르치 등이 몸을 사릴 리 없었다. 그들이 부리 장사를 체포하려 들자 쥐르긴 족이 모여들어 가로막는다. 그쪽 역시 모칼리 같은 일당백의 재주꾼들이 있어서 밀리지 않으니, 둘 사이에서는 금방 난투극이 벌어지고 말았다. 젤메와 보오르추는 술통의 막대기를 뽑아 들고, 부리 장사와 모칼리 등은 나뭇가지를 꺾어 들었다.

잔치판은 순식간에 난장판이 되었다. 한참 동안이나 고함 소리, 기합 소리, 나무 작대기들이 부딪치는 소리가 요란하더니, 여기저기에서 술상이 엎어지고 양고기가 쏟아져 땅바닥에 뒹군다. 칭기스칸은 싸움이 커지는 것을 알면서도 슬그머니 등을 돌리고 섰다. 공권력의 맛을 보여주려고 일부러 방치한 것이다.

"물고기들은 다들 뭐하는 거냐?"

젤메가 주위를 향해 소리를 지르자 친위대원들이 순식간에 모여들어 활을 겨누고 둥그렇게 원을 그린다. 행사를 총괄하는 두 사람, 벨구테이와 부리 장사를 빼고는 들어올 때 이미 무장을 해제시켜두었다. 사방이 열려 있는 미로에 갇혀 있으니 쥐르긴 족은 꼼짝을 할 수가 없었다.

젤메의 물고기부대는 옛 귀족이 누구이며 그것이 왜 행패를 부리는 이유가 되는지를 아예 이해할 수 없는 소년들이 태반이었다. 특히 어린 장수 수베테이는 누가 어떻게 설명해도 칭기스칸보다 높은 사람은 있을 수 없는지라 귀족을 아예 명령을 어긴 부하들처럼 난폭하게 다룬다. 여기에 아무 때라도 미련 없이 목숨을 내놓을 작정을 하고 있는 장군이 보오르추, 젤메 외에도 코르치, 보투, 조치다르말 등 부지기수로 널려 있었다. 소란을 피우는 사람은 금방 진압될 것이 틀림없었다.

'부를 개도 없고 타고 다닐 말도 없던 것들을 칸이라는 직함 하나가 저리 되도록 만들어놓다니!'

세체는 기가 막혔다. 삼하의 백성들에게 옛 울루스의 기억은 언제나 그리운 향수를 자극했다. 어린 몽골이 들어선 이후 카불칸, 암바가이칸, 코톨라칸 제위 때까지 강력한 울루스의 보호 아래서 목민들은 아일 식 유목을 할 수 있었고, 살인, 강도, 외세의 침탈에 대한 염려 없이 가축을 경영할 수 있었다. 까닭에, 카불칸의 아들이 만든 쥐르긴 족의 수령 세체, 암바가이칸의 후손 키릴툭, 코톨라칸의 아들 알탄을 아무도 건드릴 수 없었다. 쥐르긴 족은 특히 무장 정예군단을 데리고 있으며, 카불칸의 미망인들이 살아 있어서 삼하의 목자들을 다 제 백성으로 생각하고 있었다. 세체에게 칭기스칸은 자기가 임명한 전투 사령관에 불과했는데, 그사이에 순한 사슴이 발정난 수낙타로 변해버린 것이다.

세체는 조치다르말 같은 말치기 따위가 감히 쥐르긴 족의 수령인 자신에게 눈을 부라리고 작대기를 휘두르는 모습에 엄청난 충격을 받았다. 예전 같으면 눈도 바로 뜨지 못할 천한 것들이 장수랍시고 몸싸움을 하자고 덤비니 이를 어찌해야 할지 몰랐다. 모칼리가 막지 않았으면 아마도 다쳤을 것이다.

"움직이지 마라."

금방이라도 시위를 당길 태세를 하고 압박을 가하는 것은 홍안의 얼굴들이다. 좌중이 겨우 진정되었을 때 보오르추가 불호령을 내린다.

"칸이 무너뜨린 걸 다시 세우려 들지 마시오."

쥐르긴 족에서도 모칼리가 나와 항변을 한다.

“주인님은 칸이 초청한 손님입니다. 장군이 이러는 건 좀 무례하지 않습니까?”

“오늘은 그쪽에서 결례를 많이 하였으니 모시고 돌아가시오.”

세체는 칭기스칸에게 푸른 군대가 있다는 것을 뼈아프게 실감했다.

“안 물러나면 쏘겠다.”

이번에는 친위대에서 외친다.

“주인마님을 돌려주시오.”

“오늘은 돌아가라. 칸이 귀환 명령을 내리지 않았다.”

쥐르긴 족은 하는 수 없이 뱀이 빠져나가듯이 긴 꼬리를 움직여 느릿느릿 돌아가야 했다. 그때서야 다들 칭기스칸이 왜 등을 돌리고 서 있는지를 이해한 것이다. 물고기부대가 말썽을 일으킨 옛 왕비 두 사람을 칭기스칸을 호위하는 과정에서 자연스럽게 포로로 잡아둔 것이다.

칭기스칸은 이틀 동안이나 아무 일 없었던 듯이 입을 다물고 있었다. 옛 왕비들이 전쟁포로처럼 억류돼 있으니, 쥐르긴 족은 안달이 나서 여러 차례 사람을 보내어 사죄하고 화해를 청했다.

그렇게 사흘째가 되는 날, 밤이 되자 달이 뜨고 별이 흩어졌다. 칸의 게르를 둘러싸고 여기저기 모닥불이 오르는데, 기골이 장대한 젊은이가 친위대의 감시를 받으며, 그러나 전혀 겁먹은 기색도 없이 칸 앞에 나타났다. 모칼리였다.

“내가 아는 얼굴이구나. 모칼리 맞지?”

“종놈의 얼굴을 기억해주니 영광입니다.”

“헌데, 옛 왕비를 모시러 왔다? 나는 귀족들의 심부름이나 하는 군사 지도자가 아냐."

"칸! 주인마님은 적이 아닙니다."

칭기스칸은 한참을 쳐다보다가 주위에 있는 사람을 다 내보내고 모칼리 하나만 남게 했다.

"지금 하는 말은 바람 이외에는 들을 자가 없어. 모칼리! 내게 오지 않겠는가? 나는 초원에서 우리끼리 싸우는 걸 최대한 빨리 끝내고 싶어."

"저더러 주인을 등지라고 말씀하시면 섭섭합니다."

"즉위식 때 참석하지 않았느냐? 세체는 우리 집안의 어른이 되지만 몽골국의 칸은 나다."

"그렇다고 종과 주인의 관계가 없어지지는 않잖습니까? 십호장이 백호장을, 백호장이 천호장을 따르게 한 것은 칸입니다."

"그럼, 나와 세체가 싸워도 그 편을 들겠다는 말인가?"

"종은 주군을 모실 뿐입니다."

"말을 가려서 하라. 발 디딘 자리 바깥에는 죽음이 기다리고 있다는 걸 몰라?"

"종의 목숨을 얻으려거든 제 주인에게서 빼앗으십시오."

칭기스칸은 다시 할 말을 잃었다.

"좋아. 그대의 충성심에 대한 값을 지불해야지. 두 분 다 네게 주겠다. 모시고 가라."

이렇게 보내고 나서 어떻게 하면 모칼리를 데려올 수 있을지 골똘하지 않을 수 없었다.

'저런 사람을 대장군이 아니라 종으로 데리고 있어서야 어디…….
참으로 아까운 자로구나.'

그래서 혼자 안타까워하면서 발을 동동 구르고 있는데, 손님이 찾아왔다.

"칸, 바쁘신가? 나 멍릭일세."

"아닙니다. 아버지께서 어떤 일로?"

"석양 무렵에 울란이 왔어. 타타르 여자."

"무슨 좋은 소식이라도 있습니까?"

"금나라와 타타르가 싸우게 될 것 같아. 이 기회에 아버지의 원수를 갚으면 어떤가?"

7

늑대병법

1

십삼익 전쟁(자무카와 테무진 사이에 있었던 첫번째 전쟁)이 끝난 후 자무카는 줄곧 코르코낙에서 지냈다. 인간의 세계는 얼마나 거칠고 험한지 모른다. 한 발짝만 나서면 그를 물어뜯는 소리가 귀에 닿았다. '울루스가 둘로 쪼개지면 안 되는데……', 혹은 '칭기스칸에게 힘을 모아주면 좋으련만……' 하고 시작되는 소문의 꼬리에는 언제나 칭기스칸 귀신이 붙어 다닌다. 가슴을 짓밟는 비난의 소리 몇 개는 기억에서 영원히 지워지지 않을 맹수의 발자국을 남긴다.

"몹쓸 종자? 개 풀 뜯는 소리를 잘들도 하시지."

자무카의 심사가 어지러운 것과는 별개로 자다란 족에게는 모처럼 부족의 품에서 쉬고 있는 수령의 인기가 하늘을 찌르고 있었다. 달란 발조드 전투에 대한 회고담도 전혀 다른 차원에서 펼쳐진다.

"사부카 수령을 당할 자가 어디 있겠어. 잘났다는 테무진인가 칭기스칸인가 하는 자도 꽁지가 빠져라 달아나드만."

"그러게 말이야. 태차르 장군을 죽인 놈을 찾아서 도륙을 냈어야 하는데."

이렇게 화기애애한 분위기는 승자의 기쁨에 도취되어 온갖 장면을 화제에 올린다. 그 틈에 엉뚱한 전설이 만들어진다.

"그런데 그 맹랑한 꼬마 이름은 뭐야?"

나이 어린 물고기부대 용사 이야기가 널리 퍼져 나가고 있었던 것이다.

"수베테이야. 수베테이."

"그놈을 닮아서 꽃잎도 쥐방울만 하군."

"쥐 눈물방울만 하지. 그러니 눈물꽃이라 했겠지."

전쟁이 끝나고 돌아왔을 때, 푸른빛이 아직 가시지 않은 초지에 아기메꽃이 흐드러지게 피어 있었다. 누가 그것을 어머니눈물꽃이라 부르기 시작했는지 모른다. 하지만 삼하 일대에는 이미 파다하게 퍼져 있었다. 어느 해 봄인지 오논 강에 미친 여자가 나타나 자식을 찾아달라고 울고 다니기 시작했다. 얼굴이 곱고 맵시가 정갈해서 다들 측은하게 여겼는데, 여름이 가고 가을이 오며 겨울이 되어 온 초지가 눈에 덮여도 가엾은 모습이 사라지지 않으니, 목자와 용사를 가리지 않고, 또 귀족과 종놈을 가리지 않고 사내의 손때를 탈 대로 타고 말았다. 그러다 어느 해 겨울에 문득 자취를 감추더니 이듬해 봄부터 희한한 꽃이 피어 오논 강 일대에 흐드러지게 된 것이다. 왜 그런 꽃이 피는지 알 수 없지만 오논 강 여자가 헤매던 곳이다. 그래, 다들 여인의 눈물방울이 떨어진 자리마다 쪼르르 꽃이 피었다 하여 수군대더니 어느 틈에 꽃 이름이 어머니눈물꽃이 되었다가 최근 들어 그 오논 강 여자의 아들이 수베테이라는 소문과 겹치면서 근사한 전설이 만들어진 것이다.

"한데 좀 이상하네. 미친 여자는 키야트 보르지긴에서 살고 있는 아들을 왜 그리 찾고 다녔대?"

"젤메의 조카라잖아."

"종놈들이 출세했구만. 이참에 저승으로 쫓아버리려 했는데, 수령님이 참아서 놓아줬네."

"맞아, 말 위에서 춤추는 게 좀 거슬려야지."

"자무카 수령은 테무진을 왜 그리 봐줄까?"

자무카는 그 모든 소리들을 귓등으로 흘려보냈다. 마음이 텅 비어 있었던 것이다.

존재의 밑바닥에서 올라오는 공허, 허기, 불안!

삶에 지칠 때마다 떠오르는 것은 아버지였다. 어린 몽골을 위하여 전장에서 생애를 마친 분! 보르지긴 족만 되었어도 영웅이 그렇게 허망하게 잊히지는 않았을 것이다. 자다란 족의 역사가 그랬다. 허울은 귀족이요, 전쟁 때는 가장 훌륭한 전투력을 자랑하지만, 어린 몽골은 언제나 검은 뼈라 하여 그들을 논공행상에서 소외시켰다. 그 질긴 굴레를 끊는 게 자무카의 꿈이었다. 한데, 자꾸만 엇나가고 있다.

계절이 바뀌느라 삼라만상이 분주하다. 바람에 흩날리는 풀씨와 짐승들의 생리 활동이 풀꽃을 퍼뜨리고 식물을 이동시킨다. 양 떼들도 서서 밤이슬을 맞고, 달빛도 숨차게 낙타의 등을 넘는다. 숱한 별을 가진 하늘도 바쁘게 돌고……. 그의 머리에는 가다가 길을 잃은 생각들이 별빛에 젖는다. 분주히 가을의 기슭을 떠나는 사람들, 동물들. 가슴이 멍들 때마다 징을 칫는 이유가 거기에 있었다. 발뽕, 소뽕,

염소똥, 양똥, 지천에 널린 똥을 피해 앉을 필요도 없었다. 더럽지도 않고 불쾌감을 주지도 않았다.

우주의 구석진 어느 자리에 서서 자무카는 물소리를 들으며 생각에 잠겨 있었다.

언제나 친숙한 오논 강이 부서지는 소리는 그의 영혼을 아득한 자연의 품으로 데려가버린다. 세상에는 수없이 많은 생명들이 있다. 어떤 것은 알에서 나오고, 어떤 것은 자궁에서 태어나며, 어떤 것은 습지에서 탄생한다. 그것이 자라고 변하는 동안 각자 땅에서 머물고, 물에서 머물며, 또, 불 속에, 바람 속에, 꽃 속에 머문다. 모두 푸른 하늘의 지체들이고, 대지로 사용된 거북이의 연결체이며, 또한 누군가의 자식들이다. 그 위로 강물이 흐르는 것처럼 삶이 흐른다. 그 위로 나그네가 지나가듯이 죽음과 소멸의 때가 스쳐간다. 그런데 나는 왜 멈추어 있어야 하는가? 괘씸한 토오릴칸을 떠올리는 순간 왜 자꾸만 칭기스칸의 얼굴이 뒤따라오는지, 그리고 그것은 왜 자꾸 미워지는지 알 수 없어서 되도록 멀리 벗어나본다.

"자무카 대장군! 바람이 찹니다."

처여의 말이 사실이었다. 자무카는 세상이 자신에게 얼마나 매몰차게 구는지 곱씹어대지 않을 수 없었다. 수렁에 빠진 테무진의 손을 잡아준 것은 자신이지만, 그의 등을 떠밀어준 것은 토오릴칸이었다. 왜? 바로 자신, 자무카 세력을 두 토막으로 쪼개놓기 위해서였다. 그리하여 마침내 백성을 얻게 된 테무진을 칭기스칸으로 옹립한 것은 몽골의 흰 뼈들이었다. 왜? 바로 자신, 자무카의 무장력을 해체하기 위해서였다.

괴로운 일이다. 전날, 타타르를 치기 위하여 몽골과 케레이트가 연합한다는 이야기를 듣고, 어찌나 속이 상했는지 모른다. 금나라와 공조한다는 것도 거슬리지만 칭기스칸이 중심에 서 있다는 것도 서운하기 짝이 없었다.

'형제여! 천하의 테무진조차도 나를 검은 뼈로 여긴다는 말인가? 형제의 아내를 되찾는 전쟁을 승리로 이끈 삼자동맹의 사령관이 누구였던가.'

그러던 어느 순간 외로움이 사무쳐 입술을 깨물어댄다.

'좋아. 운명이라면 받아들여야지.'

그러다가 마침내 그가 아끼는 형제를 떠밀어서 자신의 세력을 두 동강이 내버린 토오릴칸을 그 역시 토오릴칸의 부자관계를 뒤흔들어 두 토막으로 쪼개버릴 결심을 하게 되었다.

"자무카 대장군! 춥지 않습니까?"

걱정해주는 사람은 처여뿐이다. 바람이 들이치는데 춥지 않을 리 없다.

'그래, 세상 속으로 돌아가자.'

그렇게 백마를 돌려세우면서 기나긴 대장정의 출발지를 찾았다. 그리고 첫 행선지를 정하려는 순간에 퍼뜩 너무 위험한 장난을 하는 건 아닐까 하는 불안감이 엄습했지만 과감하게 고개를 돌려 털어버렸다.

'어쩔 수 없어. 셍굼에게 늑대 이야기를 들려주는 수밖에.'

자무카가 생뚱맞게 토오릴칸의 영지에 들어가 셍굼의 게르를 찾은 것은 밤이 늦어서였다. 셍굼은 출정을 앞두고 장비를 손질하는 중이었다.

“자무카 장군이 웬일이신가?”

“그대가 싸우러 간다고 해서 무운을 빌어주려고.”

“내게 친절을 베풀 사람은 아닌데.”

“셍굼! 초원에서는 누구나 막막한 지평선의 한 점을 벗어날 수 없어. 자연의 변덕 앞에서 재산이 많거나 부모가 잘났거나 하는 건 다 소용없는 일이야.”

“무슨 소리를 하려고?”

“아버지가 개와 늑대를 식별하지 못한다는 생각을 해본 적 있어?”

“대체 무슨 소리를 하고 싶은 거야? 죽을 자리를 못 찾아서 안달이 난 건 아닐 테고.”

“도우러 온 사람을 죽일 리는 없으니. 하여튼, 달의 아들이라는 늑대 이야기를 알아? 오논 강에서는 유명한데.”

셍굼이 의심에 찬 눈알을 위아래로 굴리는 동안 자무카가 장광설을 펴기 시작한다. 최초의 풍경은 말의 흰 뼈가 흐트러진 바위 앞에서 시작되었다. 사냥꾼이 늑대 굴을 발견하여 연기를 피우자 그 속에 있는 늑대들이 숨이 막혀 콜록거리는 대목을 자세히 묘사했다. 그러고는 불쑥 질문을 들이댄다.

“감이 와? 풍경을 더 그려줘? 이제 막 눈을 뜬 새끼 늑대가 밖으로 뛰쳐나왔을 때, 하늘을 덮은 구름이 빗방울을 떨어뜨리기 시작했어. 이어 번개가 치고, 세상이 환해졌지. 새끼 늑대는 무서워서 엄마를 부른 거야. 비가 심해지고 천둥까지 치자 얼마나 울어댔던지, 그래서 사냥꾼에게 잡힌 거지.”

“무슨 이야기를 하려는 건지 쉽게 좀 말해.”

“좋아. 달의 아들은 아비가 살해된 현장에서 여동생과 함께 사로잡혔어. 강아지처럼 예쁘던 때라 사냥꾼이 기르게 된 거야. 건강한 어미 개의 젖을 먹던 여덟 마리 중 한 마리가 되었어. 녀석이 인내의 세월을 견디는 동안 사냥꾼도 늑대 새끼를 키운다는 사실을 차츰 잊어갔지. 아서라, 집이나 지키고 찌꺼기나 얻어먹는 족속하고는 처음부터 다른 종자인데. 달의 아들을 늑대 새끼로 알고 경계하는 건 검은 종마뿐이었어. 망아지들과 개들이 섞여 놀 때 녀석이 끼어 있으면 종마가 깜짝 놀라 발길질을 해댔지. 한데, 녀석이 어느 날 사냥꾼의 게르에 걸어놓은 제 할머니의 가죽을 본 거야. 늑대는 꼬리를 치지 않으니 녀석이 작전에 돌입한 걸 누가 알았겠어? 먼저, 귀찮은 강아지 한 마리를 높은 바위에 데리고 가서 벼랑으로 떨어뜨려 죽였어. 또 한 마리는 독수리가 채가게 만들고. 한 마리는 볼모로 잡아두고 심부름을 시켰지. 그러다 기회를 맞은 거야. 사냥꾼이 앓아서 누워 있을 때 게르의 덮개문을 살짝 밀고 들어가 화로를 엎었어. 금방 연기가 피어올랐지. 사냥꾼이 놀라 활을 쏘았지만 두 마리를 한꺼번에 쏠 수는 없잖아. 여동생의 목에 화살이 박혔어. 그와 함께 달의 아들이 단 한 번의 동작으로 사냥꾼의 목덜미에 송곳니를 꽂았지. 그리고 사지를 떨다 축 늘어지는 걸 보고서야 소굴을 나온 거야. 제 어미를 죽였던 방식으로 똑같이 죽인 거지. 소감이 어때?"

셍굼은 자무카의 이야기를 듣고 등이 오싹해졌다.

"늑대 새끼 이야기를 왜 하는데?"

"바로 그 늑대, 달의 아들이 나중에 초원을 제패했거든. 물론 지난 이야기지만. 참, 그 친구 생각 나? 요새는 칭기스칸이라 부르데."

"자무카의 의형제잖아?"

"그렇지. 내 형제의 눈을 보라고. 그게 달의 아들의 눈이야. 하하하.

토오릴칸 형님께서는 늑대를 개로 아시더만."

생굼은 소름이 끼쳤다. 사실 테무진의 눈이 어찌나 무섭던지 마주치는 걸 피하던 터였다.

"개하고 사냥을 다닌다고 늑대하고도 다니는 건 위험할 텐데."

"이봐, 자무카! 곰은 쓸개 때문에 죽고 사람은 혀 때문에 죽는다는 말을 못 들었어? 여기가 어디라고 지금."

생굼은 자무카에게 휘둘리지 않으려고 이렇게 겁을 주어서 쫓아버렸다. 하지만 한번 귀에 담은 늑대에 대한 공포감 때문에 등에서 털이 불끈 일어서는 것을 주체하지 못했다. 아무리 생각해도 자신을 가로막는 사람은 자무카가 아니라 칭기스칸이다.

'한데, 아버지는 왜 자꾸 칭기스칸에게 흔들리느냔 말이다.'

사흘 전, 금나라의 사신이 다녀갔을 때만 해도 처음에는 타타르와 싸울 생각이 전혀 없었다.

"금나라 놈들이 왜 다녀간 거예요?"

"타타르를 치자는 거야."

"왜요?"

"쯧쯧. 정신 좀 차려라. 테무진이 칭기스칸이 되자 자무카도 정신을 바짝 차렸더라."

"그게 타타르와 무슨 상관인데요?"

"십삼익 전쟁이 끝나고, 자무카의 백성들이 대거 떠나서 세력 균형이 팽팽해졌다고 했지? 둘이 백성에게 잘하려고 경쟁하면 할수록 팍팍해지는 것들이 있어. 강도들, 북방 변경의 군소 부족들이 약탈할 곳이 없어지는 거야. 허니, 자꾸 만리장성을 넘게 돼. 금나라가 화가 나서 타타르를 데리고 토벌에 나섰어. 한데, 사냥개가 전리품을 몽땅 빼돌린 거지. 버릇을 들이려면 응징해야겠지?"

"알겠어요. 바다는 채워도 타타르의 욕심은 못 채운다니까. 그래서 어쩌실 건데요?"

"고개만 끄덕끄덕해서 대충 돌려보냈다. 뒤쪽 옷자락을 뜯어서 앞쪽 옷자락을 깁겠다는 수작이 아니냐."

토오릴칸이라고 금나라를 믿을 턱이 없었다. 금나라의 대외정책 이이제이(以夷制夷. 오랑캐로 오랑캐를 무찌른다)는 초원을 다스리기 위해 타타르 유목민을 사냥개로 활용하는 아주 극악한 것이었다. 초원의 사람들을 오직 사분오열(四分伍裂)시키기 위해 그들을 지원할 뿐 결코 우방도 아니고 보호자도 아니건만 타타르는 어쩌자고 작은 이득을 취하기 위해 유목민을 죽이는 일을 계속하는지 알 수 없었다. 그래서 금나라가 내놓은 감언이설은 모두 몸통이 날개를 욕하는 것과 다름없으니, 오른쪽 귀에 들어온 소리가 왼쪽 귀로 빠져나가도록 놔두는 게 당연했다. 한데, 칭기스칸이 와서 구슬려대자 태도가 싹 달라진다.

"금나라 사신이 다녀갔지요? 타타르는 몽골국에도 원수지만 아버지에게도 원수가 아닙니까? 망설이지 말고 칩시다."

"그림자를 쳐서 뭐하게?"

"제 이름이 누구의 것이었는지 잊으셨어요? 저를 낳은 날 아버지가 적장을 치고 빼앗은 이름입니다. 그것이 타타르에게 열세 번의 패전 끝에 얻은 단 한 번의 승리였어요."

"그때가 예수게이의 절정이었지. 자네는 아버지를 잊어선 안 되네."

"제 이름이 삼십 년이나 되었다는 것은 그들이 삼십 년 동안 실이졌다는 걸 의미합니다. 지금은 몸이 불어서 숨쉬기조차 불편할 거예요."

"초원이 전쟁터로 변한 건 금나라 때문이야."

"언젠가 자무카 형제에게 배운 말이 있어요. 자신보다 큰 힘을 가진 친구는 멀리 있는 두 명의 적보다 위험하다! 저는 지금 타타르의 지위를 빼앗자는 얘기를 하는 게 아니라 놈들이 사라져야 초원의 정세가 호전된다는 말을 하고 있는 겁니다."

셍굼의 눈에는 확실히 아버지의 시대가 가고 있었다. 예전에는 누가 어떻게 구슬려도 요지부동이더니 언제부터인지 칭기스칸의 몇 마디에 나뭇잎이 바람에 뒤집히듯이 태도가 바뀌고는 했다. 자신이 옳든 그르든 남의 의견에 흔들리는 모습이야말로 토오릴칸의 명성에 맞지 않는 것이었다. 그런데 이번에는 늑대가 망아지를 데리고 놀듯이 칭기스칸이 끄는 대로 따라가고 만다. 아버지의 설명을 들어보니 틀림없었다.

"혹시 엉덩이에 뿔난 소를 키워보셨어요? 요게 풀은 안 뜯고 젖만 먹는 놈이라, 동생이 태어나면 젖을 떼야 마땅한데 동생 것을 죄 빼앗아 먹어요. 이런 놈은 코에 큰 막대기를 꿉아서 통제하지 않으면 동생을 굶겨 죽이고 맙니다."

"하하, 말 한번 시원하다. 타타르 놈들이 꼭 그렇지."

"예수게이 아버지 때문에 하는 소리가 아니에요. 초원에서 목마른 사람을 만나면 모르는 사람이든 싫은 사람이든 물을 제공하는 게 유목민의 법도입니다. 원한은 인간의 것이고 물은 푸른 하늘의 것이 아닙니까? 유목민이 이렇게 사는 건 푸른 하늘의 명인데, 그걸 눈 하나 까딱 않고 어기는 놈들과 어떻게 머리를 같은 방향으로 둘 수 있겠습니까?"

맞는 말이다. 토오릴칸은 타타르의 교활함을 누구보다도 잘 알았다. 자신이 포로로 잡혀간 적이 있는 데다가, 지금 당장에도 위협을 받고 있었다. 그의 등에 비수를 꽂으려는 역모 세력이 계속 타타르와 가까워지고 있었다.

'이익만 된다면 무슨 짓이든 하는 놈들!'

그들을 없애는 일에 칭기스칸이 앞장선다면 얼마나 좋겠는가. 그래서 물었다.

"내가 몰아줄 테니 사냥은 자네가 할 텐가?"

"네."

셍굼이 곱씹어대는 대사는 그 다음에 나온 말이다. 칭기스칸은 정확히 이렇게 말했다.

"잘 생각하셨습니다. 처음에는 하나를 다른 하나와 뜯어 먹고, 힘을 길러서 또 다른 놈을 쓰러뜨리는 것이 늑대의 지혜입니다."

칭기스칸이 토오릴칸을 걱정해서 해준 말을, 셍굼은 자무카가 기대한 바에서 한 치도 어긋나지 않게 바로 케레이트를 위협하는 말로 들었다. 그러고 나니 늑대의 실체가 더욱 또렷해진다. 그 기운이 이상하게도 자기의 목을 자꾸 조여오고 있는 것이다.

칭기스칸이라는 자는 도대체 뭘 믿고 그러는가 말이다. 밖에서 보면 진영이 초라하기 그지없건만 실제로 만나면 어디에서 자신감이 솟는지 기가 죽는 법이 한 번도 없었다.

'맹랑한 자식! 늑대 새끼가 호랑이 굴을 제 멋대로 드나들다니!'

사실, 칭기스칸을 우습게 보는 것이야말로 셍굼이 아둔하다는 것을 증명하는 일이었다. 칭기스칸 진영은 작지만 몹시 안정되고 탄탄

했다. 초원에서 유일하게 백성의 존경을 받는 지도자였다. 그 내막을 들여다보면 어떤 세력이든 불안해하지 않을 수 없게 되어 있었다.

가을이면 초원은 악사(樂士)가 된다. 대지의 표면이 돌개바람, 가뭄, 폭설, 얼음의 발자국에 질식할 때도 땅 밑에는 겸손하고 위대한 생명체들이 숨어 있었다. 흙 속에 묻혀 있던 것들이 봄이면 푸른 하늘의 호명을 받아 꿈틀대기 시작한다. 여름에 안 나오는 풀은 없다. 다 나와서 힘자랑을 하듯이 마음껏 푸르며 세상을 꾸민다. 그리고 가을에 그것들이 야위어 연주자가 되는 것이다. 바람이 찢긴 자리마다 마두금의 현처럼 초원이 운다. 물안개가 피는 언덕도 예외가 아니었다.

가을바람의 연주가 날로 처량해지는 소리를 듣는 사람이 칭기스칸의 진영에도 여럿이었다. 대개는 술 생각이 간절해서 애가 닳는 자들인데, 대표적으로 코르치와 젤메가 그런 축에 속했다.

"젤메, 심심한데 대칸에게 술을 먹이는 수는 없을까? 푸른 하늘이 숨 쉬는 소리가 오소소하고 귀에 닿을 때마다 대지의 오장육부가 꿈틀대는 게 느껴진단 말씀이야."

지난번 전쟁의 뒤풀이를 한 후에 아직 술자리가 만들어진 적이 없었다. 비단 술만 먹고 말자면 얼마든지 몰래 마셔도 되겠지만 코르치야 그럴 필요를 전혀 느끼지 못했다. 칭기스칸이 이야기판을 좋아했기 때문이다. 세상의 만물을 통해 항상 푸른 하늘의 뜻이 전해진다고 믿는 것은 칸이 갖는 최고의 미덕이었다. 그래서 활쏘기, 말타기 같은 대회는 하면서 술 마시기 대회는 왜 안 하는 거냐고 구시렁대면서 동조자를 구하기 시작한 것이다. 절메야 쌍수를 들어서 환영하는 바였다.

"에이, 무당님이 신통력으로 칸의 마음을 움직여보셔. 주정뱅이들이 날마다 사고를 쳐대니 나는 입도 뻥긋 못하겠어."

술 때문에 사람 구실을 못하던 사내가 둘이나 죽었음에도 쿠리엔은 술 때문에 말썽이 끊이지 않았다. 그래서인지 칸이 술을 금하는 바람에 참모들도 어지간하면 참게 된 것이다. 그러니 재미있어지려면 다시 판이 벌어질 필요가 있었다.

코르치가 잔꾀를 부리느라 카사르를 건드린다.

"술 마셨어? 얼굴이 빨갛네."

"그러고도 무당 맞아요? 멀쩡한 사람이 왜 술을 마시겠어."

카사르가 정색을 하자 곁에 있던 젤메의 얼굴이 금방 환해진다.

'어쩜 저리 착하실까? 고맙기도 해라.'

코르치가 옆구리를 쿡 찔러본 이유도 정색해주기를 바라서였다. 왜냐? 그래야 이야기판이 벌어질 테고, 술 이야기가 나와야 마실 기회가 생길 것이기 때문이었다. 그게 미끼인 줄도 모르고 카사르가 덥석 물었으니, 코르치는 바람을 잡는 데 일단 성공한 셈이었다.

"장군님은 심심해서 어찌 살까? 술이 없으면 행복이 없어. 술도 안 마시고 대화가 재미있는 걸 봤어? 전투를 하고 와도 술이 없으면 용사들이 기뻐하지도 않고 슬퍼하지도 않지."

"술은 안 마시는 게 좋아. 약속을 어긋나게 하거든. 자기가 한 말을 못 지키게 하고, 중요한 비밀을 털어놓게 만들고, 또 못된 마음이 들게 하잖아."

카사르도 지지 않지만 젤메가 기회를 놓치지 않으려고 큰 소리로 떠드는 바람에 여기저기에서 반응들이 쏟아진다.

"무슨 소리? 카사르! 술은 잊어버린 기억들을 살아나게 해. 뭐가 마음에 들고 뭐가 마음에 안 드는지도 쉽게 구별되고. 속에 감춰둔 말도 드러나게 하는걸. 술이 없다면 인간에게 무슨 추억이 있겠어? 그래서 술이라 않고 약주라 하는 거야. 행복한 자에게는 고통을 알려주고, 고통을 겪는 자에게는 행복을 알려줘. 이렇게 좋은 약을 봤어?"

"암, 유목민은 만날 때도 술이 필요하지만 헤어질 때도 술이 있어야지."

이쯤 되면 보오르추도 한마디 하기 마련이다.

"술은 생각보다 나쁜 점이 많아. 요게 입에 들어갈 때는 파리만 하고, 입에서 나올 때는 사자만 하잖아. 지혜를 더럽히고, 애써 얻은 것을 다시 잃게 하고."

해서 코르치가 던져놓은 불씨는 어느새 활활 타고 있었다. 그래서 신이 나지만 표정을 애써 감춘다. 정성껏 지핀 불이 꺼질까 조심하는 것이다.

"여럿이 모여서 마시면 얼마나 행복한데, 푸른 하늘이 세상의 숨구멍을 내려준 거라니까. 술을 마셔야 주변 소식도 알게 되고, 무서운 전쟁 때 심장을 뜨겁게 달굴 수도 있어. 술잔마다 대칸의 마음을 가득 담아서 목자들에게 돌리면 온 초원에서 칸 제국의 노래가 울려 나오지. 그러니 쓰러질 때까지 마시고, 쓰러진 사람이 일어날 때까지 노래를 부르게 해야지."

그러다 칸의 기분이 상하기라도 할까 봐 벨구테이가 슬쩍 분위기를 바꾸려 든다.

"그게 어떻게 제국의 노래예요? 술주정이지. 술은 남한테 전해 들은 말을 잊어먹게 하고, 드러내지 않아야 될 것을 드러내게 하고, 맑은 마음을 더럽히고, 동지와 헤어지게 하고, 애인에게 무시당하게 하고, 또 뭐냐. 하여튼, 좋은 점이 없다고 봐요."

칭기스칸은 이야기판이 익어가자 점점 가운데로 들어온다. 분위기가 익다 보면 아무리 작은 화제라도 꼭 끼어들기 마련이었다.

"코르치, 젤메, 술 마시고 싶은 거로구나. 생각해보지 못한 이야기가 많이 나오네. 한데, 아이들은 술에 대해서 어떻게 생각할까?"

쿠쿠추가 젤메를 따라와서 심부름을 하느라 어른들의 이야기를 듣고 있었다.

"칸도 참. 술 이야기를 왜 꼬마에게 물어요? 술맛은 인생에서 나오는 건데 인생의 쓴맛을 보지 않고 어떻게 술을 안다고."

"어! 십삼익 전쟁 때 안 봤어? 그리고 넓은 바다도 가느다란 시냇물에서 시작되는 거야. 쿠쿠추가 더 좋은 생각을 가지고 있는지 어떻게 알아? 들어보자."

"애들이 하는 말은 들을 필요가 없다니까요."

"젤메, 약자에게 기회를 양보하면 사나이 대장부가 되고, 예비마에게 주인을 양보하면 준마가 된다고 했어."

이렇게 해서 쿠쿠추의 의견까지 듣게 되었다.

"술이요? 아항, 조금 마시면 행복하고, 배부를 때까지 마시면 고생이고. 이유 있게 마시면 멋있어 보이고, 이유 없이 마시면 청승맞아 보이고. 철새들처럼 모여서 마시면 노랫소리가 들리고, 초원처럼 넓게 보고 마시면 대장부 같고. 허니, 너무 많이 마시지 말고, 내일을 생각해서 몸을 챙겨가면서 적당하게 마시면 좋을 것 같아요."

"하하하. 어때? 쿠쿠추가 명답을 했어. 유목민은 언제나 술 때문에 일을 그르지시. 그래서 바른 삶을 되어서 술맛을 말라고 하는 거야.

이미 배운 사람은 하는 수 없지만, 그래도 한 달에 한 번 마시면 좋은 것이고, 일 년에 한 번 마시면 더 좋은 것이고, 아예 안 마시면 최고 좋은 것이니 그런 사람을 똑똑한 사람이라고 불러야지. 그리고 술은 이유 있게 마셔야지. 괜히 일도 없이 얼굴이 빨개져서 비틀거리면 다른 사람에게 방해가 되잖아."

칭기스칸의 주변에서 날마다 벌어지는 이런 이야기판은 그의 능력을 평가할 때 놓치지 말아야 할 가장 중요한 요소의 하나였다. 칭기스칸과 함께 있으면 누구나 마음껏 제 생각을 말할 수 있었다. 그것이 얼마나 무서운 전투력을 만들어내는지 다른 지도자들은 상상도 할 수 없었다.

칭기스칸의 진영은 겉모양은 이렇게 초원의 수많은 부족과 다를 게 없지만 그 속의 한 사람, 한 사람은 어디에도 비교되지 않는 신명을 누리고 있었다. 그리고 그것은 혼혈이자 잡종 인간의 군집에 불과한 집단 하나를 필요하면 언제라도 전투력을 높일 수 있는 군사공동체로 전환시켰다.

그날도 칭기스칸은 타타르를 치는 문제로 골똘하지 않을 수 없었다. 금나라의 사신에게 출정을 약속해놓고 셈법이 어찌나 까다로운지 날아가는 새에게라도 묻고 싶었다.

처음부터 쉽지 않은 문제이기는 했다. 참모들을 모아놓고,

"금나라와 타타르 사이에 말썽이 빚어진 것 같아."

하고, 운을 뗐을 때 모두 난처한 표정이었다. 사실, 어린 몽골이 타타르에게 쓰러졌다고는 하지만 적의 몸통은 금나라요 타타르는 수족에 불과했다. 게다가 예수게이 아버지에게 패한 이후 외침을 받아본 적이 없으니 전성기를 누릴 것이 분명했다. 오죽했으면 울란체첵이

그런 악담을 했겠는가.

'그간 금나라의 사냥개 노릇을 하면서 얼마나 약탈을 했는지 머잖아 사치와 방탕으로 망할 거예요.'

부자들은 남방에 영지를 두고 겨울에 기장과 밀가루를 가져다 먹고, 가난뱅이들은 양가죽으로 그런 물건들을 교환하기도 한다고 했다. 성 안 사람들을 동경하다 못해 먹는 것까지 점점 금나라를 닮아가고 있었다. 국방력이야 높을 것이 당연했다. 그래서,

"푸른 하늘은 뭐라 하실까? 나는 쳐라 할 것 같은데."

하고 참모들에게 물었더니, 누구도 선불리 답하지 못하는데 카사르가 즉각 반대를 한다.

"형! 이번 전쟁은 피하세요. 원수를 갚는 건 좋지만 주범이 아니잖우."

그게 간단한 문제는 아니었다. 그의 가슴속에서는 타타르의 말발굽에 위축된, 메넨 초원의 바람 소리와 오논 강의 물소리가 몸살을 앓고 있었다. 그들도 바람에 섞여 다니는 모래를 맞고 살았으며, 튀어나온 광대뼈와 짧은 목, 몸통에서 멀리 뻗어가지 못한 팔과 다리를 가지고 있는데 왜 그렇게 살아야 하는지 알 수 없었다.

"단지 아버지에 대한 복수를 놓고 이야기하는 게 아니야. 푸른 하늘은 우리에게 큰 생명을 먼저 지키라고 명한다는 거지. 초원이 여태 살아 있는 것도 그 때문인데, 타타르 놈들은 작은 목숨이 살자고 큰 목숨을 줄기차게 죽여왔어."

"그렇다고 머리에 있는 벼룩을 손톱으로 잡지 않고 칼로 치자고? 수족을 자르려고 몸통에게 충성해?"

역시 금나라가 도중에 배신할 것을 전제해야 될 일이었다.

"타타르를 쳐야 하는 이유를 내가 대볼까? 하나, 타타르는 몸이 초원에 있더라도 마음은 성 안에 갇힌 지 오래되었어. 고향을 파괴하고 떠난 자가 어떻게 다시 돌아온단 말인가. 둘, 타타르는 금나라를 이길 수 없어. 둘 다 쳐야 할 놈들인데, 하나를 먼저 치지 않으면 적이 줄어들지 않아. 셋, 우리 백성들이 너무 가난해. 유목을 하고 싶어도 가축이 모자라."

하지만 전쟁을 어떻게 수행해야 할지 알 수 없었다. 그것은 자신도 그렇지만 참모들도 마찬가지였다. 토오릴칸이 군대를 모으는 데 필요하다고 요청한 시간은 사흘밖에 남지 않았다.

침묵이 계속되자 보투가 묻는다.

"칸께서 계획을 말씀하시면 저희가 따르겠습니다."

"계획? 없어. 한데, 이걸 생각해. 강물은 샘솟을 때 바다로 흘러갈 것을 계획하지 않아. 몽골이 갈 곳은 바다처럼 넓은 저 앞쪽 어디에 있어. 우리가 아는 곳이 아니라 모르는 곳, 눈에 보이는 곳이 아니라 그 너머인 곳 말이야."

그래서 백성들을 붙잡고 전쟁에서 제일 중요한 것이 무엇인지 묻게 되었다. 역시 의견이 줄줄이 쏟아진다.

— 바람에 구르는 다북쑥처럼 소리 없이 오는 적이 제일 무서워요.

— 추격했을 때 적의 말이 뛰고 멈추고 다시 뛰는 사이에 매듭이 생깁니다. 공격할 때는 적의 강약을 파악하는 게 중요하지 않을까 해요.

— 큰 바다와 같은 초원에 부대를 넓게 전개시켜 사방팔방에서 포위 공격을 하면 공포감이 몰려와요. 사방이 열려 있는 미로에 갇히니까요.

— 창과 같이 예리한 정예부대를 만들어야지요.

— 한번 충격을 주어서 적이 움찔하면 수를 가리지 말고 곧장 중앙을 뚫어야 해요.

이런 이야기들을 듣다가 칭기스칸은 언젠가 휜머리를 풀어 헤친 귀신 바람 속에서 자무카의 말 떼를 포위 공격하던 늑대의 공세를 떠올리게 되었다.

'그게 가능할까? 해보자.'

참모들을 다시 불러 대책 마련에 들어간 것이다. 가을 노래가 끝나고 초원의 거친 바람이 머리카락을 보이기 시작하는 날이었다. 울란 체첵이 그려온 올자 강의 그림을 펼쳐놓고 작전회의가 시작되었다. 여러 이야기가 돌던 끝에 칭기스칸이 종합된 내용을 만들었다.

"늑대가 말 떼를 포위하는 걸 본 적이 있어. 어떻게 약자가 강자를 포위할 수 있는 건지. 그러려면 먼저, 엄청난 조직력이 필요하겠지? 당시에 말은 종마가 아홉 마리라 대열도 아홉 개였어. 한데, 늑대는 숫자가 아무리 많아도 모두 우두머리 한 마리의 지시를 받아. 그다음이 속도였지. 작전이 시작되면 금나라가 뒤에서 후방을 칠거야. 타타르는 달아날 수밖에 없어. 나는 금나라 놈들이 그때부터 전투를 방기하고 노략질에 들어가리라 보지만, 그건 상관없어. 케레이트가 몰이만 해주면 그때부터 우리 몫이야. 내가 움직일 때마다 나를 중심으로 편제가 재구성되도록 움직여줘야지."

천창으로 들어온 햇빛이 왼쪽 가운데 서까래쯤에서 빛나며 번쩍거린다. 코르치가 고개를 계속 갸우뚱거린다.

"그러려면 적들보다 빨라야 되는데, 보오르추! 가능할까?"

"해봐야지. 지난번 조드 때 피해를 적게 입어서 우리가 탈 준마가 더 건강하긴 할 텐데."

칭기스칸의 주문은 아직 끝나지 않았다.

"늑대병법이 먹히자면 사실은 송곳니가 필요해. 박히면 숨통을 끊어야지."

이번에는 젤메가 답한다.

"칸! 아버지가 제게 남긴 유산이 있어요. 이건데……."

손바닥에 올릴 만한 길이의 쇠붙이로 된 화살촉이었다.

"좀 무거워 보이는데 사거리가 될까?"

"됩니다. 이건 짐승의 뼈로 만든 화살과 달라서 정착민의 갑옷을 뚫을 수 있어요."

타타르는 사치품만 많은 게 아니라 무기나 갑옷도 순전히 정착민의 것을 사용하고 있었다.

결국 마지막 날이 되어서야 방침이 정해지고 역할 분담이 이루어졌다. 보투, 코르치, 카사르, 벨구테이까지 나서서 스무 개가 넘는 쿠리엔을 돌면서 천호장들을 만나야 했다.

"칸께서 싸우러 가는 게 아니라 사냥하러 가는 거라 했어요. 늑대가 개를 잡는 거랍니다. 그럼 집결지에서 봅시다."

젤메는 친위대원들을 데리고 특수 화살을 제작하는 비밀 작업에 들어갔다. 다들 숨 가쁜 하루였다. 그러나 누구도 보오르추만큼 바쁘지는 않았다. 칭기스칸이 기동력에 사활을 건 만큼 그는 준마를 가려내는 일에 총력을 퍼부어야 했다. 칸도 꼬박 하루를 동행했다. 초원은 가혹하다. 초원은 모든 생명체에게 열매도 보이지 않는 키 작은 풀포기 위에서 살아남을 것을 명한다. 게으르거나 멍청하면 도태된다. 유목민들은 해가 길 때 최대한 멀리까지 나가서 풀을 뜯게 해야 조금이라도 더 이사를 가지 않고 버틸 수 있다. 그래서 말이 없었다면 인간은 그곳에서 결코 살 수 없었을 것이다.

칭기스칸과 보오르추가 초원을 돌면서 사이좋게 귀엣말을 나누는 풍경은 멀리서 보면 한없이 평화로웠다. 풀잎이 흔들리면서 돌덩이가 몇 개 드러났다. 멀리 지평선이 보인다. 그 너머는 아득하게 너른 벌판에 물이 없어서 들짐승만 머무르고 사람은 살지 않는다. 다른 한 끝은 신기루로 가득 차 있다. 대지가 건조하여 허공에 떠 있는 수분을 빨아들이느라 구름이 죽죽 흘러내린다.

"칭기스칸, 저걸 봐요. 저 멀리 있는 말들. 맨 가에 있는 것이 조치다르말의 것인데, 저걸 앞장세울 거예요."

자무카와 싸울 때 능력을 발휘한 친위대원들의 말 떼들 속에서 조치다르말의 준마와 젤메의 준마 회색의 새가 어울려 놀고 있었다.

"군마가 모두 저 정도의 속력을 낼 수 있을까?"

"기병을 셋으로 나누면 가능해요. 타타르가 진지에서 튀어나오는 순간 우리가 왼쪽 어깨를 짚을 거잖아요. 그럼, 우익이 전투조가 됩니다. 중앙은 지원대, 좌익은 예비대예요. 예비마도 모두 세 마리씩 가져가니까 멀리서 보면 한 집단이지만 자세히 보면 전혀 다른 역할을 맡겠지요. 우익은 비단 갑옷에 활만 매고, 안장과 칼까지 좌익에게 맡깁니다."

"말들이 충분히 젊어야지. 용사들의 무게가 저번과는 전혀 달라. 늑대는 싸우려면 꼭 먹은 것을 토해서 몸무게를 줄이더라고."

가을이 되면 말은 비만에 허덕이기 마련이었다. 전쟁을 위해 특별히 체중 관리를 하지 않은 말은 타타르의 명마들에게 뒤질 것이다.

"왼쪽에서 두번째에 있는 것이 괜찮은 암말이었는데 늙었어요."

먼 곳에 있는 말을 보오르추는 어쩜 그리 잘도 알아보고 발육 상태까지 구별하는지 모른다. 대개는 입술을 까서 이빨의 상태를 봐야 나이를 아는데 그는 그렇지 않았다.

"단둘이 있을 때도 계속 그렇게 말할 거야?"

"하하, 칸께서 어찌하여 말치기처럼 구실려고 하세요?"

보오르추는 언제부터인지 공식적인 자리에서는 경어를 쓰고 칭기스칸이 각별히 요청할 때만 친구 사이로 돌아왔다.

"날 고독하게 만들지 마. 친구라고는 보오르추밖에 없잖아."

"알았어. 그런데 내가 우리 집 후줘 남질 선생에게 혼난 이야기를 들려준 적이 있던가?"

"매번 혼나면서 컸다는 사람이 그렇게 물으면 뭐라고 답해?"

"한번은 준마를 타고 두 역참 거리를 전속력으로 달렸어. 그게 무슨 잘못인 줄 알아? 말이 가장 빠른 속도를 낼 수 있는 유효 거리가 한 역참이야. 그러니 역참과 역참을 연결하면 인간이 사용할 수 있는 가장 빠른 거리가 만들어져. 그보다 먼 거리를 뛰면서 최상의 속도를 요구하면 말은 심장과 폐가 파열되어 죽는다고. 내 말 알겠지?"

"아무리 명마라도 달리는 데 한계가 있다는 얘기네. 문제는 말을 어떻게 가려내는가 하는 거지."

"테무진은 말이 많은 곳에서도 황금색 늑대귀 말의 목소리를 구별하잖아. 말발굽 소리도 가려들을 수 있어?"

"암! 내 발자국 소리는 못 알아들어도 황금색 늑대귀 말의 것은 알지."

"중요한 걸 하나 가르쳐줄게."

보오르추는 군마가 도열한 곳을 빠른 걸음으로 지나가면서 혈기가 왕성한 말과 체력이 부진한 말을 모두 구분해냈다.

"놀라워. 어떻게 그럴 수 있지?"

"말 앞에 서서 눈동자를 들여다봐. 젊은 말의 눈에는 사람 전체가 비치는데 나이 든 말은 사람의 상이 반만 보여. 말의 눈동자에 비치는 모습이 큰지 작은지, 또렷한지 희미한지를 구별하면 돼."

아니나 다를까, 젊은 말의 눈동자 앞에 서면 온몸이 다 비치는데, 늙은 말 앞에 서면 상체밖에는 보이지 않았다. 그것을 확인하는 순간, 칭기스칸은 주먹을 불끈 쥔다. 지상에서 가장 빠른 군대를 만드는 법을 찾은 것이다. 그는 푸른 군대가 타타르를 압도할 것을 확신했다.

칭기스칸은 기분이 좋아져서 보오르추에게 말한다.

"보오르추가 스무 발짝씩 앞서는 법을 찾아냈잖아. 나는 거기에서 서른 발짝을 앞설 수 있는 비법을 찾았어."

"그게 어떻게 가능해?"

"그러니 비법이지. 저번에 조드가 끝나고 둘을 처형시켰잖아. 날더러 잔인하다는 얘기들을 안 해서 조금 서운했어. 늑대는 양을 두 마리만 잡아도 근처를 온통 피 칠갑을 하거든. 그게 선전용이라는 말씀이야. 나도 그때 둘을 죽여야 몽골을 살릴 수 있다고 생각했어. 왜냐하면 계급, 신분, 지위, 이런 거 말고 백성들의 가슴에서 지도력이 나와야 하니까."

"그래서 무슨 명을 내리려고?"

"응, 반드시 지키게 해야 돼. 개별 약탈 금지! 어기는 자는 처형할 거야."

보오르추는 입을 다물지 못한다. 유목민 군대는 개별 약탈 때문에 어느 지점에 가면 통제권을 벗어나게 되어 있었다. 그것이 지켜진다면 속도는 한없이 높아질 것이다.

"한데, 그런 규칙이 지켜질까?"

초원에 있는 맹수들이 늑대에게 지는 핵심적인 이유가 이것이었다. 늑대는 사냥이 끝나는 시간까지 절대 먹이에 손을 대지 않는다.

"사실은 텝텡그리가 사흘 전부터 각 쿠리엔을 돌고 있어. 개별 약탈 금지를 어기는 자는 즉석에서 처형할 거야."

2

1196년의 젊은 가을, 두번째 눈썹달이 뜬 밤이었다. 어두운 그림자의 물결이 새 떼처럼 드넓게 초원을 쓸어가고 있었다. 멀리서 보면 거대한 파도가 어깨들을 걸고 밀려가는 모양새이다. 곳곳에 작은 깃발이 흔들리는 것이 바람에 나부끼는 돛단배의 기폭 같다. 대낮 같으면 짐승 떼의 이동으로 보였을 것이다. 중앙에 검은 톡 기가 서고, 그 곁에 늑대 깃발이 따르는 것이 몽골 족의 푸른 군대였다.

발자국들이 겹쳐서 초지를 망가뜨리면 안 된다는 칸의 칙령이라도 있었는지 모른다. 구름 같은 그림자 대열이 스스로 넓은 횡대를 만들어간다. 십만 마리가 훨씬 넘는 말발굽 위에 세 마리 건너 한 명꼴로 가죽모자를 뒤집어쓴 직립보행 짐승의 상체들이 얹혀 있었다. 자그마치 삼만의 기병이 이동하는 것이다. 말발굽을 뒤따라가는 야생의 풀꽃 향기, 번들거리는 땀내, 힝힝힝 우는 말 울음소리, 길게 푸르르 - 하는 콧소리들이 지치는 기색도 없이 어둠을 허물어간다. 보오르추는 하도 소리를 질러 목이 쉴 지경이었다.

"한 역참 거리를 지날 때마다 말을 교체하라. 좋은 말도 오래 타면 녹초가 된다. 늑대병법을 위해 준마를 아껴라."

말무리는 스스로 참전한 용사들처럼 신명이 올라 삽시간에 평원을 건너 지평선에 파묻힌다. 이동대열이 멈추는 곳에서는 가녀린 셍구르 강이 여인처럼 낮은 소리로 꺽꺽 울음을 참고 있었다. 그 앞에서 두발짐승의 머리통들이 일제히 한곳으로 쏠린다. 소실점 끝에 칭기스칸이 있었다.

"이곳에서 숙영하자."

젤메에게 명하자 어린 연락병들이 분주히 오가면서 칸의 뜻을 퍼나른다. 토오릴칸의 군대가 당도할 때까지 휴식을 취할 셈이었다. 말들이 일제히 오줌을 쌌다. 폭포수의 요란한 굉음에 풀벌레 소리가 모두 묻혀버린다. 시끄러운 소리가 뚝 끊긴 매듭을 찾아서 보오르추가 다시 큰 소리로 외친다.

"이제부터는 말에 안장을 얹거나 재갈을 물리지 말라. 말의 몸과 입을 자유롭게 하라. 지금 말을 돕지 않으면 침공 시에 전속력을 내주지 않을 것이다."

날씨가 찌뿌드드한 길일이었다. 먹구름이 땅으로 쏟아질 듯이 무겁지만 비도 눈도 오지 않는다. 셍구르 강 주위에는 순식간에 여기저기 모닥불이 피어오른다. 엄청난 수가 움직이지만 용사들의 동작이 몰라보게 기민하고 자신감이 넘치며 목소리들에 활기가 들어 있었다. 그런 모습을 만들기 위해 보오르추는 얼마나 많은 노력을 기울였는지 모른다.

칭기스칸은 오직 늑대를 본보기로 삼아서 야성의 지략과 전술, 인내와 용기를 갖춘 군대를 갖고자 했다. 겉으로 보면 푸른 군대는 열 명 단위로 조직된 케레이트 군대와 전혀 다르지 않았다. 허나, 실체는 이목구비에서 팔다리의 근육에 이르기까지 개와 늑대만큼이나 큰 차이가 있었다. 칸의 뜻이 사령관에게 전해지면, 사령관은 천호장에게, 천호장은 백호장에게, 백호장은 십호장에게, 십호장은 모든 용사들에게 그것을 일사천리로 옮겨놓는다. 모든 지휘관은 열 명만 보호하고, 모든 용사는 직속상관의 말만 들으면 되었다. 그를 위해서 칸은 군율 위반자를 처리할 수 있는 전권을 지휘관에게 주었고, 모든 명령 불복종을 최고 사형까지 가능한 중죄로 규정했다. 칸의 총애를 받거나 칸의 가족 혹은 친척이라 하여 직속상관을 무시하는 경우도 용인되지 않았다. 쥐르긴 족을 비롯한 소수 귀족의 옷자락이 감춘 비밀 영토를 빼고 나면 모두가 평등하게, 수많은 씨족과 부족이 뒤죽박죽된 혼혈, 잡종의 집단을 단 하나의 군대로 융합하고 있었다. 부족 중심의 집단이 합리적인 군사공동체로 바뀐 것이다.

"칸! 동이 트면 천호장들을 소집하여 기마전술을 훈련하겠습니다."

좌익사령관을 맡은 보오르추가 보고하자 우익사령관 젤메도 재빨리 재가를 받는다.

"각궁을 다루는 훈련도 필요합니다. 케레이트가 당도하더라도 하루쯤은 여유가 있지요?"

"걱정 마. 쥐르긴 족을 최대한 기다릴 테니까."

시간처럼 정직한 일꾼은 없다. 칭기스칸은 시간이 흐를수록 자신의 생각이 옳았음을 거듭 확인하고 있었다.

'그토록 산만하던 집단이 저토록 놀랍게 정갈해지다니! 보라, 타타르여! 몸뚱이만 유목민인 반역의 종자들이여! 진짜 유목민은 태어날 때 보았던 초원을 죽을 때도 본다. 거룩한 자연에서 태어나 죽을 때도 거룩한 자연 속으로 사라지는 것이다. 초원에서 누가 놀면서 잉여 재산을 탐내고, 누가 성 안에 머물기 위해 아비의 넋을 파는가. 땅거미가 질 때 막막한 대지 위에 홀로 서서 어둠에 덮여보라. 유목민은 서로가 서로에게 얼마나 필요한 존재들인가. 이승에 오기 전에도 하나였고, 와서도 함께였고, 마지막에도 완전히 하나의 품으로 돌아간다. 누가 이것을 거부하고, 누가 이를 버리기 위하여 어머니를 짓밟고 달아난 적이 있는가? 푸른 하늘은 탐욕과 나태에 빠진 것들을 거둬가기 위하여 늑대를 보냈다. 이제 그 우두머리의 임무를 집행할 때가 되었다. 친애하는 용사들이여! 잿빛의 푸른 늑대들이여! 침착하고, 인내하고, 조심하고, 목적을 잃지 말라.'

칭기스칸은 마침내 이 같은 의지를 펼칠 수 있게 된 것이 더없이 만족스럽기만 했다. 하지만 카사르가 걱정이 되는지 조용히 찾아와 묻는다.

"형! 세체 수령이 오지 않으면 어떻게 할 생각이우?"

쥐르긴 족에게도 똑같은 시간에 출정할 것을 명했건만 날짜가 지났는데도 오지 않고 있었다.

"모기 때문에 어차피 며칠을 기다려야 해."

타타르가 진을 친 올자 강은 모기 떼가 어찌나 사나운지 찬바람이 불 때까지 접근하기 어려웠다. 광대한 동부 초원에서 가장 피에 굶주린 짐승은 늑대가 아니라 모기라는 말이 있었다. 올자 강의 모기는 그만큼 무서워서 떼로 덤비면 말들도 쓰러뜨린다. 타타르가 그곳에 진지를 친 이유도 거기에 있을 것이다.

하지만 칭기스칸은 그날 쾌적하게, 쿠리엔에서도 이틀이나 빼먹은 잠을 거친 벌판에서 맛있게 보충했다.

초원의 어둠은 순식간에 걷힌다. 보오르추는 선봉대를 모두 말치기 경험자로 뽑았다. 그들은 육체적으로나 정신적으로 힘든 일을 하기 때문에 대부분 영리하고, 부지런하며, 집중력이 있었다. 말 등에 올라타는 기술, 예리한 감과 체력, 당기는 힘과 쥐는 힘, 바람과 바람, 근육과 근육, 힘과 힘이 충돌하는 시간들을 조정, 안배, 배치하는 일을 늘 하기 때문에 말을 잘 다루는 사람은 어떤 일을 해도 잘하기 마련이다. 그래서 조련사의 손바닥은 발바닥처럼 딱딱하지만 유목민들 사이에서 언제나 멋쟁이로 취급받는다. 말타기라면 이골이 난 용사들에게 보오르추는 아침부터 다시 교육을 시작한다. 쥐르긴 족을 기다리는 동안 같은 동작을 끝없이 반복 훈련할 생각인가 보았다.

칭기스칸의 생각을 보오르추만큼 읽는 사람은 없었다. 인간이 대지를 동물성으로 보는 경우와 식물성으로 아는 것은 전혀 다르다. 땅에 발을 딛어야 자유로운 자와 공중에서 바람을 타고 사는 영혼의 차이랄까? 질주하는 자의 눈에 보이는 세계는 고정된 틀이 존재하지 않는다. 뛰뛰는 말에서는 매 순간 우주가 새롭게 구성된다. 보오르추는 칭기스칸이 푸른 군대라는 말을 사용할 때마다 형체가 없는 허공의 군대, 구름처럼 떠도는 하늘의 군대를 떠올렸다. 그에 맞는 전사들을 얻으려면 얼마나 많은 훈련을 해야 하는가? 까닭에, 아침부터 외치는 소리가 분주하다.

"달리는 말 위에는 스승이 없다. 오직 혼자 뛰면서 모든 것을 결정해야 한다!"

말들은 대지를 머리로 기억하지 않는다. 발밑에 밟히는 게 풀인지 모래인지를 발굽으로 기억하고, 땅과 언덕의 경사를 눈으로 기억하며, 모든 바람을 얼굴로, 모든 냄새를 코로, 모든 소리를 귀로 기억한다. 그게 질주의 방향이 되는 것을 조절할 수 있는 자는 기수뿐이다. 느닷없는 장애물을 만나 뛰어넘어야 하는 경우도 있고, 앞서 달리는 말을 추월할 때도 있으며, 물을 건너거나 고개를 넘기도 한다. 말을 탄 사람은 언제 속도를 줄여 말의 힘을 보존할지, 어디쯤에서 달리는 속력을 높여야 하는지, 앞에 달리는 말을 제치려면 어디쯤에서 호흡을 바꿔야 하는지, 뒤따라오는 말에게 따라잡히지 않으려면 또 어떻게 해야 하는지 등등 수많은 상황을 그때그때 판단하여 결정을 내려야 한다. 한마디로, 유목민은 고독 속에서 위대한 능력자가 되어야 하는 것이다.

보오르추는 용사 하나하나가 질주하는 말 위에서 활을 자유자재로 쏠 수 있게 만들어야 했다. 그래서 말을 타고 달려가면서 기둥에 묶인 가죽부대를 쏘아 맞추는 훈련을 시키는데, 말은 늘 뛰고 있으므로 가죽부대의 높이를 조절할 때마다 활의 각도가 달라진다. 다들 좀더 유리한 위치를 잡기 위해 목표물을 지나는 순간에 등자에서 일어서서 활을 쏘아야 했다. 위로 쏘기나 뒤로 쏘기를 해야 하는 때도 많았다.

용사들이 이렇게 훈련에 열중하는 동안 칭기스칸은 서쪽을 보았다가 북쪽을 보았다가 하고 있었다. 대지는 침묵 속에 살아 있다. 햇살은 따갑고 공기는 차다. 자연에게서 받을 수 있는 원초적 감정이 지상의 모든 생명들 위에서 빛난다.

"대칸! 서쪽만 보세요. 쥐르긴 족은 안 올 겁니다. 귀족이란 권력의 맛을 아는 자들입니다. 세체가 머리를 떼굴떼굴 굴리는 소리가 들리는 것 같습니다요."

다들 훈련하는 시간에 멋대로 와서 떠들 수 있는 사람은 자칭 만호장 코르치밖에 없었다. 자무카 곁에서 살아봐서 넉살이 좋은지 그는 쓸데없는 소리만 지껄이는데도 쓸 말이 많았다.

"코르치는 세체가 오지 않을 걸 어떻게 알아?"

"귀족들이 염소 가로막이를 치워주는 걸 본 적이 없거든요."

가로막이란 거세하지 않은 수컷이 분별없이 교미하는 걸 막기 위해 성기 앞에 장애물을 놓는 가죽이었다. 말이나 소는 새끼를 낳을 때를 살펴서 교미하는데, 양과 염소는 그렇게 복잡한 계절의 흐름을 읽지 못한다. 까닭에 수컷들이 아무 때나 암컷을 보면 올라타는 것이다. 그래서 가죽으로 된 정조대를 채워두면 암컷 위에 올라가 열심히 기분을 내지만 성기가 삽입되지 않으니 헛힘을 쓸 때마다 분비물이 나와서 얼룩 위에 얼룩이 지고 또 지고 하기 때문에 그렇게 더러울 수가 없었다. 유목민이 아는 물건 중 가장 더러운 것을 코르치는 타타르에 비유하되 그것을 다시 쥐르긴 족을 풍자하는 데 사용하고 있었던 것이다. 칭기스칸은 말뜻이 재미있어서 잘 들었다는 표시를 하지 않을 수 없었다.

"코르치는 큰무당인데 매번 군대를 따라다녀서 어떻게 해?"

"대칸께서 미인 삼십 명을 잊으신 것같이 말씀하시면 서운합니다."

코르치는 어처구니없는 문제로 늘 투덜대지만 그의 불평은 또 용사들의 용기를 백배나 높인다. 칸이 최전선에 서는 것처럼 그도 큰무당이지만 용사들과 똑같이 살았던 까닭이다.

이윽고 황금색 늑대귀 말이 고개를 두어 번 끄덕거리더니 앞발로 탁탁 바닥을 친다. 서쪽 지평선에 커다란 이동 집단이 나타났다는 신호이다. 머잖아 지평선 너머에서 새 떼가 쫓겨오는가 싶더니, 한참이 지나자 십자가 깃발이 보였다. 토오릴칸이 이만 명에 달하는 병력을 이끌고 모습을 드러내자 칭기스칸이 손수 나가서 정중히 맞이하였다.

"오, 칭기스. 왜 이리 조용한가? 병사가 너무 적은 건 아냐?"

용사들은 막 휴식에 들어간 참이었다.

"전쟁의 승패가 숫자에 달린 건 아니지 않습니까?"

"한데, 자네 깃발은 너무 사납게 우네! 바람에 나부끼는 게 꼭 늑대가 뛰는 것 같아."

오는 길에 셍굼에게서 달의 아들 이야기를 들었던 터라 거슬려서 하는 말이었다.

"바보 같은 놈. 메르키드를 치러 갈 때 삼자동맹을 하면서 하나는 죽이고 하나는 쪼갠다고 했지? 메르키드가 살아 있다고 생각해? 톡토아베키는 허깨비뿐이야. 또 자무카는 쪼개져버리지 않았느냐? 이게 다 테무진을 키워서 생긴 일이야."

아들에게는 이렇게 화를 내어 입을 막았지만, 토오릴칸의 몸에는 항상 모종의 흉계가 살고 있었다. 그러면서 표정 하나 변치 않는다.

"칭기스는 말이야, 어머니도 크리스천, 아내도 크리스천인데 왜 늑대를 섬겨?"

"저는 푸른 하늘을 섬겨요. 푸른 하늘은 초원의 아버지이고 대지는 어머니입니다. 늑대는 그 사자이지요. 초지를 파괴하는 것들을 응징하잖습니까?"

"알았어. 자네의 푸른 하늘은 나의 하느님과 별반 다르지 않군. 이번에 자무카보다 멋있는 작전을 펴보시게. 자, 슬슬 출발할까?"

"그런데 쥐르긴 족이 아직 안 왔습니다."

덕분에 푸른 군대는 셍구르 강가에서 중요한 전술 하나를 충분히 익힐 수 있었다. 천호장이 백호장의 대열 열 개를 나누어서 첫번째 대열이 전진하여 활을 쏘고 빠져나오면, 또 다른 대열이 그 자리로 전진하여 활을 쏜 후 빠지게 하고, 또 다음 대열이 뒤를 따르게 하여, 열 개의 대열이 돌고 도는 동안 같은 장소에서 쉬지 않고 화살이 날아가게 만드는 전진, 사격, 퇴각의 순환을 반복하는 전술이었다. 이 공격 방식은 지치지 않고, 위험에 노출되지 않으며, 서로 힘을 주는 아주 좋은 것인데, 일련의 부대가 연이어서 공격하려면 부대 간의 조화와 엄격한 규율이 요구되었다. 충분한 훈련이 없으면 퇴각하는 부대와 전진하는 부대가 맞부딪치는 혼란이 야기되는 까닭이었다.

이렇게 보오르추의 차례가 끝나면 젤메가 나와서 다시 활쏘기를 가르친다.

주 무기는 각궁이었다. 뿔과 나무와 힘줄 등을 여러 겹 붙여서 만든 각궁은 상상을 초월할 정도로 크게 구부릴 수 있기 때문에 활의 길이를 원하는 만큼 짧게 만들 수 있었다. 말 위에서 사용하기 좋은 무기였다. 최대 사정거리가 삼백 미터에 이르렀는데, 젤메는 이를 오백 미터로 늘리기 위한 훈련을 계속했다. 활을 당길 때 활시위에 검지를 베이지 않게 하기 위해 깍지를 끼웠다. 검지용 깍지를 끼면 활시위를 놓을 때 마찰이 줄어서 화살이 좀더 빠르게 나갈 수 있었다. 또한, 멀리 쏘려면 비거리의 각도를 조절하기 위해 궁수가 활을 위로 치켜들어야 했다. 목표물을 조준하는 것이 아니라 하늘을 조준하는 것이다.

그렇게 엿새째가 되어도 쥐르긴 족은 오지 않았다.

이레째 되는 날 아침, 눈을 뜨자마자 카사르가 들이닥쳤다.

"형! 적진을 앞에 두고 엿새를 허비했어. 타타르를 치는 이유가 조상의 원수를 갚자는 건데, 직계 후손이 안 나타나는 게 말이 된다고 생각해?"

누구라도 화가 날 수밖에 없는 상황이었다. 보돈차르 몽학의 자손을 통틀어 보르지긴 족이라 한다면, 그중에서도 어린 몽골의 첫번째 칸인 카불칸의 직계를 키야트 족이라 하고, 카불칸의 직계 중에서도 특히 장남 가계를 쥐르긴 족이라 했으니, 자신들이야말로 흰 뼈 중에서도 흰 뼈라 하여 텃세를 말도 못하게 부린 사람들이었다.

"카사르, 흥분하지 마. 내가 알고 싶은 것은 쥐르긴 족의 뜻이 아니라 푸른 하늘의 뜻이야."

칭기스칸은 하늘을 올려다본다. 구름 한 점 없이 맑았다. 다시 황금색 늑대귀 말의 눈빛을 들여다보니 그곳에도 푸른 기운이 가득 고여 있었다.

"황금색 늑대귀 말도 가자는구나. 젤메! 코르치를 불러와."

이내 깃발에 술을 뿌리고 제사가 시작됐다. 보르칸 산신에게 올리는 제까지 지내고 나서 연합군 출정식이 거행되는 과정을 토오릴칸이 눈을 부릅뜨고 지켜보고 있었다. 보오르추가 칭기스칸의 명령을 조목조목 옮기는 것을 보면서 그는 잔뜩 걱정이 되는지 이마의 주름을 펴지 않는다.

용사들이여! 다음의 명령을 어기면 처형할 것이다. 하나, 개별 약탈을 금한다.

'저것들이 지금 전쟁을 하자는 거야, 사냥을 나가자는 거야?'

토오릴칸은 납득할 수 없었다. 유목민이 전쟁을 하는 이유는 오직 한 가지, 적진을 쳐서 재산을 빼앗는 것이 목적이다. 한데, 전리품에 손을 대지 못하게 한다면 병사들이 무슨 재미로 전투에 앞장선다는 말인가? 더욱 한심한 명령도 있었다.

> 패할 경우에는 신속히 집결지로 모여라. 이차 장소는 올자 강 모래무지이다.

'어라! 질 생각부터 하네. 패한 군대가 다시 싸우는 게 가능한가 말이다.'

더욱 기가 막힌 것은 동지를 지키라는 주문인데, 같은 부대의 병사들이 생포되면 나머지 병사들이 반드시 구해야 한다는 것이었다.

'전쟁의 기본도 모르는 소리이지. 피아가 뒤죽박죽 엉겨 피를 튀길 텐데 누가 누구를 구해?"

마침내 토오릴칸의 볼이 퉁퉁 불고 말았다.

"이봐! 칭기스가 급하다고 해서 나는 사흘 만에 병력을 모으느라 애를 먹었어. 한데, 엿새를 기다리게 해놓고 쥐르긴 족은 오지도 않아. 이게 어떤 상황인 줄 아는가? 혹시 금나라의 옹긴 승상이 초원의 모든 세력에게 연합작전을 제안한 사실은 알고 있나?"

당연한 일이다. 칭기스칸은 울란체첵을 통해 사태의 발단부터 불원간에 도래할 결말까지 죽 꿰고 있었다. 몽골국이 들어선 후 살지오드 부족이 자꾸 금나라 국경을 침탈했다. 금나라는 타타르를 끌어들여 이를 응징했는데, 노회한 타타르 군대가 전리품을 착복한 것이다. 당시 타타르는 급속하게 부자가 되고 있어서 성장을 통제하지 않으면 금나라에도 위협이 될 수 있었다. 까닭에 우승상 옹긴의 군대를 파견했지만 오히려 '항아리전술'로 포위되고 만다. 옹긴 승상이 겨우 빠져나와 초원의 세력에게 연합작전을 제안했고, 유일하게 칭기스칸이 받아들여 토오릴칸까지 끌어들인 것이다.

"토오릴칸 아버지! 금나라는 겉으로는 타타르를 치면서 속으로는 초원의 관계를 조정하고 싶을 겁니다. 놈들은 절대 타타르를 무너뜨릴 생각이 없어요. 그저 재산만 빼앗고 초원의 부족들과 싸우게 만들어야지요. 하지만, 우리에게 중요한 것은 타타르의 가축, 재산, 인력을 금나라에게 빼앗기지 않는 거예요. 토오릴칸 아버지도 서쪽 연합군이 만들어지기 전에 힘을 키워야 되잖아요."

토오릴칸은 뭐라고 대꾸할 말이 없었다. 세상을 훤히 꿰다 못해 케레이트의 역모 세력이 나이만까지 흘러들어가 서쪽 연합군을 구축하는 사실까지 알고 있었던 까닭이다.

"한데, 타타르는 재산도 많지만 군사도 많아."

"그러니 한쪽만 잘 막아주세요."

그 틈에도 초원의 날씨는 특유의 괴팍스러움으로 하루에도 사계절의 기후를 몇 번씩 넘어 다니고 있었다. 정오가 되자 햇살은 따가운데 소나기가 퍼붓는다. 비구름이 태양을 덮지 못해서 생기는 현상이었다.

칭기스칸은 연합군을 끌고 올자 강 평원으로 말을 달렸다. 땅이 젖어서 말발굽 소리까지 삼켜버린다. 올자 강에서 완만한 경사를 타고 오르는 등성이에 두구 산이 있었다. 산허리에는 검은 띠처럼 숲이 우거지고, 숲을 지나면 다시 세 개의 고개가 나오는데, 그 너머에 메구진의 지휘부가 앉았다. 타타르의 병사들은 언덕에 진지를 쌓고, 숲의 나무 밑에 숨어서 연합군을 기다리는 중이었다.

타타르의 병사들은 푸른 군대를 보자 자신들이 다수라는 사실을 바로 잊고 말았다. 유목민 군대는 돌격할 때 보통 쳐라, 죽여라 하고 고함을 지르는 게 보통이었다. 가축들도 싸울 때는 마구 으르렁거려서 상대의 기를 꺾으려 든다. 그런데 늑대는 한없이 조용하다. 푸른 군대는 바로 늑대를 본받아 그야말로 가을바람에 다북쑥이 구르듯이 아무 소리도 내지 않고 적의 목전에 닿았다. 한낮의 적막을 깨뜨리지 않고 접근해오는 걸 보면서 타타르의 병사들은 원초적이고 무시무시한 공포가 하늘과 땅 사이에 있는 모든 것, 특히 사람과 동물의 뼛속까지 엄습하는 것을 느꼈던 것이다. 타타르 지도자 메구진은 올자 강이 한눈에 내려다보이는 투구 산의 목덜미 부위에 지휘부를 차려놓고, 참호를 파서 몸을 숨기고 있었다. 연합군은 타타르의 꼬리 뒤에 금나라 군대를 배치하고, 우측 산지로 연결되는 구릉을 토오릴칸 군대로 막았다. 메구진은 '집게' 사이에 갇힌 형국이 되었다.

수베테이가 늑대 깃발을 들고, 주치 등 선봉대가 나가 재주를 부리자 화살이 벌 떼처럼 몰려온다. 적의 사거리를 재는 중이었다. 칭기스칸이 외친다.

"딱 저 거리에서 화살을 피해라. 적들이 아무리 소나기 화살을 퍼부을지라도 그들은 무서워서 숨어 있고, 소나기는 반드시 멈추게 되어 있다. 세번째 소나기가 멈추는 시간이 우리의 공격이 개시되는 때이다."

그리고 참호의 숫자가 확인되고 나자, 푸른 군대가 하늘을 향해 활을 쏘기 시작했다. 대열마다 백 미터씩 달려가서 마상에서 하늘을 향해 백 발씩 날리고 돌아서면 뒤따르는 기마대가 그곳에 닿아서 또 백 발을 쏘고, 또 그다음 대열이 화살을 쏘고……. 하늘로 올라간 화살들은 소나기가 되어서 떨어지기 때문에 새는 물론 파리나 모기조차도 소나기 화살을 피할 수 없었다. 적의 수는 점점 줄어들었다. 타타르의 병사들도 방패를 쳐들어 막아보지만 비 오는 날 우산을 쓴다고 해서 비를 한 방울도 안 맞는 사람이 있는가? 곁에서 튀는 물방울에라도 반드시 맞게 되어 있고, 그것은 곧 죽음을 의미했다. 그래서 한번 활을 쏘고 온 대열이 다시 나서기도 전에 타타르의 참호들은 번번이 초토화가 되었다.

푸른 군대가 쏘아대는 화살로 타타르의 진지가 무너지면서 결국 핵심 지휘부만 맨 나중까지 빠져나오지 못하고 갇혀서 절멸당하리라는 것이 너무나 명백해졌다. 메구진의 장수들은 포위망을 벗어나려고 여러 번을 시도하다 끝내 올자 강 쪽으로 도망가는 편을 택한다. 방어벽이 허술한 쪽을 열고 기마대가 쏟아져 나오자 칭기스칸이 나직하게 탄성을 지른다.

"됐다!"

동시에 목가적인 풍경이 광란의 분위기로 바뀌기 시작한다. 타타르의 본영이 내리막길을 나서자 보오르추가 이끄는 주력 부대가 따라붙는다. 반질반질한 자갈들 때문에 잘못 디디면 미끄러지는 곳이라 되돌아갈 수도 없었다. 타타르의 붉은 깃발과 몽골의 늑대 깃발이 안개와 구름처럼 뒤섞여 홍수의 물살인 양 떠내려간다. 사방에서 수많은 사냥꾼이 야생마를 쫓듯이 시시각각으로 포위망을 좁혀간다. 부채살은 사냥꾼이 서의 원형을 이룰 때까지 줄어들면서 사냥감을 꼼짝 못하게 가두어버렸다. 그리고 보오르추 군대는 사냥감을 섣불리 손대지 않는다. 한쪽을 열어서 끝장내는 전술! 앞쪽을 열어서 도망가도록 놔두고 따라갈 뿐이다.

타타르는 열심히 뛰면 사지를 벗어날 수 있다는 생각 때문에 맞대결을 해볼 생각도 하지 못하고 더욱 빨리 달아나려고 안달을 했다. 쫓기는 자는 서두를수록 시야가 좁아지고 시간이 흐를수록 저항력이 떨어진다. 적들은 두 가지 단점을 모두 뒤집어써야 했다. 경사가 진 평원을 가득 메운 모래먼지 속에서 두려운 울부짖음과 들뜬 환호성과 군마들의 거친 숨소리가 들린다. 말발굽이 미끄러지면서 돌멩이들이 흘러내리는 소리가 큰 소리로 울려 퍼진다. 그래도 푸른 군대는 당황하지 않았다. 포위망을 벗어나는 말은 모두 공격받았다. 뒤로 돌아서 반격을 시도하는 병사는 모두 희생되었다. 그렇게 혼비백산해서 달아나는 적이 더 이상 뛰지 못하고 주저앉을 때까지 공포의 추격전은 계속되었다.

칭기스칸은 친위대를 끌고 언덕 위로 올라가 표적지를 찾느라 두리번거린다. 도착하는 순간부터 메구진의 위치가 확인되지 않고 있었다. 수뇌부가 없는 집단이 어디 있단 말인가? 그는 백병전을 시도하지 않는 지도자였다. 적을 아무리 많이 죽여도 지도력이 남아 있으면 전쟁은 끝나지 않는다. 백병전이야말로 인명 피해만 키울 뿐 지도력을 빼앗는 일에는 무기력하기 짝이 없는 전술이었다. 사실, 지도력만 해체되면 말단 병사들은 어느 부대에 속하든 상관없는 경우가 대부분이다. 그렇게 보면 아군의 희생만 아까운 게 아니라 적군의 희생도 아까운 법이다. 이 같은 상상력이야말로 오직 칭기스칸에게만 존재했던 경이로운 태도였다. 그는 메구진이 아직 움직이지 않았다고 판단하고 적의 요새를 찾아들어갔다. 타타르의 호위대는 사지에 빠져서도 사령부를 지키기 위해서 필사적으로 저항한다. 그래도 칭기스칸이 대범하게 무리를 뚫고 들어가 메구진의 말에 창을 꽂자 힘없이 나동그라진다. 뒤따르던 코르치가 칼을 목 앞에 댔다. 생포한 것이다.

"우두머리를 잡았다."

그 순간에 전투는 끝나버렸다. 칭기스칸은 수많은 포로가 보는 앞에서 메구진을 마구 꾸짖는다.

"들어라! 타타르는 그간 금나라를 업고 유목민의 세계를 파괴해왔다. 주인에게 배신당하는 맛이 어떤가?"

"잔소리하지 말고 빨리 목을 쳐라."

"그대들은 작은 목숨이 편하게 살자고 큰 생명을 죽여왔다. 타타르가 배를 불릴 때마다 수많은 유목민이 죽어간 사실을 어떻게 설명할 텐가?"

"패장이 무슨 할 말이 있겠느냐? 그냥 죽여라."

칭기스칸이 엄지손가락을 세워서 밑으로 향하자 보투가 목을 쳤다.

그렇게 적장을 죽이고 금과 진주 장식이 달린 허리띠를 전리품으로 빼앗았다. 칭기스칸 앞에는 순식간에 귀금속은 물론 창과 칼, 활 같은 무기에서 투구, 갑옷, 말안장, 등자까지 귀중품이 산더미처럼 쌓였다.

이윽고 몽골과 케레이트가 사이좋게 전리품을 나누고 있을 때 옹긴 승상이 찾아왔다.

본래 금나라의 군사는 온자 강이 반대편 골짜기로 달아나는 적을 막게 되어 있었다. 그러나 옹긴 승상은 연합군의 임무를 방기하고 약탈에만 몰두했다. 까닭에 타타르의 진영에서 약삭빠른 부족 네 개가 생쥐처럼 빠져서 달아나고 말았다. 한데도 옹긴 승상은 시치미를 뚝 떼고 마치 한몫을 제대로 한 장군처럼 동맹군의 승리를 기뻐하며 메구진을 죽인 데 대한 찬사를 아낌없이 늘어놓는다. 그리고 이내 준비해온 금나라의 상을 내놓았다. 황제의 이름으로 토오릴칸에게 초원의 왕이라는 칭호를 하사한 것이다.

"아버지, 축하드립니다."

"다 자네 덕이야."

토오릴칸은 금나라에게 초원의 왕이라 불리는 게 싫지 않았다. 그는 아버지의 유언을 받지 않고 동생들을 죽이고 칸에 오른 이후 잠시도 원죄를 벗지 못하고 끝없는 정권 찬탈의 모략에 시달리고 있었다. 그래서 대외관계에서 정통성을 인정받는 것이 상당히 중요했다. 초원의 왕이야말로 그가 원하는 최고의 칭호였기 때문에 당장에 왕의 칸, 즉 '옹칸'이라 불리기를 희망하게 되었다.

하지만 칭기스칸은 종류가 전혀 달랐으니 옹긴 승상도 이를 어찌해야 좋을지 알 수 없었다. 금나라 우승상으로서 재량권을 발휘할 수 있는 것은 아주 하찮은 직위밖에 없었다.

"그대를 자오트 코리로 임명하겠소. 돌아가는 대로 황제에게 건의하여 더 높은 벼슬을 받도록 하리다."

칭기스칸은 금나라가 뭐라고 부르든 별로 흥미가 생기지 않았다. 한데, 젤메가 자꾸 통역을 맡은 사람에게 묻는다.

"자오트 코리라는 게 도대체 뭘 하는 벼슬이오?"

"아, 그건 '국경지역의 반란을 진압하는 위임권자'라는 직책입니다."

"국경은 뭐 하는 곳이고 반란은 누가 일으킨다는 뜻이냐 이거요. 말이 좀 어렵네."

"한마디로, 북방의 비적들이 국경에서 준동하는 것을 다스리는 장수라는 뜻입니다."

"내 말은 북방의 비적이 뭐냐는 거지?"

"흠, 그러니까 만리장성 너머에서 정처 없이 떠돌아다니면서 백성들을 침탈하고 국경을 어지럽게 하는 자들인데."

"그거 우리를 가리키는 소리 같은데? 우리 칸더러 그걸 잡는 장군이라 한다? 재밌네."

칭기스칸은 이미 돌아서버리고 없었다. 젤메가 나중에 그 뜻을 전하자 칭기스칸도 한차례 너털웃음을 웃었다.

"황제의 국경을 지키는 장수라는데요."

"국경이 뭐지? 젤메는 알아?"

"아마도 자기들 땅이라 표시한 만리장성을 말하나 보지요."

"하하. 그놈들 참 귀엽구만. 푸른 하늘도 만 리 구름으로 막아놓고 자기들의 것이라고 주장하지, 그래. 하하하하."

전쟁에서 대승을 거두고 귀로에 오른 군대처럼 신나는 행렬은 없을 것이다. 날씨가 차가워져서 대기는 잔뜩 긴장하지만 목을 움츠리는 사람이 하나도 없었다. 허공에는 늑대 깃발이 힘차게 나부끼고, 땅에는 푸른 군대가 어찌나 위풍 있고 당당하든지 동장군도 기가 죽어 달아날 판이었다. 올자 강 전투는 칭기스칸이 올린 첫 승리인 데다 때 아닌 살림 밑천까지 장만해준 갸륵한 경사였다. 초원에서 겨울 물지기 풍족하면 사람은 물론 가축까지도 춤을 춘다. 도대체 근심거리라고는 없으니 여기저기에서 군가 소리도 드높다.

> 말 타고 전쟁터를 누비는 낭군이시여
> 임은 멀어지고 그림자도 보이지 않네
> 아- 자욱한 흙먼지 속에 누가 계시나

대열은 반드시 지도자를 닮게 되어 있었다. 칭기스칸의 성격이 워낙 신중하고 조심성이 많은 터라 준마들이 뛰면서도 줄을 흐트러뜨리지 않는다. 선봉대가 앞에 서고, 양쪽으로 좌익과 우익이 넓게 포진했다. 중앙을 차지한 지휘부에는 핵심 참모들이 나란히 흔들리며 무용담을 나눈다. 두어 발짝 떨어져서 칸을 호위하는 친위대가 따르고, 타타르에서 얻은 가축과 아녀자들은 중앙과 후위대 사이에 위치했다. 기쁨에 들떠서 떠내려가는 대형을 푸른 하늘이 보면 바람의 울타리를 가진 성곽 같을 것이고, 대지의 눈에는 허공을 까맣게 덮은 새떼처럼 보일 것이다. 비록 흔들리고는 있지만 이동하는 성곽은 한없는 평화의 물결로 넘실거린다.

기운 센 낙타가 턱없이 모자라서 소가 끄는 수레들이 짐 운반을 맡았으니, 속도도 느리지만 떠드는 소리도 요란하다. 그 사이를 왔다 갔다 하는 코르치가 곁에 올 때마다 다들 웃음소리가 커진다. 하도 소란해서 칭기스칸이 돌아다보니 이상한 벙거지를 뒤집어쓰고 있었다.

"머리에 얹힌 게 뭔가?"

"대칸! 이건 여인네 속곳입니다요. 아주 신성한 계곡을 덮었던 것이지요."

"망측하게 그걸 왜?"

칭기스칸은 격이 떨어지는 행동을 싫어했지만 코르치에게만은 이상하게 너그러웠다.

"한 말씀만 올리고 벗으면 안 될까요?"

"그러시든가."

"세상에 태어나서 언제나 아랫자리만 차지하는 것들이 있습니다. 기분 좋을 때 윗자리를 한번 차지해보라고 제가 육신의 최정상에 올려준 겁니다요. 하하."

서두가 맹랑한 것이 또 너스레를 이어갈 게 분명했지만 칸은 곱게 받아준다. 농담을 해도 되는 시점을 코르치만큼 제대로 짚는 사람은 없었다. 그가 넉살을 떨 때는 언제나 칭기스칸의 마음도 넉넉하여 심심치 않게 추임새를 넣는다. 그렇게 되면 사소한 동작으로도 좌중을 흔들 수 있게 되는 것이다.

"어서 본론을 말해야지."

"실은 메르키드의 셀렝게 강 근처에 어머니 나무가 있습니다. 어머니가 죽으면 초원의 자식들이 다 죽지요. 옛날, 흉노 시절에 성 안에 있는 것들이 쇠붙이로 된 무기를 가지고 와서 어머니 나무를 베어버렸죠. 쓰러진 중동은 물론 뿌리까지 파헤치고 줄기도 불태웠어요. 한데, 초원의 여인들이 날마다 속곳을 올려두니 파릇파릇한 이파리가 메에- 메에- 울면서 돋아났다는 전설이 있습니다. 다음에 출정할 때 제가 따라가서 이것을 걸어두려고 생각합니다. 대칸의 후손이 크게 번성할 것입니다요."

코르치가 하도 뚱딴지같은 소리를 해대니 보오르추는 긴가민가하고 눈을 끔벅이는데, 칭기스칸은 아무 의심 없이 믿어버린다.

"한데, 여인의 속곳이 왜 선생터에 널어져 있어?"

"제가 갈 걸 알았던 게지요. 멀리서 발견하고 쫓아가보니 요놈이 떡 서 있지 뭡니까?"

코르치의 등 뒤에 어린아이가 하나 따르고 있었다.

"잘생겼구나."

"생김새도 잘났지만 옷매무새 좀 보세요. 밍크 가죽을 두른다고 아무나 귀공자 같지는 않습니다. 후엘룬 어머니께서 저 녀석을 꿈에 봐두었던가 보지요. 날 불러서 타타르의 고아를 만나면 데려오라는 분부가 있었지 뭡니까? 어느 분의 말이라고 제가 거역합니까? 이놈을 보는 순간에 딱 알아보았습니다요."

이렇게 주고받는 웃음소리가 내내 그치지 않고 계속되고 있었다. 갈바람이 시시각각으로 팽팽해지는 것을 까르르까르르 무너뜨리는 대열이 이제 막 셍구르 강을 지나던 참이었다. 앞에 가던 정찰병 하나가 돌아서더니 대뜸 손님을 안내해온다. 쿠리엔을 지키기로 한 칭기스칸 형제의 막내 테무게였다. 중앙에 이르자 황금색 늑대귀 말이 발을 멈춘다.

"어머니 곁을 지키지 않고, 어떻게 여기까지?"

테무게가 말을 꺼내지 못하고 눈물부터 뚝뚝 떨어뜨린다. 칭기스칸은 누가 죽었음을 직감하고 퍼뜩 족제비할머니를 떠올렸다.

"가셨어? 허어. 넋이 떠나는 것을 눈물로 막지 마라. 어서 가 장례 준비를 하자."

"형님! 족제비할머니가 돌아가신 게 아니고 테무룬 누이가 죽었어요."

칭기스칸의 낯빛이 대번에 바뀌었다. 주변이 일시에 조용해져서 숨소리밖에 들리지 않는다. 보투도 곁에 와 듣고 있었다.

“출정하신 지 사흘째 되는 날, 비적들이 쳐들어와서 물고기부대 용사들과 전투를 벌였습니다. 나중에 보니 도둑이 아니라 군대였어요. 놈들이 활을 쏘아 호위병을 여덟 명이나 쓰러뜨리고 무기에 갑옷까지 벗겨서 달아나는데, 한 놈을 테무룬 누이가 알아본 거예요. 너희가 이럴 수가 있느냐, 하며 추격하다가…….”

어느새 흐느끼는 소리가 들린다.

“누구였느냐?”

“쥐르긴 족이었습니다. 분명히 정규부대가 왔어요.”

“더 설명하지 마라. 코르치! 천호장 다섯을 골라 귀가대열을 인솔하라. 쿠리엔에 닿으면 부상자부터 돌보고. 그리고 보오르추, 또 젤메, 이대로 출정하자.”

보투가 특별기동대를 구성하기 시작했다. 칭기스칸이 젤메에게 명한다.

“최대한 빠른 시간에 세체를 생포하라. 푸른 호수의 맹약을 지키게 해주겠다.”

용사들은 내리지도 못하고 다시 말머리를 돌렸다. 이내 먼지바람이 자욱하게 일어난다.

한편, 토오릴칸은 타타르 지역을 떠난 이후 줄곧 입을 다물 수 없었다.

“요즘엔 어린 것들도 어른 같단 말씀이야.”

그런 말을 왜 하는지 셍굼은 알아듣지 못한다. 하지만 무슨 상관인가? 토오릴칸은 자신이 과거에 두 차례나 현명한 판단을 한 것에 적이 만족했다. 그 시절에야 이런 날이 올 것을 상상도 못 했다. 초원이 햇살에 얼마나 그을었는지 얼굴이 까마귀 같은 아이 셋이 찾아와 담비외투를 내놓을 때 자신이 왜 내치지 않고 받아주었는지 그는 기억나지 않았다. 나중에 다시 와 아내를 빼앗겼다고 호소했던 순간은 또 얼마나 아찔했던가? 자무카와 의형제를 맺고도 안심이 안 되어서 테무진을 받아들여 견제 세력을 키우려 한 일로 이렇게 톡톡히 덕을 볼 줄은 몰랐다. 칭기스가 명색이 칸의 이름을 걸고 자신을 깍듯하게 모시지 않았으면 금나라의 옹긴 승상이 왕이라는 칭호를 안겨줄 까닭이 없다. 또한 케레이트 군대가 별로 한 일도 없어서 쓸모없는 아녀자들을 조금 양보했더니, 칭기스칸이 전리품을 얼마나 많이 나눠주었는지……. 그는 생각할수록 기분 좋아 자꾸 소리를 지르고 싶어진다.

"이놈들아! 왜 그리 멋들이 없어. 축가라도 하나씩 불러라. 가만있자, 뭘 축하하지? 맞아, 내가 옹칸이 된 것을 축하하는 노래들을 좀 해봐."

이렇게 흥청거리니 비로소 타타르를 쳤다는 실감과 함께 자신이 언젠가는 까마득한 전설이 되어서 후손들에게 회자될 거라는 믿음이 확고해진다.

모를 일이다. 케레이트가 초원을 지배하게 된 것은 꽤 오래되었다. 위구르 제국을 붕괴시킨 키르키스 족을 고원에서 몰아낸 것이 시발점이었다. 하지만 중원을 호령하는 요나라와 서역 상인들의 관문인 나이만 때문에 얼마나 시달렸는지 모른다. 타타르와 씻을 수 없는 원한체제를 맺은 것은 타타르가 그의 할아버지를 잡아다 요나라에 바친 때문이었다. 그 시절에 할머니는 아름답고 지혜롭기로 소문난 여인이었다. 옹칸은 자신이 그 할머니를 닮았다는 게 늘 자랑이었다. 할머니는 백 개의 커다란 가죽부대를 만들어서 말 젖을 넣는 대신 무장한 용사 백 명을 숨겼다. 그리고 양 백 마리와 암말 열 마리를 따로 준비하여 타타르 군주에게 선물로 보냈다. 타타르 군주는 눈부시게 아름다운 여인이 전해준 것을 뜨거운 구애의 몸짓으로 알고 덥석 받았다가 목숨을 잃었다. 그 후 얼마 만에 올린 승전보인가? 후손들이 두고두고 찬양할 것은 틀림없었다.

허나, 푸른 하늘은 언제나 신비로운 방법으로 모습을 드러낸다. 토오릴칸이 검은 숲에 닿기도 전에 얼굴에 사색을 띤 전령이 왔다.

“토오릴칸 님! 역적들이 나이만 군대를 데리고 쳐들어와 자카감보 님도 간신히 목숨을 구했습니다. 어서 몸을 피하십시오.”

이리하여 전리품을 풀어보지도 못하고 물안개가 피는 언덕으로 달아나야 했다. 그런데 도중에 칭기스칸이 쥐르긴 족을 치러 출정한 소식을 들었으니, 바로 말머리를 돌려 탕구트 쪽으로 방향을 바꾼 것이다.

“주여! 인생은 왜 가시밭길입니까?”

케레이트의 왕권은 피투성이였다. 토오릴칸은 조상 대대로 크리스천이지만 초원에서 일부일처제 같은 것은 상상할 수 없었다. 아버지는 다윗이라는 세례명이 무색하게 자식들을 마구 낳아서 아들만 해도 무려 사십 명이 되었다. 어지간한 종마보다 번식의 의무를 더 열심히 수행한 것이다. 토오릴은 장남이었는데 아버지가 죽을 때, 조카들을 이용해 권력을 잡으려는 숙부 때문에 배 다른 동생에게 권력을 물려주고 말았다. 그가 참을 위인은 아니었다. 변경의 군대를 지휘하다 말고 즉각 출동해 동생에게 누명을 씌워 처형해버렸다. 이후 칸위 세승을 위한 나툼이 얼마나 치열했는지, 이복동생들이 어디에서 어떻게 음모를 꾸미는지 알 수 없게 되었다.

주변 사람을 믿을 수 없다는 것은 슬픈 일이다. 그는 칸이 된 후에도 가혹한 피의 탄압을 자행했으니, 역모 세력은 매번 나이만을 찾아가 목숨을 구걸했다. 나이만은 또 케레이트를 잡기 위해 역모 세력에게 망명지도 제공하고 군대도 빌려줬다. 이번에도 동생 하나가 나이만 군대를 빌려서 자카감보에게 맡겨둔 오르도(게르로 된 궁전)를 빼앗아버렸다. 결국 토오릴칸이 옹칸이 되어서 맞은 최초의 상황이 망명이 된 것이다. 그는 나이만의 천적인 탕구트를 찾아가 하소연을 했지만 받아주지 않자 곧 도망자 신세가 되었다.

'도대체 칭기스칸은 휘하를 얼마나 잘 두었기에 쉴 틈도 없이 원정을 다녀도 된단 말인가?'

그는 매달릴 데라고는 없으니 애써 칭기스칸 타령만 늘어놓을 뿐이다. 그러나 칭기스칸은 옹칸에게 눈을 돌릴 틈이 없었다.

쥐르긴 족은 헤를렌 강 상류의 돌론 볼닥, 즉 일곱 언덕이라는 곳에서 지내고 있었다.

"수령님! 만약 칭기스칸이 쳐들어오면 어떻게 하시겠습니까?"

모칼리가 걱정이 되어서 묻는데도 세체는 사태를 매우 안일하게 보았다.

"걱정 마. 하룻강아지들이 화를 낸다고 되나. 권력은 무력에서 나오는 거야."

쥐르긴 족은 군사적 능력이 아주 커서 그는 안심했는데 그것은 큰 오산이었다. 칭기스칸은 조심성이 많았지 결코 겁이 많지는 않았다. 개 짖는 소리가 가까워지자 젤메가 묻는다.

"칸! 군대를 정비해서 가야 하지 않을까요?"

"아니. 시간을 주면 싸움이 길어져."

칭기스칸은 쥐르긴이 예상하지 못했던 시간에 당도하여 위험을 무릅쓰고 정공법을 택하여 세체의 진영을 송곳전술로 관통해버렸다.

세체는 칭기스칸이 턱밑에 들이닥치고 나서야, 그것도 모칼리와 부리 장사의 도움으로 겨우 목숨을 빼돌릴 수 있었다. 그리하여 헤를렌 강 협곡으로 도피했는데, 특별기동대는 굼벵이 같은 부대가 아니었다. 보투는 칭기스칸 앞에서는 내색을 자제했지만 아내가 죽었다는 비보를 듣고 눈이 뒤집혀 있었다. 그래서 세체의 꽁무니를 잡자 들짐승을 가로채듯 인정사정없이 올가미를 던졌다. 순식간에 생포한 것이다.

"고개를 들어라."

칭기스칸이 부르자 이내 상상할 수 없는 풍경이 펼쳐진다. 어린 몽골의 왕손이 칭기스칸에게 역도 취급을 받게 된 것이다.

"칸의 자리가 탐나는가?"

세체는 칸이 된 조카 앞에서 얌전하게 고개를 저었다. 그런 것은 사실 한 번도 진지하게 생각할 필요를 느끼지 못했다. 그저 칭기스칸이 주변 청소를 마치고 자무카를 진압하면 자신이 나서서 권력을 쥘 생각이었다. 그의 상상력 안에서 몽골국은 칭기스칸을 부려먹기 위한 임시체제에 불과했다.

"내가 세체를 칸으로 옹립하자고 말했던 사실을 기억하는가? 거절하자 알탄에게 칸을 맡아달라고 부탁한 사실은 기억하는가? 다시 코자드에게 권하고, 또 서열상하사 귀족들이 연합정권의 공동 대표를 맡아달라고 간청까지 했었다. 푸른 호수에서 백성들 앞에서 했던 맹세를 다시 외워보라."

세체는 사태가 심상치 않음을 알고 조용히 침묵했다.

"전쟁의 날에 공격 명령을 어기면 검은 머리를 땅바닥에 버리고 가라! 이렇게 맹세한 사실을 기억하는가?"

세체는 만인이 보는 앞에서 다짐한 맹세를 안 했다고 말할 수도 없었다. 모칼리가 대비하라고 할 때 말을 듣지 않은 것이 오직 후회스러울 뿐이다. 쥐르긴 족이 아무리 강해도 그 상태에서 반격할 기회는 오지 않았다. 너무도 빠른 기습이었고, 너무도 신속한 종결이었다.

"맞소. 약속을 어겼으니, 칸의 뜻대로 처분하시오."

칭기스칸이 다시 못을 박는다.

"약속을 지키는 게 명예로운가, 어기는 게 좋은가?"

"지키는 게 좋겠소."

"들었느냐? 백성들 앞에서 명예를 지키도록 해주어라. 집행!"

보투가 나와서 칼자루에 침을 뱉더니 혼신의 힘을 쏟아 휘둘러버리자 세체의 검은 머리가 땅바닥에 떨어져 두 바퀴 반을 굴러갔다. 다들 광경을 보았지만 비명을 지를 틈도 없었다. 칭기스칸은 조금의 동요도 없이 수령의 시대에 마지막 종지부를 찍었다.

"푸른 하늘이 그대의 목숨을 가져갈 뿐 그대의 백성들에게는 손도 대지 않는구나! 풀이 자라는 키가 목숨의 높이이니, 어리석은 자들아! 초원에서 살면서 왜 초원의 질서를 따르지 않는가? 풀들이 작다고 잡목이 솟아오르면 초지가 망가지잖은가?"

수령을 잃자 쥐르긴 족은 그 자리에서 양처럼 순한 무리로 다시 태어나야 했다. 그간, 승리한 부족이 패배한 부족을 약탈하고 가면 나머지는 지도자를 잃고 방황하다가 다른 부족의 노예나 속민이 되는 게 초원의 관습이었다. 그러나 칭기스칸은 쥐르긴 족을 반역자의 예속민이 아니라 평범한 백성으로 분류해 몽골국의 일원으로 흡수해버렸다.

놀라운 사건이었다. 몽골국에서는 아무리 고귀한 뼈에게도 특혜를 주지 않으며, 아무리 칸의 자식이라 하더라도 규칙을 어길 수 없다는 것을 보여준 것이다. 또한, 평민이나 하층민은 저항하지 않으면 누구나 푸른 군대의 일원이 될 수 있다는 것도 보여주었다. 이 같은 소문은 초원의 부족들에게 순식간에 퍼져나갔다. 이제 누구도, 이따금 행해지는 사냥이나 약탈에 나설 때 잡다한 부족동맹을 인솔하기 위해서 칸이 존재한다고 생각할 수는 없게 되었다.

그때 옹칸은 최고의 위기를 맞고 있었다. 칭기스칸과 똑같이 원정 중에 배신자의 침공을 받았는데, 결과는 하늘과 땅 만큼이나 차이가 났다.

옹칸은 역도들이 오르도를 침공한 소식을 듣고, 무엇보다도 안정된 거처를 확보하려고 서둘렀다. 먼저, 칭기스칸에게 전령을 보내 진압군을 조직할 생각이었다. 한데, 푸른 군대가 타타르를 치고 나서 곧장 쥐르긴 족에게 달려갔다는 말을 듣고 발길을 돌릴 수밖에 없었다. 그간 서양의 끄트머리와 동양의 끄트머리가 초원을 사이에 두고 반목하면서 나이만의 최대 적대 세력은 탕구트가 되어 있었다. 그렇다면 적의 적은 동지이니, 옹칸은 탕구트에게 요청하면 망명지를 제공해줄 줄 알았다가 깜짝 놀랄 답을 들었다. 탕구트의 수비대장이 옹칸의 사신에게 다음과 같은 문건을 들려서 돌려보낸 것이다.

아득한 초원에서 사로잡혀온 사람
귀는 찢기고 얼굴도 멍들어 장안에 왔네
천자도 불쌍히 여겨 죽이지 말고
동남쪽 변방으로 보내라 했다네
거적 같은 옷깃에 명찰을 붙이고
오랏줄에 묶여 남쪽으로 가는 처량한 신세
온몸은 창과 칼의 상처이고 얼굴은 비쩍 말랐네
아침조차 굶어서 주린 배를 움켜쥔 채
병든 몸 질질 끌며 걸음조차 절뚝거리네
몸에서는 고약한 냄새, 잠자는 곳은 누더기
길 가다 강물 보고 고향이 그리운지
소리라도 날까 봐 손바닥으로 가린 채 흐느껴 우네

백거이의 시 「초원에서 잡혀온 사람」이었다.

소름이 오싹 끼쳤다. 하마터면 호랑이의 아가리 속으로 들어갈 뻔한 것이다. 옹칸은 재빨리 돌아서 다른 거처를 구해야 했다. 허나, 초원의 어디에 안전한 곳이 있는가? 급히 병력을 둘로 쪼개어, 하나를 셍굼에게 내어주며 어서 자무카의 형편을 알아오라고 보내놓고, 자기는 케레이트의 영지에서 은신하기로 했다. 역도들을 피하려면 서역 상인들이나 오가던 고비 사막밖에는 마땅한 곳이 없었다. 그래서 셍굼이 안전한 곳을 찾으면 백조 호수로 오도록 약속해두었는데, 그것은 잠꼬대 같은 생각이었다.

사막에서 바람은 어떤 장애물도 없이 무너뜨리고 만드는 일을 반복한다. 황량한 대지에는 은폐물도 없고 엄폐물도 없으니, 그곳에서는 동물도 식물도 바람의 위협을 비켜갈 수 없었다. 수분이 부족한 것을 견디려고 가시덤불처럼 땅속 깊이 뿌리를 내리거나 황금나무 줄기처럼 바람의 방향에 따라 동작을 바꾸는 식물도 있었다. 문제는 그것들이 그물 같은 역할을 해서 바람이 물살처럼 쓸고 가는 모래를 붙잡아 언덕을 만든다는 것이다. 그래서 작은 언덕이 한번 만들어지면 금방 살이 쪄서 큰 언덕이 되고, 그것은 이내 모래산이 된다. 그런데 바람은 날마다 조금씩 방향을 바꾸고 있으니, 모래무지, 모래언덕, 모래산도 방향을 바꾸어 어떤 날은 오십 보씩, 어떤 날은 백 보씩 걸어 다니게 된다. 호수라고 제자리에 붙어 있을 리가 없었다. 백조 호수는 이름 그대로 날개가 달려서 어디론가 날아갔기 때문에 옹칸은 영영 찾을 수 없게 되고 말았다.

그리하여 옹칸의 나그네 시절이 시작되었다. 다른 때보다 추위가 일찍 찾아온 늙은 가을이었다. 고비는 끊임없이 불어대는 바람이 지표면에 덮인 모래를 모조리 휩쓸어 검은 잔돌이 섞인 회색의 모래알만 가득했다. 그 틈새를 사막 도마뱀이 부지런히 이동해 다닌다. 상인들이 떠들어대던 사막의 유령에 대한 이야기는 전혀 거짓말이 아니었다. 눈앞에서 세찬 삭풍이 몰아칠 뿐, 우물도 없고, 대상단이 끌고 다녔을 낙타의 유골 말고는 어떤 표지도 없었다. 어쩌다 사람의 발자국이 발견되어도 한참을 가다 보면 흔적이 희미해지다가 사라지거나 모래언덕으로 바뀌어버리고는 했다. 게다가 굶주림과 목마름으로 탈진해가는 병사들을 모래언덕이 자꾸 휘파람을 불어서 데려가버린다. 아침에 깨어났을 때 보이지 않던 일행이 며칠을 헤매다 보면 엉뚱한 곳에서 시체로 발견되는 경우도 허다했다.

옹칸은 이렇게 탕구트를 떠나 고비 사막을 떠도는 동안 측근들도 없어지고 가축도 얼마 남지 않았다. 겨우 산양 다섯 마리에 짐을 신는 낙타 서너 마리뿐이었다. 말조차도 옹칸을 태운 검은 갈기와 황색 꼬리를 가진 눈 먼 말밖에 남지 않았으니, 허기가 지면 새끼 양에게 재갈을 물려 젖을 나눠 먹고 낙타의 가죽에 침을 놔서 흐르는 피를 빨아먹었다. 옹칸이 사람 구경을 한 것은 장안으로 들어가는 대상단이 마지막이었다. 그 밖에 보이는 것이라고는 썩어가는 시체들, 돌처럼 딱딱한 나무들, 인간과 동물의 오래된 유골들, 그리고 가도 가도 끝이 없는 폭풍과 폭설의 완력밖에는 없었다.

3

자무카는 한동안 대지처럼 깊은 침묵 속에서 살았다. 초원에서는, 아무 말도 하지 않는 풀이 생과 사의 틈을 가르는 하늘의 말씀이었다. 초지가 안정되면 가축이 번성한다. 키 작은 풀이 한없이 낮아져서 뜯을 것이 없어지면 모든 게 죽는다. 그래서 절제력이 없는 포식자들, 야생 노루에서 양과 염소에 이르기까지 풀뿌리를 뜯으며 무한 증식을 꾀하는 난폭한 소비자들을 늑대가 걸러내고 있었다. 그래서 이 통제자를 섬기는 늑대 토템이 생겨나게 되었다. 하지만 인간은 늑대를 이기는 존재이니, 인간 세상에서는 푸른 하늘의 뜻을 거스르는 일들이 끝없이 발생한다. 초원을 활용하여 가축을 하나라도 더 늘리는 것이 유목민이 사는 길이었다. 푸른 하늘은 다시 조드를 보내 대지의 뜻을 가르치지만 못 알아듣는 사람이 태반이었다. 유목민은 인간이 돌아다니면서 살아야 한다고 믿었지만, 정착민은 좋은 땅을 차지해서 성을 쌓고는 유목민이 초원을 영원히 벗어나지 말고 자기들끼리 싸울 것을 희망했다. 그래서 금나라는 타타르를 보내 고원이 항구적인 내전 상태에 빠지도록 조절했는데, 그 타타르를 칭기스칸이 무력화시킨 것이다.

그 소식은 자무카에게 더 이상 침묵을 지키지 못하게 했다.

"처여. 키릴툭에게 다녀와라. 늑대 새끼가 너무 컸다. 송곳니가 나기 전에 대책을 세워야겠어."

"저렇게 날뛸 때 움직이는 건 위험하지 않을까요?"

"겁이 많은 사람에게는 소똥도 움직이는 법이다."

쥐르긴 족을 친 후 칭기스칸은 백성이 너무 많이 늘어서 쿠리엔을 옮겨야 했다. 동부 초원에서 유목을 하기에 가장 좋은, 헤를렌 강과 셍구르 강 사이의 초지를 찾아낸 것이다. 아주 넓게 트여서 바다의 섬 같은 느낌을 준다 하여 쿠두 아랄이라 불리는 이 목초지는 푸른 하늘의 자식 중에서도 도드라지게 건강한 자식에 속했다. 쿠두 아랄이 사지를 벌리고 누워 있으면 마치 수많은 가축이 매달려도 동이 나지 않을 젖을 가진 어머니의 품에 매달려 있는 것처럼 보였다. 해맑은 눈망울을 가진 호수도 두 개나 되어서, 하나는 민물고기를 좋아하는 새 떼들이 모여들고, 다른 하나는 바다처럼 짠물이 담겨 눈병, 피부병 등 사람의 겉병을 치료하는 진료소로 사용할 수도 있었다. 더욱 기특한 것은 쿠두 아랄의 가랑이에서 솟아나는 샘물인데, 땅 위의 어디에서 솟는 물과도 맛이 달랐다. 가축들이 발견한 것을 인간이 빼앗아서 위장병 등 속병을 치료하는 진료소로 사용했다. 까닭에, 새들도 날아와서 쉬고, 초지도 풍족하며 일망무제의 지평선에 늘 별밭이 총총해서 모든 포유류가 감동을 받는 곳이니, 가위 초원의 수도라 해도 될 만한 근거지를 얻게 된 것이다.

쿠두 아랄의 방목지에서 양들이 태어나고 자라는 것처럼, 쿠두 아랄의 오장육부에서 어린 목동도 태어나고 자란다. 그와 똑같이 쿠두 아랄의 몸통 위에서 칭기스칸의 울루스도 무럭무럭 자라고 있었다. 그날도 살이 찌고 뼈가 굵어지는 소리로 쿠리엔이 시끄러웠다.

"용서하지 않겠어. 어떻게 염소라는 말을 제 입으로 할 수 있어?"

코르치가 타타르에서 주워 와서 후엘룬 어머니가 기르게 된 쿠투쿠가 쿠리엔이 발칵 뒤집히도록 화를 낸 것이다. 형이랍시고 벨구테이가 데려가 달래는 동안 젤메가 자초지종을 보고했다. 웃음을 참지 못해 입안에 든 것을 계속 뿜어댄다.

"즉위식 때 칸이 수간을 하는 자는 사형에 처한다고 했잖아요? 글쎄, 옛날에 염소를 건드린 놈이 있었나 봐요. 염소서방이라는 백호장인데, 누가 염소라는 말만 꺼내도 기겁을 해서는, 그 앞에서는 염소라는 말을 아예 꺼낼 수가 없어요. 한데, 쿠투쿠가 그걸 모르고 염소 소리를 꺼냈다가 뺨을 맞은 거예요. 그래, 항의를 하다가 왜 그러는지 자초지종을 듣고는, 이해하겠다, 다시는 염소라는 말을 입에 올리지 않겠다, 하고 약속을 했던가 봐요."

코르치가 이야기를 듣다 말고 웃음을 터뜨리기 시작했다. 보지 않아도 아이의 성격을 안다는 뜻이었다. 쿠투쿠는 한없이 정직하고 당당하고 정확하고 고집이 셌다. 머리도 어찌나 총명한지 쿠리엔의 사랑을 한 몸에 받았다. 타타르의 자식이건만 칭기스칸도 그를 예뻐해서 모든 군소 씨족의 견본이 되기도 했다. 문제는 너무나 정직해서

융통성이 없다는 것이다.

"쿠투쿠 앞에서 비웃듯이 웃으면 안 돼. 너무도 훌륭한데 지휘관이 될 수는 없는 성격이야. 적에게 매번 속을 거야."

칭기스칸이 지적하자 젤메가 태도를 바꾸려 하지만 웃음이 가시지 않는 모양이다.

"칸! 쿠투쿠가 억울해하는 게 뭔가 하면, 염소서방이 마음 아파할까 봐 그간 염소라는 말을 한 번도 입에 담지 않았던가 봐요. 어떤 경우에도 참았다는 거예요. 한데, 오늘 염소서방이 가축을 세다가 무심결에 염소 일곱 마리라는 말을 하고 만 겁니다. 그러자 지금 난리가 난 거예요."

다들 폭소를 터뜨렸다.

칭기스칸도 한참을 웃다가 회의를 시작하였다. 유목민공동체는 대개 '쿠릴타이'라는 회의체를 만들어 통치했는데, 칭기스칸은 가문 중심의 순혈 집단이 아니라 신의로 뭉친 잡종 집단이라 부족장 및 씨족장 회의가 아니라 말 그대로 천호장 이상이 모이는 대표자 회의가 되었다.

"그간 멍릭아버지가 하던 일을 모칼리가 넘겨받았어. 그에게 내린 첫번째 명령이 옹칸을 살리라는 것인데."

이렇게 입을 열자 다들 의견을 내놓게 되었다.

옹칸의 세력은 산산이 흩어져 고원의 여기저기를 방황하고 있었다. 셍굼은 자무카의 지역에 들어가 은신해 있었고, 자카감보는 옹구트로 도피해 있었다. 케레이트에 남아 있으면서 역도들에게 장악되지 않은 군소 집단은 언제 잡아먹힐지 모르는, 목자를 잃은 양 떼처럼 분안한 나날이었다. 메르키드의 톡토아베키가 그들을 노리고 있었다.

"케레이트의 백성들을 수습하려면 자카감보를 불러 재기의 발판을 만들어야 합니다."

그러나 정작 중요한 옹칸의 행적은 알 수가 없었다.

"길을 잃었을 거예요. 별을 보고 길을 찾고, 주변의 미세한 현상에서 우물이나 오아시스 같은 자취를 읽어야 하는데, 과연."

"나는 예수게이 아버지가 죽은 후 멍릭과 옹칸을 아버지라 불러왔어. 살리자."

"사막은 맥박이 뛰지 않는 동물 같아요. 앙상한 뼈 위로 가죽밖에 남은 게 없어요. 가만히 두면 거기에서 죽는 수도 있어요."

그리고 곧 옹칸의 구출작전에 나섰다.

칭기스칸의 군대가 옹칸을 찾았을 때 옹칸은 굶주리고 지쳐서 쓰러지기 직전의 상태였다. 그런 이를 칭기스칸이 아버지의 예로써, 수레 위에 게르를 올린 이동궁전에 모시고 다니는 장면은 아주 희귀한 풍경에 속했다. 초원은 너무도 각박해서 모든 세력이 약탈의 기회를 포착하면 놓치지 않았다. 아무리 친해도 완벽한 급소가 노출되면 곧장 쳐들어가기 일쑤였다. 메르키드의 톡토아베키도 케레이트의 실정을 알자 잃어버린 세력을 회복할 기회로 알고 기습 공격을 시도했다. 그러나 이를 칭기스칸이 눈치채고 자카감보를 도와서 톡토아베키를 역습하여 바이칼 호까지 쫓아버렸다. 까닭에, 메르키드가 쓰던 게르와 가축 등도 고스란히 옹칸의 것이 되었다. 그리고 이렇게 건재가 확인되자 쿠데타 정권도 서서히 힘을 잃어갔다.

그러나 옹칸에게 여우라는 별명이 붙은 데는 이유가 없지 않았다.

그는 안정을 찾자 장기적 구상 때문에 쪼개야 할 대상을 자무카에서 칭기스칸으로 바꿔야 할 것 같아서 슬슬 자무카와 접촉하기 시작한다. 메르키드를 재침공하여 포로와 물자를 노획해 권력 기반을 넓히는 일도 칭기스칸 몰래 했다. 그러다가 알게 된 중요한 소식이 나이만 족의 변란이었다.

"나이만의 빌게칸이 죽었습니다. 지금이 아니면 아무도 나이만을 이길 수 없어요."

그가 보고를 받고 주목한 것은 그다음 장면이었다. 마침 빌게칸의 두 아들 타양과 보이록이 부왕의 첩을 차지하려고 싸움을 벌인 것이다.

'주님의 은총이 온누리에 퍼지는구나!'

나이만 족은 투르크 계 종족으로서 알타이 산맥을 따라 케레이트, 키르기스, 위구르 부근까지 퍼져 있는데, 타양은 초원 부족(東나이만)을, 보이록은 삼림 부족(西나이만)을 거느리고 있었다.

'동생의 역모를 앞장서서 도운 놈들! 그날의 수모와 고통을 반드시 돌려주마.'

옹칸은 끌어모을 수 있는 모든 세력을 집결시켰다. 아들 셍굼, 동생 자카감보, 안다 자무카, 의부자 칭기스칸……. 이렇게 해서 예전에 버르테를 찾으러 가던 삼자동맹의 실력자들이 다시 모였다. 누구보다도 신이 난 것은 자무카였다.

"나이만 족은 전력이 세니, 먼저 보이록을 치는 게 어때요?"

자무카의 머리는 계책이 흘러나오는 샘물 같았다. 그가 내놓은 것은, 젊은 여름에서 어린 가을 사이에만 통과할 수 있는 해발 삼천 미터의 고개를 향해 알타이 산맥을 넘는 내삭선이었다.

연합군은 항가이 산맥을 넘어 홉드 쪽 늪지대로 진격해 나갔다. 잿빛 모래와 자갈이 깔린 사막에 초원이 섞여 있어 사람이 살지 않는 오지. 홉드의 골짜기 안에는 포플러와 자작나무 숲이 들어서 있을 뿐이었다. 보이록은 연합군의 기세에 쫓겨 알타이 산맥을 넘어 도주하였다. 추격로는 온통 칼바위로 되어 있어서 산비탈은 톱니처럼 뾰쪽뾰쪽하였고, 꼭대기는 쓰러져가는 성채를 연상시켰다. 이쪽 편에는 마흔다섯 개의 빙하가 있었다. 연합군이 버드나무가 무성한 골짜기를 따라 추격하자 보이록은 예니세이 강 상류를 거쳐 키르기스까지 도망가버렸다. 그리고 돌아올 때의 일이다.

알타이 산맥 북쪽에서 항가이 산맥 남쪽 산허리에 걸친 험준한 협곡에서 흘러나오는 바이다라크 강의 급류를 따라 골짜기를 거슬러 내려오는 중이었다. 정찰 임무를 맡은 수베테이 형제가 장애물의 출현을 알려왔다.

"쉬! 앞에 적들이 있습니다."

서(西)나이만의 용장 쿠쿠세우가 매복하여 연합군을 기다리고 있었다. 험난한 싸움이 예고되었다. 연합군이 있는 쪽은 목초지가 거의 없어서 말들을 먹일 풀이 턱없이 부족했고, 나이만 군대는 이미 지형적으로 유리한 위치를 확보하고 있었다. 칭기스칸이 있는 골짜기 양옆은 깎아지른 암벽이 있어서 자칫하면 오도 가도 못하는 신세가 되기 십상이었다. 나이만의 군대는 강 건너 벌판에서 활을 쏠 수 있고, 연합군은 우왕좌왕하다가 표적이 되기에 딱 알맞은 곳에서 대치할 수밖에 없었다.

날이 저물었기 때문에 각자의 위치에서 숙영하였다. 그나마 하룻밤의 시간을 번 것이다. 한데, 밤에 자무카가 몰래 옹칸을 찾는다.

"옹칸, 적의 매복지에서 자는 기분이 어때요?"

"어서 오시게, 자무카 아우. 안 그래도 작전을 세우려고 부르려던 참이었네."

그러나 자무카의 관심은 다른 쪽에 있었다. 얼마나 고민하던 끝에 옹칸의 연합군에 합류하게 되었는지 모른다.

자무카는 그간 몽골국이 들어서고 칭기스칸이 고원의 별처럼 떠오르는 과정을 보면서 뼈아프게 느낀 것이 있었다. 그것은 몽골부 안에서 흰 뼈가 누리던 것을 절대 포기하지 않는다는 것이었다. 아버지가 목숨을 바쳐서 싸우고 그가 능력을 발휘하여 공동체를 지키더라도 최고의 영광은 반드시 흰 뼈가 차지해야 되는 것이었다. 설령 몽골 울루스가 둘로 나뉘어져 서로 적이 되는 한이 있더라도 흰 뼈는 그것을 포기하지 않는다. 그가 아끼던 의형제 테무진마저도 칭기스칸의 나라를 세우기 위해 전쟁도 불사할 수 있다는 태도를 여러 번 확인시켜주었다. 그것이 자무카의 마음을 얼마나 아프게 했는지 모른다.

'불나비 같은 것들!'

불나비가 불길만 보면 뛰어들게 되는 것은 열정 때문이 아니다. 세상을 비치는 거대한 햇빛이 사라져버리면 불나비는 몸이 기울어져 바로 설 수 없다. 그래서 작은 빛만 보아도 가까이 다가가서 안정을 구하려고 노력하지만 결국에는 몸이 타버리고 만다. 자무카는 이번에 원정을 다녀오는 동안에 옹칸과 말머리를 나란히 하고 뛰면서 잔뜩 신뢰감을 높여놓고, 칭기스칸을 뒤에서 슬쩍 떠밀어 쓰러뜨려버릴지 말지를 망설이고 있었다. 마음속으로, 한 번은 거칠게 떠밀어본다.

'오냐! 흰 뼈라고 오만에 떠는 놈들의 관절이 얼마나 연약한지 보

여주겠다.'

하지만 금방 후회가 밀려온다. 인간의 생애도 크게 보면 막무가내의 질주를 감행한다. 무슨 일인가에 미친 사람의 저변에는 그러지 않고는 치유될 수 없는 영혼의 흔들림이 있다. 그 불안한 흔들림이 가져다준 불균형과의 싸움, 만일 그것을 생이라고 부른다면 자무카에게도 그곳에서 오는 어떤 '맺힘'이 있었을 것이다. 그래서 자무카는 자신을 쫓는 공허감의 뿌리를 운명의 몫으로 몰아가고 있었다. 한 목숨이 어느 천창을 타고 내려오는가 하는 것은 자신의 몫이 아니다. 그리하여 마침내 내지르고 말았다.

"옹칸! 혹시 초원에서 겨울을 나는 새와 추우면 남쪽으로 빠져나가는 새를 구별할 줄 아세요? 새는 이렇게 두 종류밖에 없어요. 하나는 텃새, 하나는 철새. 이 자무카는 텃새입니다. 한데, 테무진 새가 보이지 않습니다. 아마도 철새에게는 조금 추운 때가 아닌지."

옹칸은 숨소리 하나 내지 않고 듣고 있었다. 이 교묘한 이간책을 곁에 있던 자카감보가 듣고는 깜짝 놀라 날카롭게 쏘아붙인다.

"자무카 장군! 어찌하여 의형제를 헐뜯는 거요?"

옹칸을 호위하던 장수 카다크도 그가 상황 파악을 잘못하고 있음을 지적하고 나섰다.

"칭기스칸의 전술 행동은 군사적으로 옳습니다."

그러나 적도 하루아침에 친구가 되고, 친구도 하루아침에 적이 되는 것이 초원이었다. 옹칸은 칭기스칸이 적과 내통하여 들이닥칠 것 같은 불안에 빠져 측근의 말을 듣지 않았다.

"칭기스칸이 텃새가 아닌 건 맞아. 주위가 온통 뿌리 없는 것들이라 무엇을 꿈꾸는지 알 수가 있어야지. 그리고 적이 어떻게 우리를 알아서 매복한 거지?"

그리하여 옹칸은 최악의 선택을 하게 되었다. 한밤중에, 그것도 칭기스칸을 속이기 위해 모닥불까지 피워놓고 탈주작전을 감행한 것이다.

칭기스칸은 동이 틀 때까지도 그러한 사실을 까마득히 모르고 있었다. 새벽에 진눈깨비가 들이쳐서 잠시 눈을 떠보니 말할 수 없이 이상한 기분이었다. 도둑개가 다녀간 느낌이라 젤메를 깨워서 확인하는 순간, 연합군은 온 데 간 데 없고 거대한 적 앞에 푸른 군대가 홀로 놓여 있었다. 도울 친구도, 협력할 이웃도 보이지 않았다.

"급하게 되었다. 비열한 것들이 우리를 제삿밥으로 남겨놓고 달아나버렸어!"

그 시각에 자무카는 케레이트 지역에 접어들면서 가엾은 의형제에게 마지막 작별을 고하고 있었다.

'해가 뜨는구나! 황금빛이 너무나 다정해서 그토록 잔인한 하루를 비추리라고는 믿어지지 않겠지. 하지만 형제여! 칸이 되려거든, 저것이 무사히 지도록 능력을 보여라.'

이제 칭기스칸의 군대가 저력을 보여야 할 때였다. 보오르추가 푸른 군대를 맡아 얼마나 정비하고 조직했는지, 십호, 백호, 천호로 나뉘는 것은 옹칸의 군대와 똑같지만, 자신이 속한 씨족과 부족, 수령의 야심과 능력에 따라 제각각이 되어서 통합된 목표를 가지지 못하는 군대하고는 근본적으로 달랐다. 한 가지 목표와 통일된 규율, 일사불란하고 민첩하게 움직이는 기동력으로 훈련되어 있었다. 게다가 대원들은 모두 칭기스칸에게 전염되어 '푸른 하늘이 칸께 명하셨다!' 하는 소리가 유행어가 되어 있었다.

“지금은 방법이 없습니다. 나이만 군을 유인하여 옹칸의 꽁무니에 매달아주는 수밖에요. 바이다라크는 오논 강 누이가 살던 곳이에요. 제가 유인작전을 써보겠습니다.”

마침 젤메가 일대의 지형을 충분히 숙지하고 있었다. 칭기스칸은 군대를 즉각 둘로 나누었다. 그리고 하나를 카사르가 이끄는 기동대로 재편성하여 옹칸의 흔적을 밟기로 한 것이다. 젤메가 직접 길 안내를 하면 카사르가 위장 탈주를 해서 의도적으로 표적지가 되어보는 작전이었다.

그날은 나이만의 쿠쿠세우 장군도 일찍 일어났다. 꼭두새벽에 눈을 부비고 적정을 살피다가 어이가 없어서 말문이 막힌다. 멀리서 불어오는 바람 소리가 사삭스럽다 싶더니, 적들이 싸워보지도 않고 겁을 잔뜩 먹은 채 줄행랑을 치고 있었던 것이다.

‘저런 형편없는 것들이 있나. 알타이를 넘어 진격할 때는 언제고, 이제 싸워볼 상대가 나타나자 달아나는 꼴이라니!’

그는 한 사람의 군인으로서 꽁지가 빠져라 하고 내빼는 케레이트의 뒷모습이 가소롭기만 했는데, 그것은 사실 카사르의 군대였다.

“나이만의 용사들이여! 놈들을 지옥 끝까지 추격하라. 삼림 부족의 땅에 다시는 더러운 발자국을 남기지 못하도록 영원히 청소해버리자.”

옹칸은 이 같은 상황을 알지 못했다. 하긴, 알았다 하더라도 전혀 급할 게 없었을 것이다. 그가 보기에 칭기스칸 군대는 결코 말랑한 상대가 아니었다. 수가 적으니 나이만을 이길 수야 없겠지만, 보오르추, 젤메, 보투 같은 명장들에다 쥐르긴에서 왔다는 종 출신의 책략가 모칼리의 기세가 얼마나 드세던지, 그들을 이기려면 누구라도 반드시 피 값을 지불하게 되어 있었다. 그래, 후미의 안전을 걱정할 필요는 없다고 보고 종대행렬로 퇴각하고 있으니 꼬리가 한없이 길었다. 그나마 속도조차 내지 않아서 맨 뒤를 따르는 셍굼과 자카감보 부대는 날이 훤한데도 바이다라크 지역을 벗어나지 못하고 어기적거리고 있었다.

카사르의 성격에 셍굼의 꽁지를 무는 것은 시간 문제였다. 걱정은 오히려 위장탈주작전에서 핵심 역할을 맡은 젤메의 활약에 있었다. 그가 아무리 용하더라도 숨 가쁘게 쫓기는 대열에서 적당한 장소가 나타날 때마다 도마뱀처럼 꼬리 자르기를 해서 대원을 소리 없이 빼돌리는 것은 쉬운 일이 아니기 때문이었다. 먼지는 많이 일으키고 발자국은 최대한 줄인다! 이것이 가능한 일인가 말이다. 하지만 젤메는 그 역할을 매우 성공적으로 수행하여 카사르 부대가 거의 몸을 뺐을 때는 나이만의 쿠쿠세우도 옹칸 연합군의 방귀 냄새를 맡고 난 뒤였다.

"속도를 높여라. 이미 등을 보인 군대는 반격을 하지 못한다."

이렇게 해서 자무카의 꿈은 깨졌다. 나이만의 힘으로 칭기스칸을 치려던 옹칸은 때 아닌 기습을 받아 적전 분열의 혼란에 몸서리를 쳤다. 칭기스칸이 없는 연합군은 싸움은커녕 증오심만 안은 채 도주하기에 바빴다. 나이만 군대는 일방적 공격자의 여유를 뽐내며 차분히 섬멸작전을 펼치건만, 케레이트 군대는 초조하게, 끈질긴 공세에 밀려 곳곳에서 패하는 모습을 보였다. 이미 혼비백산한 대열이라 단 한 차례의 공세만으로도 병사와 가축과 식량의 주인이 바뀌었다. 옹칸은 속수무책이었다. 두 눈 뻔히 뜨고 셍굼의 처자를 납치당했으며, 유능한 상수들과 많은 수의 백성들을 잃었다. 그가 메르키드를 치고 나서 안전을 도모하기 위해 인질로 잡고 있던 톡토아베키의 자식들까지 달아나버렸다.

이 같은 패전 속에서 또 한 번 위기에 처한 옹칸이 매달려볼 데라곤 딱 한 곳뿐이었다. 불과 며칠 전에 배신했던 참이라 차마 입이 떨어지지 않지만 그래도 결국은 칭기스칸에게 애걸하는 수밖에.

칭기스칸 군대는 나이만의 뒤를 따라 느긋하게 퇴각하다 에데르와 알타이의 합수머리가 만나는 사아리 초원에 머물고 있었다. 휴식도 길었다. 보오르추가 푸른 군대를 정비하는 동안 카사르 부대에서 잘려나간 도마뱀의 꼬리들도 속속 모여들었다. 다들 얼마나 대단한 일을 했는지, 그것이 얼마나 위험한 작전이었는지 하는 것도 모르고 있었다. 용사들을 잃을까 봐 극도의 긴장을 견뎌낸 젤메만 혼자서 녹초가 되었는지 말수가 줄었다. 칭기스칸이 칭찬해도 잘 알아듣지 못한다.

"언젠가 보르칸 산에서도 귀신 노릇을 하더니, 이번에는 바이다라크 초원에서도 기념비를 남기네?"

"누이가 살던 곳이라, 헤헤. 수베테이는 여기가 고향인 줄 알지?"

두 살 때 떠난 곳을 기억할 리 없다. 그래도 젤메는 오논 강 여자를 따라왔을 때 들었던 염소자지 이야기가 떠올라 웃음을 참지 못한다. 그래서 수베테이에게 들려줄까 하고 쳐다보는데, 수베테이는 이미 다른 재미에 빠져 있었다.

"야, 휘파람 대회 한번 하자."

쿠추에게 건넨 말이다. 어린 용사들은 이번 원정에서 나이만의 병사들이 허미를 하는 걸 보고 놀란 터라 다들 흉내를 낸답시고 휘파람

연습을 하느라 시끄러웠다.

"내가 익혔어. 좀 들어봐."

수베테이가 입술을 오므리고 애써 휘파람을 불었지만 허미 소리와는 조금 다른 것이 나온다.

"아냐, 이 소리지. 휘익-."

입술을 오므리지 않고 바람 소리를 내는 입술 바람을 불었지만 그 소리도 아니었다.

"나이만 흉내 내지 말고 우리 걸로 하자. 스스익-."

배에서 만들어낸 바람을 이빨에 부딪쳐서 소리 내는 잇바람 소리는 동부의 목동들이 양 치러 나갈 때 많이 부르는 소리라 못 내는 사람이 없었다.

"그만 좀 해라. 하도 바람을 맞아서 볼이 빨갛게 되었는데도 모자라냐?"

잇바람 소리는 바람을 불러들이는 소리라 하여 어른들이 못 불게 하는 것이었다.

그렇게 한가하게 웃고 떠들던 때에 옹칸의 장수가 칭기스칸을 찾아왔다.

"옹칸께서 살려달라고 하십니다. 저도 장군인데, 참담한 패전 중에 오죽이나 급했으면 전선을 놔두고 왔겠습니까? 옹칸께 복수를 하거나 다른 대가를 치르게 하더라도 우선 나이만은 쫓아놓고 보심이 어떨는지요?"

전날 밤, 자무카의 이간책을 경계하라고 옹칸에게 충언했던 카다크였다.

"칸! 저것들을 살릴 필요가 있을까요?"

그의 귀에도 이렇게 속닥거리는 소리가 들린다. 하지만, 충분히 이해할 수 있었다. 옹칸이 고비에서 돌아왔을 때 칭기스칸은 옹칸을 아버지로 모시고 흩어진 백성들을 모아주던 것을 그도 보았다. 게다가 경제난도 이기도록 하여 옹칸과 칭기스칸이 의부자임을 선언하는 '검은 숲의 맹약'을 맺었는데, 바로 이듬해에 약속을 어겼다. 칭기스칸에게 알리지도 않고 메르키드를 쳐서 엄청난 포로와 물자를 챙기고 입을 싹 씻은 것이다. 그래도 그것은 불평등 조약이지만 규칙을 어기지 않았다고 변명할 수 있었는데, 이번에는 칭기스칸을 송두리째 적의 아가리에 떠밀어 넣는, 결코 용서할 수 없는 배신을 한 것이다.

칭기스칸이 잠시 말을 잃었다.

"형! 옹칸은 이미 두 번을 배신했어. 검은 숲의 맹약도 어겼잖아. 지키지도 않을 약속을 하는 비열한 자를 언제까지 아버지라 부르려고?"

카사르의 항변 뒤에 모칼리가 조심스레 의견을 내본다.

"금나라의 용병 노릇을 하던 타타르나 서양물이 잔뜩 든 나이만이 초원을 제멋대로 요리하지 못한 것은 그나마 케레이트가 건재했기 때문이었는데 말이에요."

모칼리는 나이만 전에 처음 출정하였지만 보이록의 주력군을 칠 때 혁혁한 공을 세워 다들 존재를 인정할 수밖에 없었다. 칭기스칸이 답을 내린다.

"아직은 우리가 약자야. 옹칸과 갈라서게 되면, 불필요한 전쟁을 수없이 더 하게 돼. 어때? 보오르추가 가볼 텐가?"

칭기스칸은 보오르추에게 황금색 늑대귀 말을 내주면서 푸른 군대를 급파했다. 자제력과 상황 판단이 뛰어난 모칼리를 책사로 붙였다.

그리하여 보오르추가 정예부대를 끌고 당도해보니 옹칸의 진영은 그야말로 가관이었다. 나이만의 쿠쿠세우 장수가 펼치는 백병전에 셍굼이 일방적으로 당하고 있었다. 대열은 네 갈래, 다섯 갈래로 나뉘었고, 케레이트의 장수들이 수없이 전사했으며, 셍굼이 탄 말은 뒷다리에 화살을 맞아 생포되기 직전이었다. 보오르추는 셍굼이 낙마하자 바로 구출하기 위해 황금색 늑대귀 말을 떠밀었다. 한데, 셍굼이 타자 말이 꼼짝도 하지 않는다. 빨리 달아나려고 발뒤꿈치로 아랫배를 가격한 탓이었다. 보오르추가 뛰어들어서 칭기스칸이 하듯이 눈을 맞추고 갈기를 쓰다듬어 애무를 베풀자 황금색 늑대귀 말이 비로소 움직이기 시작했다.

황금색 늑대귀 말의 동작을 보고 쿠쿠세우는 전혀 다른 군대가 등장한 사실을 직감했다. 훈련된 준마는 움직임부터 다르다. 그동안 무기력하기 그지없던 셍굼의 군대는 방귀처럼 흩어지고, 이제 근본부터 다른 냄새가 새로운 대치 선을 그어온다. 쿠쿠세우는 나이만 최고의 명장답게 이러한 변화의 기미를 정확히 읽었다. 말이건 병사건 동작이 빠르고, 군율이 팽팽하게 서 있는 것이 소소한 약탈이나 하자고 덤비는 것들과는 위협의 강도가 달랐다.

아무리 뒤섞어놓아도 조직적으로 싸우는 병사와 각자 낱개로 뛰는 병사의 차이처럼 모든 것이 극명했다. 준마의 몸놀림은 바람처럼 자유롭고, 전투의 속도를 유지하는 기마술과 궁술에서도 위압감이 느껴지며, 원거리와 근거리를 예비하고 나오는 조직력도 무섭다. 새로 등장한 장수 하나가 마치 도둑 떼를 진압하러 온 정규군처럼 움직이자 수변에 포진한 새파란 용사들이 역동적으로 날뛰기 시작하는데 마치 아침에 풀어놓은 망아지가 어미젖을 막 먹고 나서 뛰어대는 모습 같았다.

'아니, 바이다라크에서 패주하던 놈들은 어디 갔지? 도대체 저렇게 기세등등한 것들이 어디서 나온 거야?'

보오르추는 선봉에 서서 나이만 군대가 새로운 상황에 익숙해지지 못하도록 끝없이 전술을 바꾸는 호령을 한다.

"풀숲대형을 갖춰라! 송곳전술로 돌격! 그래, 바람을 타라!"

같은 장소에서 같은 전투를 하더라도 공간을 가진 자는 주인이 되고, 따라 들어간 자는 손님이 된다. 둘은 전투력에서 차이가 날 수밖에 없었다. 푸른 군대가 나이만을 포위하려고 돌진하는 모습은 칼과 창으로 무장한 적을 마치 개가 쥐를 쫓듯이 무기력하게 만들었다.

나이만 군대는 이미 공격의 기세가 꺾인 터라 싸움을 끌면 끌수록 피해가 클 것이 분명했다. 그래서 쿠쿠세우는 그동안에 빼앗은 것을 하나하나 양보하며 발을 빼기 시작했다. 일대일로 싸워봐야 승산이 없다는 결론을 내린 것이다.

결국, 나이만 군은 퇴각하고 옹칸은 빼앗긴 것을 고스란히 되찾았다. 하지만 마냥 기쁠 수만은 없었다. 언제부터인지 거듭 승전을 거두고 있지만, 매번 자신은 패하고 칭기스칸이 반전시켰으니, 초원의 광활한 대지가 칭기스칸에게로 계속 떠내려가는 느낌을 지울 수 없었던 것이다.

"여봐라! 칭기스칸 군대에게 포상을 해야겠다. 책임 장수를 불러라."

옹칸은 케레이트의 전력을 높여줄 장군이 간절히 필요했으니, 보오르추가 더욱 탐이 날 수밖에 없었다. 그래서 바로 며칠 전에 '뿌리 없는 것들'이라고 흉을 봤던 사실도 잊고 많은 재산과 가축을 주며 회유하기 시작했다.

"보오르추라고 했던가? 자네를 좀 곁에 두고 싶은데. 케레이트는 아주 커."

보오르추야말로 칭기스칸을 일으켜 세운 시발점이었다. 그의 대답은 명쾌했다.

"영광입니다. 한데, 저를 사용하시는 분이 있습니다. 안 그렇다면 말치기가 왜 전쟁터에서 살겠습니까? 죄송하지만 제 몸이 필요할 때는 그분에게 도움을 청해주세요."

옹칸이 아무리 회유해도 넘어갈 사람이 아니었다. 인간 테무진이 이승에서 얻은 단 한 사람의 친구이며 장차 칭기스칸이 만들어가고자 하는 세상의 표본이었던 것이다.

'칭기스는 복도 많지. 저런 친구들을 어디에서 찾아냈단 말인가?'

옹칸은 이내 칭기스칸을 붙드는 수밖에는 길이 없음을 확인하고, 풀이 죽는다.

"칭기스칸, 후퇴할 때 알리지 않은 것은 상당히 큰 잘못이었어. 내가 꿇을까?"

그러자 이를 쌍수를 들어 환영하는 사람이 있다. 옹칸 진영에 있는 칭기스칸의 측근 자카감보였다.

"그러게 형님은 괜히 자무카 이야기를 듣고 그래?"

이렇게 해서 옹칸을 흔든 게 자무카라는 사실을 알게 되었지만 칭기스칸이 궁금한 것은 그런 게 아니었다.

"아버지! 이번에 배운 게 있습니다. 혹시 옹칸 어른이 세 아버지인 건 맞을까? 그러려면 제가 생굼의 형이기도 해야 할 것이고, 자카감보의 조카이기도 해야 할 것이며, 아버지의 것을 물려받을 수도 있어야 할 것입니다. 그래야 아버지도 제게 일을 시킬 수 있지요. 이번에도 사신을 보내 도와달라는 말을 하도 어렵게 하시니 저도 덩달아 망설였어요."

말은 부드럽지만 내용은 새로운 동맹을 강요하는 것이었다. 옹칸은 여기에 뭐라고 답해야 할지 알 수 없었다.

"옛날에는 예수게이에게 목숨을 동냥했는데, 이제는 아들에게 구걸하는구나."

"구걸이라니요? 정신 바짝 차리고 모시라고 가끔 꾸짖고 그러세요. 저는 한 번도 아버지를 저울질한 적이 없습니다. 또한, 아버지가 셍굼을 저울질하는 걸 본 적도 없어요. 제게도 그냥 그러시면 됩니다."

어느 순간 강자와 약자가 바뀌어 있었다. 옹칸은 칭기스칸이 상속권을 요구하고 있음을 알아차리고, 고개를 끄덕끄덕해서 대답했다.

"알았다. 그리고 이렇게 맹세하마. 우리는 질투가 심하고 사나운 이빨을 가진 독사의 꼬드김을 받더라도 넘어가지 않는다. 큰 이빨을 가진 독사가 중상모략을 하더라도 속지 않는다. 우리는 반드시 서로 확인한 사실만 믿는다. 됐냐?"

"셍굼에게도 말해두세요. 저를 친형으로 생각하라고."

옹칸과 칭기스칸의 이차 맹약은 이렇게 해서 칭기스칸이 옹칸의 법적인 아들로서 그의 후계자가 될 수 있음을 분명히 밝히는 것으로 매듭지어졌다. 이는 옹칸의 군사력과 칭기스칸의 군사력을 합하는 것이나 다름없으니, 고원의 지도자들은 그 여파가 어떻게 미칠지 고민하지 않을 수 없었다.

그리고 옹칸과 칭기스칸의 맹약 때문에 당장 잠을 이룰 수 없는 사람이 나왔다. 고원 북부에 있는 메르키드의 수령 톡토아베키였다. 고원에서는 사안에 따라 누구나 서로 원수도 되고 동지도 되며, 상대에 따라 연합도 하고 배신도 할 수 있지만, 칭기스칸에게만은 그런 게 불가능했다. 아첨을 해도 통하지 않고, 항복도 받아주지 않을 것 같았다. 톡토아베키는 특단의 대책이 필요했다. 칭기스칸이 옹칸의 군대를 장악했으니 자신은 아마도 최초의 희생물이 될 수도 있다. 그래서 앞으로 뒤로 위로 아래로 생각하던 끝에 자기와 똑같은 신세에 있는 사람이 또 있다는 것을 알게 되었다. 그 역시 공격에 대한 두려움으로 떨고 있다면 자신의 제안에 동의할 것이 틀림없었다. 그는 곧장 타이치우트 진영으로 달려갔다.

"키릴툭 수령! 피차 복잡한 사람들끼리 여러 말 하지 않으리다. 칭기스칸이 불편하지요?"

"그래서 공조하고 싶은 거요?"

"서둘러봅시다."

톡토아베키가 여기까지 이야기해놓고 키릴툭을 쳐다보니, 그는 그 큰 덩치에 눈이 어디로 갔는지 사라져버렸다. 그러고는 아무 말도 꺼내지 않는다. 끙, 마음속에 든 무거운 감정을 견디고 있는 한숨 소리가 들렸다. 톡토아베키는 곁에 있던 사람이 갑자기 언덕으로 바뀌어버린 게 아닌지 다시 쳐다봐야 할 지경이었다.

새로운 흐름은 언제나 힘이 센 자가 아니라 앞서가는 자에게서 시작되는 법이다. 메르키드의 톡토아베키가 타이치우트의 키릴툭을 만나고, 키릴툭이 자무카를 찾으며, 자무카가 타타르의 수령을 불러들이게 되는 일련의 과정이 진행되고 있을 때, 그들에게 오간 비밀스런 대화들이 장차 반(反) 칭기스칸 연합 전선의 형성이라는 모습으로 세상에 드러날 것을 모칼리는 미리 읽고 있었다. 울란체첵 때문이었다. 초원의 정세에 민감한 관능 부위에서 살고 있는 여자!

"칸! 울란체첵과 소통할 요원을 만들어주십시오."

"울란체첵이 그렇게 중요한가?"

"멍릭아버지에게 인계받은 첩보망에서 제일 중요한 분 같습니다."

울란체첵은 타타르에 들어갈 때만 해도 아주 평범한 아줌마에 지나지 않았다. 그러나 칭기스칸에게 필요한 첩보를 얻기 위하여 기울인 그녀의 노고는 놀라울 만큼 가상했다. 처음 자리 잡을 때부터 위험을 무릅쓰고 대범하게 덤볐다. 하루는 쿠리엔에 속하지 못하고 흩어져 사는 게르를 찾아서 걷다가 쉬고 쉬다가 걷기를 얼마나 했는지, 초원에서 밤이 되고 말았다. 찬바람이 누더기 델을 뚫어서 다리도 뻣뻣하고, 머리도 굳어갈 때였다. 인가를 찾으려고 했지만 끝없는 벌판만 이어질 뿐 아무것도 보이지 않았다. 자꾸만 두려운 마음으로 가고 있는데, 어느 순간 뒤에서 갑자기 사람의 목소리가 들려 돌아보니 낙타 행단의 선두가 나타났다.

"여어, 거기 사람이오?"

"자식이 아파서 무당을 찾아가는 어미입니다."

반가운 김에 섞이고 보니 만리장성을 넘나드는 대상단이었다. 아닌 밤중에 여자가 혼자서 가는 것을 보고 놀라 상인들은 처음에 경계했지만, 어느 호기심 많은 사내가 울란체첵의 턱을 달빛에 치켜들어 보더니 털로 된 델을 둘러주고 낙타 위에 앉혔다. 그렇게 가다가 원숭이별이 기울 무렵 타타르의 쿠리엔에 닿아 하룻밤을 잤는데, 이튿날 문제가 생겨서 대상단 전체의 발이 묶이게 되었다.

아침 일찍 일어난 대상단의 총각 하나가 강변으로 물을 길러 갔다가 얼음구멍 속에서 머리를 풀어 헤친 소녀의 머리를 발견한 것이다. 총각은 하도 놀라서 물통을 내버리고 도망쳤는데, 얼마 되지 않아 하늘이 어둡게 변하고 큰 눈이 내리기 시작했다. 또 회오리와 같은 북풍이 일어나 사방에 눈을 흩뿌리며 온 쿠리엔을 덮치기 시작했다. 그렇게 사흘 밤낮을 폭설이 내려 일행들이 모두 게르에 덮쳐오는 눈을 치우느라 사력을 다했다. 나흘째 되는 날 드디어 날씨가 개고 해가 떴다. 대상단에 있는 무당이 굿을 하게 되었다.

"억울하게 죽은 소녀가 귀신이 되었소. 곱게 달래서 보내지 않으면 두고두고 재난을 겪을 겁니다."

하지만 귀신이 고분고분 떠나주지 않아서 주민들이 밤새 추격하여 서쪽 산기슭에서 귀신을 붙잡았다. 그리고 이튿날까지 소와 말을 잡아 저녁때가 되자 큰 불을 지펴놓은 뒤 굿을 했는데, 그래도 귀신이 가지 않는다고 했다.

"억울하게 죽은 귀신이 쿠리엔을 떠나지 않소. 여기서 잘 대접한 뒤 풀 더미를 쌓아서 태우고, 불이 꺼지면 뼈를 한 점도 버리지 말고 잘 모아서 등성이에 매장하고 큰 돌로 눌러두세요."

주민들은 뼛가루를 잘 추려 서쪽 바위 밑에 눌러두고 기도를 했다.

'우리들은 이미 소와 말을 죽여 너를 모셨으니, 곱게 불 속으로 들어가라. 너의 붉은 피가 불이 되어 야금야금 타오르고, 넓은 하늘 위로 높이 올라가 빛나는 별이 되기 바란다.'

그러나 귀신이 끝내 가지 않아서 사람들은 그녀가 다시 나타나 괴롭힐 것이 두려워 저마다 돌멩이를 가져다 차곡차곡 쌓았다. 그것이 산 모양을 이루어 오보가 된 것이다. 산더미처럼 큰 타타르의 오보가 만들어지기 시작했다. 사람들은 무당의 분부대로 이 오보에서 제사를 지내면서 예쁜 소녀를 제물로 바쳐야 했다. 유목민이 제물을 바치는 방식은 흔히 가축을 그렇게 하듯이, 제물이 어디든 가고 싶은 대로 가고 머물고 싶은 대로 머물 수 있도록 놔두어서 그 처분을 푸른 하늘의 뜻에 맡기는 것을 뜻했다. 소녀 귀신의 기가 세다 하여 예케 체렌이라는 족장의 작은딸 이수겐을 제물로 써야 했는데, 그녀가 울란체첵을 아주 좋아해서 이모처럼 모시고 따르게 된 것이다. 까닭에 타타르 사람들은 울란체첵을 하늘의 여인으로 생각하여 상류층 사람과 자유롭게 만나 장안 귀금속 장사의 현지처 행세를 하면서 살아도 전혀 어색하지 않게 되었다. 그리하여 금나라의 옹긴 승상이 토오릴칸, 칭기스칸과 연합하여 공격할 때도, 당시에 도망친 네 개의 부족 안에서 활동하고 있었다.

자무카를 중심으로 한 '반칭기스칸 연합'이 만들어지는 과정을 울란체첵이 모칼리에게 전하고, 모칼리가 칭기스칸에게 보고했다. 그와 함께 보르지긴 족이 시급하게 전력을 다듬지 않으면 안 된다는 결론을 얻게 된 것이다.

"보오르추! 자무카 형제와는 이렇게 해서 영영 멀어지는 걸까?"

"칸! 미련을 버리세요. 저는 나이만 전 때 자무카가 우리들을 사지에 몰아넣은 점을 도저히 이해할 수 없습니다."

"한데, 난 조금 이해할 수 있을 것 같아. 옹칸과 내가 동맹을 맺어서 초원을 통일하면 자무카든 나든, 누가 상속받아도 상관없어. 세 사람이 싸우지 않으면 전쟁이 일어나지 않을 테니까. 그런데 인간은 왜 그렇게 살 수 없는 걸까? 불나비가 불을 보면 왜 달려드는 줄 알아? 마음이 춥기 때문이야. 모든 생명은 사랑을 빼앗기면 추워."

그 이야기를 듣고 모칼리가 말했다.

"칸께서 수컷을 거세하지 않고 모아두면 그곳에서 전쟁이 일어난다고 했지요? 수컷을 거세하는 법을 알면서 유목이 가능해진 거예요. 종마가 하는 일이 교미밖에 없는 건 아니잖습니까? 늑대가 망아지를 잡을 때 개처럼 와서 끼어서 놀면서 친해지지요. 망아지는 그것을 구별하지 못합니다. 한데, 종마는 절대 속지 않아요. 식솔을 지키려는 본능이 있어요. 저는 주인을 섬길 때마다 지도자에 대해서 생각해보는데, 종이 왜 그들을 섬겨야 되는지 생각해보면 그들이 지켜주기 때문입니다."

그 말이 칭기스칸에게 놀라운 영감을 주었다.

"혹시 내게 조언하는 건가?"

"종이 뭘 알아서 칸께 조언 같은 걸 올리겠습니까? 사람이 죽는 건 늘 가슴이 아프지만 어떤 이는 죽을 때까지 싸우지 않으면 안 되게 되어 있어요. 종마가 그러지 않습니까? 종마가 살아 있는 상태에서 말 떼의 지도자가 바뀌는 경우란 없거든요."

칭기스칸은 모칼리의 사려 깊은 태도에 탄복하였다.

"아아, 나도 그런 생각을 한 적이 있어. 공존할 수 없으면 죽이는 수밖에 없는 게 아닌가? 한데……."

하지만 그다음 말을 이을 수 없었다. 그것은 자신의 내면에서 아직도 해결되지 않는 문제로 남아 있었기 때문이다. 어릴 때 키릴툭에게 붙들려 처형을 기다리는 동안에는, 아무리 밉더라도 사람이 누군가를 죽이는 것은 잘못이다, 생각했었다. 메르키드 전 때도 버르테를 찾자마자 '원하는 것을 찾았다. 여기서 멈추자' 하고 종진 신언을 서둘렀나. 한데, 그때 톡토아베키를 추격하다 말았기 때문에 두고두고 불씨가 사라지지 않는다. 인간이 다른 동물과 달리 언제까지건 복수하고 복수당하기를 반복하며 살라는 것이 푸른 하늘의 뜻은 아닐 것이다. 전쟁의 불씨가 사라지려면 누군가는 순환의 꼬리를 잘라야 하는데, 그 일은 누구의 몫인가? 만약 자신이 키릴툭을 생포한다면 스승이자 원수인 그를 죽여야 하는가? 의형제이자 이간자인 자무카와 싸운다면 어찌해야 하는가? 은인이자 배신자인 옹칸과 결별한다면 원수가 되지 말라는 보장이 있는가? 하지만 분명한 것은 지난 전투에서 살려둔 자들이 새 군대를 편성하여 또 다른 전투를 준비하는 상황이라는 점이다. 모칼리는 그것을 종마와 거세마로 나누어서 거세마처럼 다른 공동체의 일원이 될 수 있는 사람은 살리고, 종마처럼 스스로 우두머리가 되지 않으면 안 되는 운명을 가진 자들은 죽여야 한다는 것을 조언하고 있는 것이다.

"젤메, 친위대에서 누가 제일 빠르나?"

"수베테이입니다."

"활은 누가 제일 잘 쏘지?"

"보로굴이요. 한데, 최고의 용사는 따로 있습니다."

"허허, 수베테이보다 더 뛰어난 인재도 있다니! 이름이 뭔가?"

"놀라실 텐데요."

"그래서 안 가르쳐주려고?"

"주치요."

"에헤이, 농담하나? 그 순둥이가 어떻게? 나는 천 마리의 말이 울부짖는 속에서도 황금색 늑대귀 말의 것을 식별해 들을 수 있는데, 이상하게 주치의 목소리는 기억하지 못해. 어찌나 말 없이 컸는지."

보오르추가 끼어들었다.

"칸, 주치는 친위대의 인재가 아닙니다. 푸른 군대 전체에서 한 명을 뽑으라 하면 주치를 꼽아야 해요."

칭기스칸은 입이 쩍 벌어졌다. 도대체 언제 열여덟 살이 되었는지, 어리광이나 투정도 없이 자라서 눈에 띄지 않았는지, 불쑥 자신이 너무 모른다는 생각이 들었던 것이다.

"나이만의 명장 쿠쿠세우가 깃발을 빼앗기자 퇴각했다고 말했잖아요? 그게 제가 아니라 사실은 주치의 공적입니다. 칸께 보고하는 게 이상해서 말았지만요."

그 말은 칭기스칸의 머리를 더 복잡하게 만들었다. 사실상 이번에 적진을 살피는 관측소를 세우자는 것이 모칼리의 의견이었다. 톡토아베키, 키릴툭, 타타르의 수령 예케체렌의 주위에서 전운이 느껴지는 건 분명하니, 그들의 움직임을 수시로 파악하려면 나이 어리고 유능하며 신뢰할 수 있는 용사를 따로 배치하지 않을 수 없는 시점이었다. 가령, 울란체첵과 칭기스칸 사이를 수베테이가 연결하고 있으면 타타르에 관측소를 세워둔 것과 다름없이 되는 것이다. 그래서 마땅한 인물을 물색하다 보니 주치에 대한 염려가 커진 것이다. 칭기스칸은 아직 누구에게서도 자무카에 대한 보고를 받지 못했지만 그가 거사를 도모할 시점인 것은 분명하다고 보았다. 인간은 사랑의 부족을 견디지 못한다. 옹칸과 칭기스칸의 결속을 자무카는 결코 모른 척 지나갈 사람이 아니었다. 모칼리가 어쩌면 그 점을 예견하고 상상력을 제공하는지 모를 일이었다. 그래서 칭기스칸은 심각한 표정으로 보오르추에게 물었다.

"보오르추는 혹시 사막에 대해서 알아?"

"나타를 치는 사람들이 알지, 말을 치는 사람들이야 초원 귀신이라서요."

"사막에 서 있으면 보이는 것 같아. 대지는 푸른 하늘의 것이야. 목마른 짐승이 마실 수 있도록 물이 고여 있어야 하지. 한데 사막에는 없잖아. 세상 어디에서나 부족한 것은 귀중해지는 법. 성을 쌓는 놈들은 귀한 것을 나눠 갖지 않으려고 발광하는데, 그것처럼 나쁜 게 어디 있겠어?"

"그러고 보니 성을 쌓는 것은 물을 숨기는 것이고, 푸른 하늘을 훔쳐가는 것이네요?"

"내 말이 그 말이야. 풀은 물을 기억하고 찾아다녀. 그래서 물이 옮겨 다니는 자리를 따라 풀이 돋는데, 그 꽁무니를 또 가축이 따라다니지. 염소가 양보다 잘난 게 뭐냐면 풀보다 물을 찾는 데 더 많은 시간을 사용한다는 점이야. 그보다 더 뛰어난 야생마는 앞발로 흙을 파서 물이 나오면 그것을 먹지. 낙타는 땅속에 있는 물 냄새를 맡으면서 걸어. 보르지긴 족이 자다란 족을 얼마나 소외시켜왔는지 자무카에게는 흰 뼈가 물이야. 언제나 검은 뼈라는 사막 위에 서서 쓸쓸해하니까."

자무카의 마음에 있는 허기에 대한 이야기를 듣다가 보오르추는 칭기스칸이 주치에 대해 자유롭지 못할까 봐 불안하였다. 자신이 목숨을 주고 싶었던 사람이 혹여 그럴 만한 가치가 없게 되었을 때 안겨올 공허가 불안했던 것이다. 그래서 좀더 분명히 할 필요가 있었다.

"칸! 주치를 일선에서 뺄까요? 본인은 최전선을 강력히 희망합니다. 그 아이는 전쟁에 나가서 공을 세우지 못하면 아플지도 몰라요. 기운이 없다가도 전쟁터에만 나가면 전혀 다른 사람이 되거든요."

"몰라. 버르테가 안고 있는 모습을 보지 못했어. 어머니가 아무도 손대지 못하게 하기 때문이라고 생각했는데, 언제부터인지 그게 아니라는 느낌이 들어. 낙타는 제 발로 서지 못하는 새끼에게는 젖을 주지 않아. 사랑이 아프기 때문이야. 나도 자꾸, 전쟁터에서 어떤 아들을 잃어도 명예를 잃지 않는데, 주치를 잃는다면 나의 명예를 다 잃을 것 같은 불안이 있어. 뼈도 사랑인가? 자식에게 뼈를 준 것만으로도 푸른 하늘의 뜻을 전하는 것인가? 보오르추에게 주치만은 다치지 않게 해달라고 부탁하고 싶었는데, 생각해보니 그게 사랑의 부족에서 빚어진 마음 같아서 걱정이 되네."

"칸에게는 푸른 하늘이 있잖습니까? 모든 운명을 하늘에 맡기면서도 왜 주치 문제는 그곳에 맡기지 못하십니까?"

사실은 보오르추도 거기에 자신의 명예를 걸고 있었다. 주치만은 절대 다치지 않게 해야 된다는 생각을 버릴 수 없는데, 한편으로는 그것이 자꾸 주치를 묶는 것 같은 느낌이 드는 것이다.

"칸! 주치는 정찰병이 아니라 천호장을 맡아야 될 용사입니다. 이번 전쟁 때부터 맡겨주실 것을 건의합니다."

이렇게 해서 이야기는 일단락되었다. 그리고 얼마 안 되어 모칼리가 조직한 '보이지 않는 군대'의 활약으로 이전과는 다른 차원의 전쟁이 준비된다는 보고를 받고 대책을 세우지 않으면 안 되게 되었다.

8

자네와 나를
푸른 하늘이 보셨네

1

닭의 해(서력 1201년) 어린 봄의 아흐렛날 아침.

자무카는 동(東)고비에 있었다. 사막이라기보다 황막(荒漠)에 속하는 땅. 먼 옛날에 바다였던 흔적이 역력한 동고비의 붉은 흙 지대는, 전설의 바다에서도 가장 깊은 밑바닥이라 푸른 하늘이 거북이를 뒤집어 대지를 만들기 전의 모습을 그대로 보여준다. 그곳에서는 가끔 살아 있는 별이 추락해 불타기도 하고, 땅에서 엄청난 기가 흘러나와 무서운 바람을 일으키기도 한다. 과연, 동고비의 명물은 천지를 요리하는 봄바람이었다. 그곳에서 보면 세상은 한 채의 거대한 투명 게르처럼 되어 있어서 바람이 불 때마다 보이지 않는 기둥이 흔들리고, 보이지 않는 펠트가 펄럭이는 소리로 시끄러우며, 보이지 않는 천창으로는 연기가 빠져나가듯이 자욱한 흙먼지가 일어서 하늘을 가린다. 해마다 봄에는, 대지에서 가장 큰 생명체라 불리는 전설의 새가 날았던 자국에서 대륙풍이 일어나 한번 이륙하면 어마어마한 모래더미를 껴안고 수만 리를 날아간다. 그렇게 우주의 기가 머무는 곳이라서 유목민들은 육신의 기운이 마를 때마다 그곳에 가서 근력을 충전하는 관습이 있었다. 자무카 또한 용틀임을 하느라 영명한 무당을 데리고 찾아가 그곳의 땅 기운을 받느라 며칠을 묵었는지 모른다.

때는 이른 아침이었다. 자무카는 눈을 뜨자마자 침상을 박차고 일어나 뚜벅뚜벅 걸어서 오줌을 싸고, 아직 이슬이 마르지 않은 땅바닥에 입을 맞춘 다음, 달도 지지 않고 해가 떠버린 신령스런 하늘을 향해 소리를 지른다.

"내가 느껴지지 않아?"

하도 오랜만에 듣는 소리라 처여가 말고삐를 쥔 채 환희에 찬 표정을 짓고 있었다.

"그게 얼마나 오래전인지, 대장군님이 말 떼를 몰고 세상을 구하러 가던 때가 생각납니다. 흰머리를 풀어 헤친 귀신 바람 속에서 날뛰던 늑대들은 이미 푸른 하늘로 옮겨가 뉘우치고 있을 겁니다요."

"너는 아직도 대장군님이냐?"

"아차, 이제 대칸이십니다. 구르칸 님이시여!"

발밑에는 온통 손톱만 한 자갈들이 깔려 있어서 얼핏 보면 생명체가 하나도 없는 것 같아도 다시 보면 앙증맞은 도마뱀들이 여기저기 숨어 있다가 한눈을 팔 때마다 재재재재 굴러가고는 한다. 전갈도 있었다. 작고 약한 것들이 사막에서 살아남는 법은 보호색을 뒤집어쓰거나 모래 위에서 민첩하게 이동하는 법을 터득하는 것이다. 자무카는 며칠 전 칸에 등극하던 기억에 도취돼 두 다리에 잔뜩 힘이 들어가 있었다. 사나운 돌개바람이 어찌나 거칠게 소용돌이치는지 광활한 벌판에 있는 것들을 금방이라도 난폭하게 쓸어버릴 것 같았다. 그 시끄러운 바람 소리 속에서 낙타가 운다. 그곳의 바람은 모든 포유류의 눈을 뜰 수 없게 만들기 때문에 한번 떠밀리는 가축은 길을 잃는다. 그해 봄에는 특히 유난해서 자무카가 떠나오던 날도 쿠리엔에 있는 게르 수십 동이를 빼앗고 일곱 명의 실종자를 만들었다. 그래도 자무카는 기분이 좋아 그 모든 것을 축복이라고 생각했다. 열 몇 개의 부족이 모인 합동 쿠릴타이에서 자무카를 구르칸으로 받들게 된 것이 더없이 만족스러웠던 것이다.

구르칸이란 '전체를 대표하는 칸'이라는 뜻을 갖지만, 자무카가 구르칸이라 불리기를 희망한 이유는 단지 그것에 있지 않았다. 몇 해 전까지만 해도 케레이트 부족을 다스리던 옹칸의 숙부가 구르칸이었는데, 옹칸은 바로 그에게 반역하여 형제들을 죽였고, 테무진의 아버지 예수게이조차 옹칸의 동맹자가 되어 그러한 반역을 편들었다. 따라서 자무카는 구르칸이라는 칭호 하나로 옹칸의 권력을 비웃고, 그의 수하라 할 수 있는 칭기스칸에게도 공개 비판을 가하는 셈이었다. 그렇게 자무카의 설명에 의존하다 보면 테무진 역시 예수게이의 후광으로 옹칸을 업고 세력을 얻었다는 느낌이 드는 게 사실이었다.

자무카의 생명력은 그 탁월한 언어 구사력에 있었다. 이제 그를 통해 또 한 번의 세력을 얻었으니, 동고비의 기를 받아서 한껏 충전되고 나면 출사표를 던질 생각이었다. 그렇게 되면 칭기스칸과 옹칸은 세상이 어떻게 돌아가는지도 모르고 꿈이나 꾸고 있다가 뒤통수를 맞을 것이 틀림없었다. 그는 오랜 소외 끝에 맞은 기회를 놓치지 않으려고 다시 큰 소리로 외친다.

"형제여! 머잖아 구르칸이 뼈를 한 뼈라 부르는 날이 올 것이다."

그러나 그것은 그만의 생각이었다. 칭기스칸에게는 자무카가 모르는 '보이지 않는 군대'가 항시 대기해 있어서 그곳에서 무슨 일을 하는지 보이지 않지만 늘 고원의 정보를 수합하고 있었다.

자무카가 구르칸이라는 칭호를 얻은 곳은 켄 강과 에르군네 강이 합쳐지는 삼각주였다. 처음에는 옹기라트, 이기리스, 더르밴, 타타르, 카타긴, 살지오트 부족이 자무카를 어린 몽골의 칸으로 받들자고 해서 모였는데, 나중에 메르키드와 타타르, 나이만까지 합류해서 반(反) 칭기스칸 전선이 만들어지는 자리가 되었다. 한번 의기투합을 하고 나니 다들 의욕이 앞서서 종마를 제물로 바치며, 엄숙한 맹세를 주고받았다. '비밀을 누설하는 자는 폭풍에 강둑이 무너지듯 무너질 것이다. 약속을 깨뜨리는 자는 번개에 나뭇가지가 잘려 나가듯 내쳐질 것이다.'

그리고 각 부족의 언덕에서 퍼온 흙을 강물에 넣고 숲에서 가져온 나뭇가지를 칼로 베면서 칭기스칸을 기습할 준비에 착수하자 코롤라스의 무당 하나가 이 소식을 낱낱이 암기하여 헤를렌 강 상류로 달려가 모칼리에게 전달하였다.

모칼리는 옹칸과 칭기스칸의 결속에 맞서서 자무카가 대항 세력을 결집한 사실을 신속히 보고한 후 황급히 소집된 잡종 집단의 쿠릴타이에서 모두에게 공유시켰다. 자무카도 초원의 부족을 대부분 포함하고, 칭기스칸도 옹칸과 한 몸이 되어 있었으니, 마침내 고원의 유목민이 둘로 나누어 대결하는 형국이 되었다. 모칼리는 그렇게 된 경위를 동지들이 알아듣기 쉽게 설명한다.

"칸을 따르지 않는 적이 어떤 사람들인지를 알려면 자무카가 모은 사람들을 보면 됩니다. 헤를렌 강 하류의 타타르, 셀렝게 강 하류의 메르키드, 오논 강 하류의 타이치우트, 바이칼 호 서쪽 숲에서 사는 오이라트, 여기에 나이만 족의 보이록이 합류해 있어요. 그들에게 복속돼 있는 군소 부족들도 다 모였지요. 카타긴, 살지오트, 더르밴, 이기리스, 코롤라스, 심지어는 옹기라트 족도 있습니다."

"어떤 사람들이 그렇게 모은 거야?"

"그야 빤하지요. 자무카 외에도 옛날에 칸을 괴롭히던 족장들, 톡토아베키, 키릴툭, 오이라트의 쿠투카베키, 나이만의 보이록이 야합을 한 겁니다."

상황은 이제 고원의 중앙과, 그를 둘러싼 동서남북의 연맹이 일촉즉발의 지점에 이르렀다. 칭기스칸의 쿠릴타이는 깊이 고심한 끝에 대비책을 만들고 이를 옹칸에게 알려 자무카의 공습을 기다리게 되었다.

구르칸의 군대는 전갈부대였다. 연합군을 대표하는 장수들, 타이치우트의 아우트 바타르, 나이만의 보이록, 메르키드의 쿠투, 오이라트의 쿠투카 등이 선봉장으로 나서기 위해 자무카를 에워싸고 있으니, 전투력은 화려하지만 정체성을 만들기가 쉽지 않았다. 중요한 것은 전쟁의 성격이다. 자무카가 승리한다면 고원의 중부를 다스리는 최고 통치자가 될 것이다. 그를 보면 싸우는 목적이 너무나 명료하지만 그의 군대를 구성하는 대다수의 유목민에게는 동기가 애매하기 짝이 없었다. 조상을 위해 복수전을 펼쳐야 하는 원한의 전쟁도 아니고, 약탈과 포로 획득을 위한 욕망의 전쟁도 아니었다. 부끄럽게도 갖은 고생을 하며 자란 약소 부족의 칸이 고원의 지도자가 될 것을 염려하여 모인 반칭기스칸 연합체였으니, 변방 부족들 중에는 자신들이 왜 칭기스칸을 배척하고, 구르칸을 위해 싸워야 하는지를 몰라 애를 먹는 경우도 많았다. 그 때문에 자무카는 불사신을 상징하는 전갈을 그려 연합군의 깃발을 만들고 유목민의 전투 욕망을 불러내는 특별 작전을 고안했는데, 그것이 바로 여자 무당 오드간의 신통력으로 하늘의 뜻을 전하는 것이었다.

자무카로서는 그럴 만한 것이, 언젠가 무속의 힘을 뼈저리게 느낀 적이 있었다. 흉일에 치노스 족 칠십 명을 솥에 삶았던 사건이 얼마나 참담한 결과를 가져다주었던지, 지금도 그 생각을 하면 두고두고 속이 쓰려서 견딜 수 없었다. 까닭에, 이번에는 동고비에서 기를 충전하고 몸가짐을 정갈스럽게 하고도 모자라 다시 날을 받은 것이다.

"점괘가 어떻소?"

"길일입니다."

"폭풍을 일으키는 건 가능하고?"

"신령님을 믿으세요. 날씨는 분명히 발칵 뒤집힐 겁니다."

칭기스칸 진영에서는 이 같은 움직임이 빨리 해석되지 않아서 여간 애를 먹지 않았다. 자무카의 군대가 소리 없이 결집하고 있다는 보고는 곳곳에서 들어왔다. 특히 동고비에서 기를 충전한 사실은 그가 예전과는 다른 전투를 하리라는 것을 암시하는 중요한 첩보였다. 그래서 칭기스칸은 코르치와 젤메에 모칼리는 물론 텝텡그리까지 무속에 일가를 이룬 사람은 죄다 불렀다.

"자무카가 택한 것이 좋은 날이 맞는가?"

텝텡그리는 단호히 고개를 젓는다.

"아니요. 흉일입니다. 조드가 올지 몰라요."

자무카가 공습하는 날을 적진에서는 길일로 보고, 아군에서는 흉일로 보고 있었다. 여기서 모칼리가 퍼뜩 구르칸의 속셈을 예측하게 되었다.

"칸, 이건 추위 전쟁입니다. 구르칸이 원하는 건 조드 전쟁이에요."

"왜 그렇게 생각하지?"

"오드간은 기후를 조절하는 무당입니다. 구르칸은 지금 초자연적인 공격을 구상하고 있음이 틀림없어요. 오드간의 염력으로 푸른 하늘의 힘을 빌려보려고 동고비에 갔던 겁니다."

칭기스칸은 고민되었다. 패전하면 어떻게 될 것인가? 초원의 날씨는 어느 때보다 불순하다. 아직 추위가 빠져나가지 않은 데다 사람도 가축도 기운이 소진된 때였다. 말들은 체력이 고갈돼 조금만 달려도 녹초가 된다. 이럴 때 조드가 오면 치명타를 맞는데, 우환 중 전쟁까지 해서 패한다면 유목민의 고통은 이루 말할 수 없이 클 것이다.

"전쟁의 길흉은 어느 쪽에서 바라보느냐에 따라 바뀌는 수도 있어요. 자무카가 폭풍이나 눈비로 공격한다 하더라도 다른 곳에 연기를 피워서 그것이 쏟아지는 장소를 옮길 수도 있고요. 산등성이에 쏟아질 눈비를 골짜기에 퍼붓게 하는 수가 있잖아요."

그러고 보면 구르칸은 더욱 심각한 상처를 입을 수도 있는 모험을 하는 셈이었다. 유목민이라면 누구나 조드가 올까 봐 벌벌 떠는 때에 무당의 염력을 빌려서 오히려 조드를 일으켜 적을 물리치려고 한다? 이는 그런 생각을 했다는 사실 하나만으로도 다시는 재기할 수 없도록 인심을 잃을 터였다.

그러나 그에 대한 고민 없이 전쟁의 날은 밝았다. 당일 칭기스칸은 옹칸과 합류한 다음 헤를렌 강기슭을 탔다. 칭기스칸이 알탄과 코차르, 숙부 다리타이를 척후로 내보내자 옹칸도 셍굼과 자카감보와 막료 빌게부키를 척후로 내보낸다. 푸른 군대가 쿠텐 호수와 보이르 호수 사이에 있는 쿠텐 지방에 다다랐을 때, 칭기스칸은 정찰대를 만들어 두 역참이나 떨어진 곳에서 작전을 펴게 했다. 본대는 폭풍을 피할 수 있는 곳에 감춰두고 정찰대가 적을 유인하게 만든 것이다. 구르칸은 그런 줄도 모르고 아르혼 강을 거슬러 올라오고 있었다. 그리하여 전갈부대가 푸른 군대의 정찰대를 추격한 끝에 양쪽 본진이 최종적으로 맞닥뜨린 곳은 테니코르칸이었다.

곧 날이 저물었으므로 양쪽 군대는 대치 상태에서 숙영하였다. 그리고 해가 뜨자 자무카는 푸른 군대가 지원군을 받지 못할 장소로 내몰리도록 폭풍을 불러오라는 지시를 내렸다. 무당 오드간은 날씨를 주제하는 정령이 깃든 비바위[雨巖. 날씨를 조절하는 영험한 바윗돌]로 주술을 부렸다. 바윗돌을 물에 담가 씻으면 어느 계절이든 한기, 눈, 비, 폭풍 등이 한꺼번에 몰려서 온다. 그것은 폭풍우나 폭설을 몰고 오는데, 어떤 때는 여름에도 눈보라를 들이쳐 적군의 대열을 순식간에 사지로 몰아넣기도 한다. 그날은 주먹만 한 우박을 쏟았다. 그리고 이어서 심각한 폭풍과 함께 눈비를 뿌려대다 나중에는 차디찬 얼음으로 변했다. 그러나 푸른 하늘의 가호인지 폭풍은 푸른 군대가 아니라 반대쪽으로 휘몰아쳐 전갈부대를 곤경에 빠트렸다. 구르칸 쪽에서는 당황하기 시작했다.

'혹시 눈비가 반대쪽으로 들이친 건 아닌가?'

구르칸의 정찰대가 돌아와 보고하는 소리를 듣고 몇몇 부족들이 두려움을 견디지 못하고 빠져나갔다. 지휘 계통에 권위가 서 있지 않고, 대열의 체계를 일사불란하게 운영할 수 없다는 것이 전갈부대의 최대 약점이었다. 적진이 우왕좌왕하는 모습을 보고 칭기스칸 군대가 역습을 시작하자 연합군은 순식간에 오합지졸이 되고 말았다. 사나운 늑대가 그려진 푸른 군대의 깃발은 젖은 흔적도 없이 펄럭이고, 구르칸의 전갈은 잔뜩 물기를 먹어서 바람이 불어도 나부끼지도 못하고 있었다.

해거름이 점점 깊어지면서 사방은 어둠에 감싸이고 구르칸의 군사들은 폭풍에 한껏 시달리는 상태에서 푸른 군대의 공격을 받아 어찌할 바를 몰랐다. 이미 패주가 시작된 집단을 마구 밀어붙이자 사람도 짐승도 어둠 속에서 절벽으로 굴러 떨어졌다. 살아남은 자들도 너무나 혹심한 눈보라로 손발에 동상을 입었다. 무엇보다도 헤를렌, 오논, 톨 강에서 살던 알랑고아의 전설을 함께 가진 부족들은 수호신이 늑대 깃발을 지키고 저주의 폭풍이 반대쪽으로 쏟아질 때 자신들이 잘못된 진영에 서 있는 것을 깨닫고 하얗게 질려서 꽁지가 빠지게 달아났다. 조상을 배반하고 푸른 하늘의 채찍을 받을 것 같은 무서운 느낌에 휘말린 것이다.

구르칸의 추위 전쟁은 너무나 쉽게 끝나고 말았다. 전갈부대는 맥없이 패배하여 사방으로 흩어졌다. 지휘부의 통제력이 약했으니, 나이만 족은 알타이 산 쪽으로, 오이라트 족은 바이칼 호수 쪽으로, 메르키드 족은 셀렝게 강 쪽으로, 타이치우트 족은 오논 강 쪽으로 뒤도 보지 않고 빠져나가버렸다. 텅 빈 초원에는 아무 일도 없었던 것처럼 평화가 찾아왔다. 한없이 고요한 하늘에서 매 한 마리가 소리없이 날아 어디로 사라져간다. 칭기스칸 진영도 숙영지에 돌아와 조상의 영기를 앞세우고 늑대의 깃발을 나부끼며 검은 톡 기를 중심에 세웠다. 이둠이 깔리면 대지 위의 모든 것은 엄숙하게 숨을 죽인다.

푸른 하늘의 것이라 하여 흙에 박힌 돌멩이 하나도 함부로 뽑지 않고, 땅바닥에 말뚝 하나 박지 않으며, 풀뿌리 하나도 짓뭉개지 않은 채 젖 먹고 크는 짐승의 길을 따르는 군대가 밤을 맞는 모습은 누가 봐도 무언가 정신적으로 압도하는 것이 있었다. 그토록 시퍼런 군율은 어디에서 오는가?

칸은 유목민의 법도를 매우 중시하는 사람이었다. 또한 참모를 꾸짖거나 무안하게 만든 적이 없는데, 그것은 집단을 자유롭게 하면서도 오히려 군기를 더욱 강고하게 만들었다. 그의 진영에서는 누구나 자신의 위엄을 스스로 지켜야 했다. 나아가, 유목민의 심성에 상처를 주는 일을 하지 않기 때문에 소속 집단을 회의하거나 탈영하는 사람도 없었다. 칭기스칸이 등장한 이후에 초원의 가치관도 등장한 셈이라 그것을 지키지 않는 지도자는 곧잘 경멸받게 되었다.

또 한 차례 적의 공세를 막았으니 칭기스칸의 동지들이 모이지 않을 수 없었다. 언제나 말문을 터주는 사람은 젤메였다.

"모든 동물은 서서 하는데 낙타는 불쌍해. 혹 때문에 누울 수도 없고, 서도 혹이 있어서 키가 너무 크고."

구르칸 진영의 복판에 서 있던 키릴툭이 낙타를 닮았다고 해서 꺼낸 말이지만 곁에서 듣던 코르치가 그냥 지나갈 턱이 없다.

"맞아. 동물은 서서 하지. 내가 두 발로 사는 동물을 본 적이 있는데, 요놈이 암컷 망아지를 꼭 탐내더란 말이야. 엉덩이가 예쁜 암컷 망아지를 보면 제 수컷을 단련시킨다고 뒤로 가서 찔러보는 거야. 한번은 키가 아담하고 엉덩이가 딴딴한 망아지를 만나서는 구멍이 두 개라는 것을 생각지도 않고 잘못 찔렀어. 말이 펄쩍 뛰었지."

하필 쿠투쿠가 동행하고 있었으니 무슨 소리를 하는지 알아듣지 못한다. 그렇다고 궁금한 것을 참고 지나갈 아이도 아니다.

"두 발 동물은 어떻게 생겼어요? 날개가 달렸어요?"

"하하, 그게 말씀이야. 날개가 작아서 못 날아. 어떻게 생겼는가 하면 두 다리 사이에 커다란 불알이 덜렁거려서 제대로 걷지로 못해."

"왜요?"

"똥꼬를 찔린 망아지가 뒷발로 걷어차서 퉁퉁 부어오른 거지."

이때 보오르추가 왔다가 웬 망아지 이야기인가 하고 한마디 한다.

"그렇게 말을 바꿔 타라고 해도 안 바꿔 타고 한 마리만 내리 녹초를 만드는 놈이 꼭 있어."

말에 대한 사랑이 누구보다도 극진한 사람이라 말을 자주 교체하지 않고 타는 사람을 보면 참지 못하고 꾸짖는 성미였다.

"쯥, 분위기가 한참 익어가는 참인데, 암각화에서 뛰어나온 사람이 둘이라."

쿠투쿠와 보오르추를 암각화에 비유한 것이다. 젤메가 서운해서 불씨를 다시 살려보려다가 칭기스칸이 와서 자리를 잡는 바람에 분위기가 일거에 바뀌어버린다.

"우리가 왜 늑대 깃발을 드는지 알아? 초원에서 인간의 지위를 누리려면 늑대보다 훌륭해야지."

칸은 초지를 중시해서 '초원이 사라지면 아무것도 없다. 초원이 없으면 아무것도 살 수 없다' 해서 군대조차 푸른 군대라 부르는 걸 좋아했으니 관심이 오직 한곳에 쏠려 있었다. 코르치만 마음이 서운해서 쿠투쿠의 귀에 대고 계속 속삭인다.

"낙타는 말이야. 수낙타가 암낙타를 물어서 앞발을 접어서 앉혀. 그리고 꿇어앉아서 하는 거야. 법 받는 거기."

초지가 풍요로운 곳에서 자란 사람은 낙타가 귀해서 그런 풍경을 몰랐다. 그래서 코르치의 말을 쿠투쿠뿐 아니라 다른 사람들도 귀담아듣는다. 하지만 전장에서 맞는 밤이라 다들 긴장을 풀지 않았다. 그 속에서 다음 일을 설계할 줄 아는 이는 모칼리뿐이다.

"칸, 어서 종마를 쳐야 하지 않습니까?"

"어느 쪽을 칠까?"

"구르칸을 쳐야지요."

사실은 옹칸이 자무카를 쫓겠다고 해둔 터였다. 그래서 칭기스칸은 타이치우트에 대한 질기고 오랜 악연을 끝내는 쪽으로 방향을 틀었다.

"우리는 타이치우트를 치자."

그리하여 옹칸은 자무카를 추격하고, 칭기스칸은 타이치우트의 꼬리를 밟게 되었다.

다음 날, 타이치우트가 도피한 곳을 찾아낸 것은 정오가 다 되어서였다. 키릴툭은 칭기스칸이 쳐들어올 것을 알고 오논 강 건너에서 숨죽인 채 기다리고 있었다. 이만 명이 넘는 기마병이 진을 치고 중앙에는 결사대가 꾸려져 호위하고 있으니, 어지간해서는 접근할 수 없었다.

"수령님! 늑대 깃발이 다가오고 있습니다."

"피할 길은 없으니 이기는 수밖에."

키릴툭은 맞서 싸울 것을 선택했다. 한나절만 버티면 구르칸이 지원할 것이고, 기회를 잘 활용하면 칭기스칸이 앞뒤로 갇혀 끝장날 수도 있었다.

하지만 칭기스칸은 그에 맞서 단계별 조직화를 할 생각이 없었다.

지도부는 반드시 제거해야 되지만 백성들은 누가 뭐라고 해도 아버지의 옛 부하들이었다. 최대한 빠른 시간에 사령부를 격퇴해야 인명 피해가 최소화될 것이다. 늑대는 가축을 몰살시키는 것이 아니라 초원을 훼손하지 못하도록 제어하는 사냥을 한다. 칭기스칸은 자신이 손수 타격대를 이끌 생각이었다.

"보오르추, 타격대가 거칠게 돌파할 테니 적장이 도망치는 지점을 잘 포착해. 되도록 주변을 보지 말고 중앙을 쳐라. 돌격!"

그러나 싸움은 예상보다 쉽지 않았다. 푸른 군대가 아무리 몰아쳐도 아우트 바타르가 이끄는 결사대는 오논 강 저편 언덕에서 날카로운 요격을 멈추지 않았다. 푸른 군대는 말 위에서 활을 쏘고, 타이치우트는 바위 언덕을 골라 고정된 지점에서 응사했다.

활을 잘 쏘는 자는 보투와 카사르. 그러나 주치, 수베테이, 보로굴이 날아다니는 것을 누가 막을 수 있는가? 새 떼들의 공습이라 해야 옳았다. 특히 주치는 말을 타고 적을 향해 빠른 속도로 다가가면서 활을 쏘고, 돌아 나오면서 활을 쏘았다. 타이치우트는 가슴에 구멍이 뚫리듯이 복판이 텅 비게 되었다. 오래 버티기는 힘들고, 어두워지면 더욱 위험해질 것이다. 하지만 야간전투가 이어질 거라는 예측을 깨고, 제자리에서 숙영하라는 명령이 전달되었다. 눈치를 챈 사람이 있을까?

명령은 칭기스칸의 것이 아니었다. 타격대가 적진을 송곳처럼 파들어갈 때 난데없이 날아온 화살 하나가 허공에서 멈춘다 싶더니 갑자기 황금색 늑대귀 말이 기겁을 하듯이 울었다. 젤메가 놀라서 보니 그 위에 있어야 할 칸이 사라지고 없었다. 순간, 젤메는 눈앞에서 번개가 치더니 세상이 캄캄해지는 것을 느꼈다. 뭔가 끔찍한 일이 벌어졌다 싶어서 얼른 뛰어내렸다. 그리고 화살이 날아오거나 말거나 칸을 끌고 뒤로 돌아 달렸다.

"칸……, 칸!"

"왜 우느냐? 싸우다 어두워지면 그 자리에서 숙영해라."

이 말을 끝으로 침묵해버렸다. 젤메는 온몸에 소름이 돋고 등에서 털이 쭈뼛 서는 것 같았다. 짧은 시간에 엄청난 두려움이 몰려들었다. 제발, 살아 있게만 해달라고 간절히 기도하며 버드나무 숲으로 숨어들었다.

'아, 얼마나 소중한 사람인가? 칭기스칸이 이승에 없다면 무슨 재미로 초원을 누비고, 전쟁터를 따라다니는가?'

자리를 잡고 보니 버드나무로 된 화살이 왼쪽 목 부위의 쇄골 위를 뚫고 나와 등을 향하고 있었다. 바로 뽑아내려고 하면 화살촉 뒷부분의 미늘로 상처가 커지게 되어 있어서, 젤메는 화살을 상처 부위 안으로 쑥 밀어 넣어서 반대쪽으로 빼냈다. 다행히 뼈를 건드리지는 않았지만 독이 묻어 있을 가능성이 많았다. 그는 칸의 머리맡에 앉아 피를 빨아내기 시작했다. 이미 자기 외에는 누구도 믿음이 가지 않았다. 아무에게도 말하지 않고 오직 혼자서 피를 빨아내고 뱉고, 또 빨아내고 뱉고를 반복했다.

칭기스칸이 깨어난 것은 이튿날 새벽이었다. 눈을 떠보니 주위가 온통 피범벅이다.

"이게 뭔가?"

"돌아오셨군요, 칸! 살아주셔서 정말 감사합니다. 제가 죽는 줄 알았어요."

젤메가 소리 죽여 울먹이느라 끅, 끄윽, 하는 소리를 냈다. 칭기스칸이 사방을 살펴보다 화살 하나를 치켜든다.

"내가 맞은 화살인가?"

"네. 그놈이 갈 곳으로 칸이 가버린 줄 알았어요. 밤새 빨아도 지혈이 되지 않으니."

화살의 꽁지에 피가 응축된 살점이 묻어 있었다. 주위에 널린 검은 핏덩이는 젤메가 밤을 새운 흔적을 고스란히 보여준다.

"추운데 왜 발가벗고 있어?"

한밤중에 지혈이 되자 칭기스칸이 갈증을 호소하는데, 물을 구할 방도가 없었다. 하늘에는 헤아릴 수 없이 많은 별이 빛나고, 오논 강 골짜기에는 물 향기가 풍기는 바람이 분다. 한데, 멀지 않은 곳에 타이치우트의 막사가 있어서 하필 강가에만 세 곳이나 초병을 세워 지키고 있었다. 부스럭거리는 소리만 나면 화살이 날아올 게 틀림없었다. 젤메는 하는 수 없이 웃통을 벗었다. 아무리 생각해도 타이치우트의 막사에서 마유주를 훔쳐오는 수밖에는 방법이 없었기 때문이다. 그리하여 벌거벗은 채 별빛이 닿지 않는 언덕을 기어서 막사에 들어가 마유주 통을 뒤졌으나 텅 비어 있었다. 하는 수 없이 곁에 있는 요구르트를 가져다 먹이게 된 것이다.

"적진에 뛰어드는데 왜 옷을 벗어?"

"나야 죽어도 상관없지만 칸이 없으면 몽골은 키릴툭의 것이 되잖아요."

젤메의 지혜였다. 유목민은 밤에 옷을 벗고 자기 때문에 잠결에 오줌을 싸러 나온 사람으로 착각하게 하려고 벗어 던진 것이다.

"저런."

"놈들에게 걸리면 푸른 군대에서 탈출하다 붙들려서 갑옷을 빼앗긴 채 겨우 몸만 빠져나왔다고 말하려던 참이었어요. 발가벗고 있는 데야 믿지, 잠깐만요."

젤메가 속삭이던 말을 자르고, 칭기스칸 곁에 납작 엎드렸다. 그 상태로 팔을 뒤로 저어 단도를 집더니 버드나무가 흔들리는 쪽으로 기어간다.

"누구냐?"

나직하게 외쳤다.

"장군님? 큰일 났어요. 칸이 안 계세요. 수베테이하고 밤새 뒤졌는데 종적이 묘연합니다."

밤새 시체를 뒤지고 다녔는지 행색이 말이 아니었다.

"여기 계셔. 일어나셨어."

주치가 화들짝 뛰어들어 칸을 보자 그대로 무릎을 꿇더니 푸른 하늘에게 절을 올린다. 그러고는 밝아지기 전에 칭기스칸을 업어서 게르로 옮겨가 뼈를 곯인 국물을 마시게 했다. 칭기스칸은 많은 피를 흘리고 기력이 떨어지기는 했지만 금방 낯에 화색이 돌았다. 게르 안에는 보오르추와 수베테이가 죽다 살아난 사람들처럼 상기되어서 공격 채비를 갖추고 있었다. 칸이 부상당한 사실을 감추기 위해 게르 주위에 사람의 접근을 금지시켰다.

보오르추가 전위부대를 이끌고 다시 선봉에 섰다. 타이치우트는 이미 쫓기는 신세가 되어서 전쟁이 아니라 사냥에 가까운 작전을 펼 수 있었다.

"칸이 보고 있다. 공격을 늦추지 마라. 지휘부를 추격해."

숨고 도망치고 쫓고 하는 가운데, 웬 여인이 외치는 소리가 들리기 시작했다.

“칭기스칸! 칭기스칸!”

적진에서 뛰쳐나온 여자 하나가 칭기스칸을 만나게 해달라고 하도 간청하는 바람에 칸 앞에 데려오지 않을 수 없었다.

“뭐냐?”

칭기스칸이 복장을 갖추고 나가서 소리를 지르는 여자를 살펴보니 틀림없이 아는 얼굴이었다.

“혹시 하단? 고개를 쳐들어라. 하단 맞지?”

고달픈 세월도 어쩌지 못한 순박한 눈매가 고스란히 남아 있었다.

“네, 맞아요. 훌륭하게 되셨군요. 칸, 저는 처음 뵐 때부터 이렇게 되실 줄 알았습니다.”

“왜 엎드려 있어? 나 테무진이야. 얼굴을 만지고 싶으니 가까이 좀 와.”

나이가 들었어도 여전히 살찐 양처럼 희고 토실토실한 얼굴에 눈물이 흘러 볼이 범벅되어 있었다.

“칸, 무식한 여편네의 소갈머리를 용서해주세요. 남편을 살려달라고 부탁하려 했는데, 처형되고 말았습니다.”

“어떻게 그런 일이?”

코르치가 곁에서 설명했다.

“결사항전부대를 따라 도망가다가 체포되었습니다.”

“바보처럼! 왜 나를 먼저 찾지 않았어? 아버지는 어디 있어? 또 오빠들은?”

“오빠들은 저항하지 않았을 거예요. 칸을 만나고 싶어 백성들 속에 숨어 있을 겁니다.”

“급하다. 코르치, 하단이 아버지와 오빠를 먼저 찾아내 손가락 하나도 다치지 않게. 아버지 이름이 소르칸시라, 오빠들은 칠라운 형제, 다 생명의 은인들이야."

칭기스칸은 급히 사람을 보내놓고, 하단을 불러 곁에 앉혔다.

"얼굴 좀 쳐들어봐. 얼마나 보고 싶었는데."

"칸! 이년은 볼품없는 아낙네입니다. 저는 종이잖습니까."

"무슨 소리? 너의 노래가 얼마나 듣고 싶은지 몰라. 그 노래 한번 들려줘."

"능력과 지혜가 바다 같은 분이라는 걸 알면서도 제가 함부로 굴었던 걸 용서해주세요. 어릴 때라 철부지여서 그랬어요."

하단은 어쩔 줄 몰랐지만 칭기스칸이 하도 요청해서 기어이 노래를 불렀다.

새가 길을 잃는 건 하늘에 안개가 끼어서요
사람이 길을 잃는 건 세상에 안개가 끼어서라네

하단의 노래를 듣자 칭기스칸의 눈앞에는 그날 밤의 물그림자가 보이는 듯했다. 마음이 한결 부드러워지면서 어린 시절의 모습과 술기운으로, 보이지 않고 이해되지 않아도 심장을 움직이게 하는 기쁨의 기운이 몸 안에 가득 찼다. 마지막 절이 끝나자 보오르추에게 말한다.

"하단의 노래에 담겨 있는 초원의 향기가 왜 내 노래에는 담기지 않을까?"

"칸이 하단의 노래를 옛날의 자리로 돌아가서 들으니까 그렇지요."

코르치가 소르칸시라를 찾아온 것은 저녁이 다 되어서였다. 전장에서 휴가를 보내듯이 즐거운 술자리를 만들어놓고 있는데, 밤이 되어서야 칠라운 형제가 도착했다.

소르칸시라의 가족이 모이자 칭기스칸은 한없이 들떴다. 그래서 목덜미에 핏대가 서는데도 흥분을 감추지 못하고, 했던 이야기를 하고 또 하고 한다.

"보오르추, 여기 좀 봐. 하단이 예쁘지? 나랑 가슴을 맞춘 여자야. 그리고 저쪽 오빠가 칠라운인데, 칠라운이 했던 말 좀 들어봐. 밤 이슥한 시간에 탈주범이 게르에 들어서자 얼마나 난처했겠어? 아버지가, 여기 있다 걸리면 우리까지 다 죽어, 빨리 네 길을 찾아가, 하자 곁에서 뭐라고 한 줄 알아? 새가 뛰어들면 숲은 감춰줍니다, 여기서 내쫓으면 갈 데가 어디 있겠어요? 이러고는 나무칼을 태워버렸어. 한 번도 잊은 적이 없어. 새가 뛰어들면 숲이 감춰준대."

보오르추가 아는 이야기였다. 두 사람의 역사가 시작되는 원점이 거기에 있었던 것이다.

"그럼, 갈기 없는 못난이 말은 누구 것이었습니까?"

"아, 꼬리털도 빠진 말? 그렇지. 내가 그걸 타고 도둑을 잡으러 갔었지. 비는 오고, 천둥은 치고, 말은 지쳐서 걷지도 못하는데, 그래도 생명의 은인이라. 저 아버지가 타던 말이야. 생각해보니 못난이 말 때문에 보오르추를 만났네. 다들 마시자. 내가 늘 그리워하던 날이 이런 날이었어."

칭기스칸은 누더기 같은 가난 속에 감춰진 인간성의 보석을 찾아낸 사람처럼 기쁨에 취했다. 보잘 것 없는 천민 가족을 이다지도 융숭하게 대접했던 예는 없었다. 하단의 가족은 어쩔 줄 몰라서 사신들 앞에 서 있는 새 주인에게 온몸을 바쳐 헌신하고 싶은 열정이 가득 차는 것을 느꼈다. 하지만 그날, 누구보다도 감동을 받은 것은 보오르추와 젤메였다. 두 사람은 하마터면 저런 칸을 잃을 뻔했구나 하는 생각에 소름이 돋았다.

다음 날, 푸른 군대는 사기가 백배로 올라 전선에 나섰다. 싸워야 할 이유가 너무나 분명했다. 누구의 비위를 맞추거나 전리품을 얻기 위해서가 아니라 이제 인간과 인간이 뜨겁게 어울려 초원의 행복을 누리기 위해서 적을 무찔러야 하는 것이다.

타이치우트는 급속히 해체되어 전투가 되지 않았다. 푸른 군대는 보오르추, 모칼리 같은 명장 외에도 수베테이, 보로굴 같은 용사들이 경쟁하듯이 전장을 누비고 다녔다. 기세가 오를 대로 올라 늑대가 양의 무리를 몰듯이 쫓아다니는 바람에 타이치우트의 지휘부는 어디로 도망쳤는지 알 수 없었다. 그럴 때는 다들 고분고분하게 투항해 칭기스칸의 백성으로 편입되는 것이 최선일 텐데, 저마다 아스라한 기억들이 있어서 쉬운 길을 선택하지 못한다. 테무진이 조리돌림을 당할 때 학대했거나 처형하려 했던 사람들은 후환이 두렵기도 하고 자격지심이 생기기도 해서 쉬 마음을 바꿀 수 없었다. 푸른 군대는 그럴 이유가 없다는 것을 알리고 싶어 하지만, 타이치우트에서도 최후의 결전을 각오한 충신들은 함부로 긴장을 풀지 않았다.

결국, 키릴툭의 소수 정예군은 결사 항전으로 시간을 벌면서 계속 퇴로를 찾아갔다. 푸른 군대가 포위전술을 써서 투항해오는 백성들을 분류하는 동안에도 그들은 뛰어난 기지를 발휘하여 포위 구역에서 뱀이 빠져나가듯이 미끄러져 나간다. 머리는 잘렸지만 몸통이 살아 있는 괴물처럼 잘못 건드리면 상처를 입기가 십상이었다.

야생 짐승들처럼 몰려다니던 마지막 저항 집단이 발견된 것은 오후였다. 키릴툭의 정예부대답게 패전의 기색도 없이, 엉덩이를 하늘로 쳐들고 상체를 땅으로 숙인 채 초원을 질주하는 병사들은 좀처럼 올가미에 걸려들지 않았다. 언젠가 자무카 앞에서 수베테이와 주치가 그랬듯이 이리저리 피하는 적들을 보고 칭기스칸이 나서려고 하자 장수들이 화들짝 뒤집어진다.

"칸! 안 됩니다. 놈들은 위험합니다."

그 속에 신기에 가까운 궁사가 있다고 했다. 안 그래도 목덜미 부상으로 고개가 한쪽으로 기울어져 있던 터라 나서지도 못하고, 자기를 만류하는 장수에게 황금색 늑대귀 말을 내주었다.

"아랫배를 차지 말고, 갈기를 쓰다듬어라. 가고 싶은 곳으로 데려다 줄 거야."

어떤 말이나 위기를 감지하고 상황에 대처하는 능력이 없지 않지만 황금색 늑대귀 말을 따를 상대는 없었다. 마치 전사처럼 작전에 참여하는 황금색 늑대귀 말이 앞장서자 모든 말들이 덩달아 유능한 몰이꾼이 되었다. 그러다 어느 언덕을 넘어설 때 바람을 가르는 화살들이 심상치 않다 싶더니, 이내 황금색 늑대귀 말이 울음소리를 길게 끌며 쓰러져버렸다. 눈 깜짝할 사이에 벌어진 일이었다.

"멈춰라! 황금색 늑대귀 말이 쓰러졌다. 칸의 애마가 쓰러졌다!"

간밤에 칭기스칸이 그랬듯이 화살이 정확히 목덜미에 꽂혔다. 빗맞지 않았는지 일어서려고 안간힘을 써보다 동작을 멈추고 만다. 그 장면을 칭기스칸이 직접 보았다.

"저놈들을 반드시 잡아라."

그 혼란스러운 틈을 타 저항 집단은 다시 포위망을 뚫고 빠져나갔다. 카사르가 본대를 끌고 생포하려고 나섰다. 집단사냥을 할 때처럼 넓게 둘러싸 포위망을 좁혀 들어서 해가 지기 전에 최종적으로 평정할 수 있었다. 카사르는 포로들을 모아서 칭기스칸 앞으로 끌고 왔다.

"정예부대는 이쪽으로 서라. 모두 처형하겠다."

"잠깐!"

칭기스칸이 무슨 생각이 들었는지 대열을 멈추게 했다.

"너희들이 쏘았던 많은 화살 중에서 두 발이 나의 급소를 알고 있었다. 어떤 놈이냐?"

다들 조용했다.

"얼굴이나 한번 보고 싶다. 나오지 않으면 그냥 처형시킬까?"

"제가 쏘았습니다."

"내 목을 관통한 것도, 황금색 늑대귀 말을 관통한 것도 다 너의 화살이냐?"

"그렇습니다."

"처형당할 줄 알고 대답하는 것인가?"

"네, 하지만 그렇게 하는 것이 저의 임무였습니다."

"임무라. 너의 충성은 실패로 끝났다. 이 초원에 다시는 타이치우트 권력이 등장하지 않을 것이다. 그런 임무를 한 기분이 어떤가?"

병사가 잠시 망설이더니 무릎을 꿇었다.

"항복하겠습니다."

"그게 무슨 의미가 있지? 말단 병사가 항복을 하든 말든 죽는 건 마찬가지 아니냐?"

"제가 가진 건 손바닥만 한 땅을 얼룩지게 할 육신 하나뿐입니다. 하지만 항복의 말을 해도 된다면 하겠습니다."

"좋다. 할 말이 있으면 해라."

"칸께서 벌을 내려 지금 제 목을 친다면 한 사람의 피가 대지를 적실 것입니다. 그러나 지금 제 목에서 피가 흐르지 않는다면, 앞으로 칸이 싫어하는 모든 사람의 목에서 피가 흐르게 될 것입니다."

"살려주면 나의 용사가 되겠다?"

그 말을 끝으로 침묵이 흐르다가 카사르 군대가 처형식 준비를 할 때에야 칭기스칸이 한마디를 했다.

"그 포로를 내게 데려와라."

칭기스칸은 투항한 병사를 쿠릴타이에 데려가 인사시켰다. 그리고 손수 이름을 지어서 '화살' 즉 '제베'라고 부르게 한다.

"여기 좀 봐. 이 친구가 어느 날 예기치 않은 화살처럼 내게 와서 목에 박힌 용사 제베야."

그가 사람을 평가하는 기준은 특이했다. 언젠가 황금 말 여덟 마리를 도둑맞았을 때 보오르추가 그를 보고 '벗이여, 홀로 외롭겠구나!' 했던 모습이 척도로 사용된다. 누구나 보오르추의 마음만 가지고 있다면 초원이 아무리 넓어도 인간 세상은 무너지지 않는다고 보았다. 거기에 신분이 무엇이고, 검은 뼈가 무슨 상관이란 말인가? 유목민은 가축을 경영하기 위해 되도록 넓은 초지를 차지해야 하고, 맹수나 적의 위험에 대처하기 위해서 협력이 가능한 연결망을 유지하지 않으면 안 된다. 그것을 만들지 못할 때 임시방편으로 선택하게 되는 수단이 혼인이나 주종관계, 혹은 물질적 이해관계로 맺어진 '타협'이니, 그것은 혼란에 빠진 초원의 마지막 생존 수단이었다. 그래서 다들 성급하게 의형제를 맺고 너무나 많은 맹세를 하지만, 아무런 신의도 없이 이해관계에 얽혀서 아슬아슬하게 유지하던 동맹의 끈이 풀어지고 나면 얼마나 사나운 야수로 변하던가. 진실 하나면 족한 것을, 믿을 수 없기 때문에 날마다 폭력을 앞세워 살아야 하는 것이 초원의 비극이다. 그가 신의를 제일의 가치로 여기는 까닭이 여기에 있었으나 대부분의 사람들은 그 뜻을 알지 못했다.

젤메는 칭기스칸이 새로운 동지를 확보할 때마다 경계를 소홀히 할 수 없었다. 타이치우트를 무찌르고 나서 새로이 동지가 된 적들이 하나둘이 아니었으니, 그들이 비록 충성의 맹세를 했더라도 상황이 바뀌면 마음이 기울어지고, 칸이 실족하면 언제든지 뒤에서 비수를 꽂을 수 있다는 것을 생각하지 않을 수 없었다. 그런데 전쟁이 끝났는데도 칸이 철수할 기미를 보이지 않으니 걱정이 태산 같았다.

"칸! 건강을 살피지 않으니 제 입이 바짝바짝 마릅니다. 어서 돌아가서 쿠두 아랄의 샘물을 마시고, 눈 호수의 영험한 물에 몸을 담그십시오."

"어렵게 꺼낸 말인 줄은 아는데, 키릴툭은 아버지의 동맹자이고 내 스승이었어. 또한 아버지의 배신자이자 나의 원수이기도 했지. 내 나이 아홉 살 때 경험한 일이야."

젤메는 그 속에 담긴 뜻을 몸으로 알고 있었다. 그래서 아무 대꾸도 못 하자 칭기스칸이 보충 설명을 한다.

"키룰툭의 배신은 고원의 긴 겨울만큼이나 혹독한 것이었어. 마치 어미 사자가 사라지자 곧바로 그 새끼들을 잡아먹는 하이에나처럼 초원의 청소부가 되기를 마다하지 않았던 거야. 이제 나는 그와 맺은 인연을 어떻게 끝냈는지 어머니에게 알려드려야 해."

그것을 주치가 모를 리 없으니, 해가 뜨자 곧 말에 올랐다. 보오르추의 지시로 세 개의 수색대가 만들어질 때 지휘관을 자원한 것이다.

주치는 칭기스칸이 원하는 일이면 무슨 일이든 할 생각이었다. 키릴툭이 아무리 멀리 달아났다고 해도 초원 안일 것이다. 인간이 대지 위에 흔적을 남기지 않는 것은 불가능하다. 키릴툭이 아무리 머리를 써도 발자국마다 냄새가 찍히게 되어 있었다.

주치의 수색대가 흔적을 찾아서 끈질기게 추격하자 타이치우트는 마지막 한 사람까지 흩어지고 만다. 마침내 키릴툭 부자조차 한곳으로 달아날 수 없을 만큼 긴박해졌다. 키릴툭은 숲으로 도망쳤다. 칭기스칸이 타이치우트의 백성도 귀부하면 아무 차별 없이 받아준다는 소문이 크게 돌아서 급기야는 누가 아군인지도 알 수 없었다. 끝내 홀몸이 되어서 숲 속을 두리번거리며 걷는 모습은 늙은 낙타가 이가 닳아서 잇몸으로 풀을 뜯는 것처럼 처량해 보였다. 보통 사람의 세 배쯤 되는 거구가 이틀이나 굶은 터라 아랫배가 축 늘어져 무릎 위에서 철렁거린다. 굶주린 낙타는 혹이 먼저 주저앉는 것을 어쩔 수 없었다.

키릴툭은 정말로 기력을 다한 수낙타처럼 외롭게 되었다. 집단만큼 무서운 것은 없다. 아무리 힘센 곤충도 개미 떼를 이길 수는 없다. 그래서 더욱 낙타 기분이 되는데, 날씨가 더울 때는 낙타도 뛰지 않는다. 열에 덮이는 것은 위험한 일이라 물을 엄청나게 마시기 때문에 오줌을 싸는 시간도 아주 길다. 싸울 때 보면 그토록 격렬한 것들이 참을성 하나로 사막에서 버텨온 것이다. 그래서 숲 속 깊숙이 들어가 전망 좋은 안전지대를 찾아서 사흘을 숨어 지냈다. 그것은 그를 어린 테무진이 숲에서 아흐레 동안이나 기다렸던 때처럼 굶주림과 싸우게 했다. 그럴 때 자무카라도 와주면 얼마나 좋을까?

그는 구르칸을 옹립하기 위해 쏟았던 열정들이 아까워서 견딜 수 없었다. 그래서 거구를 이끌고 걸어 나오는 순간, 과연 염려했듯이 자신의 백성들에게 붙들리고 말았다. 시르구트와 그의 큰아들 알락, 작은아들 나야가 마치 푸른 군대의 용사가 된 듯이 의기양양해서 사로잡은 것이다.

사실, 키릴툭은 얼마나 뚱뚱하던지 숲에서 몸을 빼기가 쉽지 않았다. 나야는 그를 태울 수 있는 말이 없어서 수레에 태워야 했다. 그래서 겨우 몸뚱이를 빼냈을 때 그의 자식들이 어디에서 듣고 구하러 왔다. 나야가 키릴툭의 목에 칼을 대고 위협하자, 그가 자식들에게 이른다.

"물러나라, 아들아. 나는 테무진의 스승이야. 녀석은 스승을 죽일 위인이 아니다. 나를 틀림없이 초원에 버릴 테니, 그때 데리러 오거라."

이렇게 해서 칭기스칸에게로 데려가면서, 임기응변에 능한 나야가 골똘히 생각해보니 키릴툭의 말에 일리가 없지 않았다. 칭기스칸이 정말로 스승을 죽일 수 없는 사람이라면 포상을 받으려다 죽음만 자초하는 꼴이고, 아니라고 해야 큰 포상이 있을 리 만무했다.

"칭기스칸이 정말로 살려줄까?"

"잘 모르나 본데, 나를 팔아먹는 타이치우트 사람은 반드시 처형당하게 되어 있어. 그는 배신자를 살려두는 법이 없다. 그냥 나를 버리고 가야 너희들이 살 수 있을걸."

나야는 기가 죽어 키릴툭을 풀어주고 말았다.

한참 후 주치의 수색대가 냄새를 맡고 숲까지 이르렀으나 검거된 것은 나야였다. 주치는 무슨 말을 주고받고 할 것도 없이 포로를 칭기스칸 앞에 대령시켰다. 나야의 말이다.

"칸! 저희가 사실은 숲에서 키릴툭을 체포했습니다. 허나, 옛 수령이기도 하고, 죽이지 않더라도 늑대의 밥이 될 것이 틀림없는지라 풀어준 것입니다."

"좋다. 잘했어. 키릴툭을 붙잡아도 푸른 군대가 붙잡고, 죽여도 젤메가 죽여야지 그 밑에서 평화를 누린 자들이 배신하면 세상이 우습게 되지."

진심이었다. 칭기스칸은 키릴툭이 체포되어 왔을 때 자신이 어떻게 할지를 그려보니, 아무리 생각해도 스승이라는 점을 간과할 수 없을 것 같았다. 생각해보니 키릴툭 역시 그랬던 것 같다. 그는 어린 테무진의 눈동자 안에 오늘의 칭기스칸이 들어 있음을 알아본 최초의 인물이었다. 아무도 눈여겨보지 않을 때 미래의 인물을 알아보았으며, 후환이 두려워 없애려 했다. 그러나 제자를 차마 제 손으로 죽이지 못하니, 합당한 명분을 찾으려고 궁리를 하다가 놓치고 만 것이다. 생각이 거기에 이르자 다시 보오르추를 부른다.

"나야가 키릴툭을 살려준 건 잘한 일이야. 제 수령에게 의리를 지켜야지. 저런 친구를 변방의 장수로 쓰면 어떨까?"

결국, 타이치우트 족도 세상 밖으로 사라져갔다. 백성들은 이웃 부족이 하나씩 줄어들 때마다 서로를 지키는 공동체가 커지고 초원이 더욱 풍요로워지고 있어서 그렇게 좋을 수가 없었다. 매우 너그러운 지도자가 출현해서 초원에 보이지 않게 드리워진 셀 수 없이 많은 칸막이를 거침없이 지워가고 있었던 것이다. 그래서 다들 다투듯이 칭기스칸을 칭송하며 각자 보고 들은 바에서 살이 붙고 뼈가 굵어진 이야기를 퍼뜨리느라 밤이면 날이 새는 줄 몰랐다. 거의 매일같이, 자고 나면 전설이 만들어지던 시절이었다

소수 특권 집단의 입지가 매우 옹색하다는 것을 유목민들은 빠르게 이해해가고 있었다. 사실, 아무리 화려한 외피를 쓰고 있어도 초원의 부족이란 혈연에 기초한 뼈대의 이름만도 아니고 쿠리엔을 함께 사용하는 부락의 이름도 아니었다. 대가족에서 분리해 나온 씨족이 세력을 형성하고 경쟁자를 굴복시켜 더러는 예속민으로, 어떤 경우에는 종으로 삼아 방대한 결합체를 만든 것이니, 소속감이란 소수 특권 귀족의 영향력 때문에 존속하는 굴레일 뿐 그것이 신분적 정체성을 드러낼 이유가 없었다. 당연히 해체되어 재산과 가축과 권력이 칭기스칸에게 결집되는 현상을 약소 집단이나 평민은 열렬히 선호하게 되어 있었다.

그러는 동안 자무카는 옹칸의 군대에게 쫓기면서 반전의 기회를 찾느라 여념 없었다. 타이치우트를 잃은 것이 아까웠지만 아직도 그를 기다리는 부족은 많았다. 당장에 타타르만 해도 그의 지혜를 얼마나 필요로 하는가?

타타르는 언젠가 칭기스칸 연합에게 패한 이후 재기를 노리느라 많은 준비를 해왔다. 오랜 약탈의 풍요로 생겨난 내부 분열의 세월을 끝내고 급속도로 단결해가고 있어서 칭기스칸에게는 몹시 위험한 집단이었다. 다시 금나라의 사냥개 노릇을 할지언정 당장은 공동의 염원이 생겼으니, 그들이 주변에 떠도는 부족들을 모아 일전을 치르고자 각오한다면 상당한 괴력이 나올 것이 틀림없었다. 그래서 네 개 씨족의 수령들은 공공연히 떠들고는 했다. 타타르의 것이어야 마땅한 초원 동부의 권력을 우리가 왜 몽골 따위에게 빼앗겨야 하는가?

이런 불길한 기운 때문에 소리 없이 바쁜 사람이 울란체첵이었다. 그녀는 아들이 모칼리 부대의 백호장이 된 후 쿠두 아랄에서 살고 싶은 욕심이 부쩍 커졌다. 기왕에 타타르에서 고생했으니 마지막으로 생색이 제대로 나는 임무를 하나 마친다면 돌아가는 발길이 한결 가벼울 것 같았다. 그러다가 만리장성을 넘나들던 거상 친카이가 다녀간 날이다.

"아주머니, 중매 좀 하슈. 낙타 상인들도 위협이 좀 줄고, 세금도 좀 덜 내고, 역참도 이용할 수 있도록 말이유. 장사꾼들이 마음껏 돌아다닐 수 있으면 얼마나 좋겠수?"

이렇게 호들갑을 떨더니 아주 값나가는 귀중품을 하나 안기고 갔다. 그래서 귀부인들이 모인 자리에서 울란체첵이 금강석을 박은 금반지를 내놓자 아낙네들이 순금의 질에 혀를 내두른다. 그렇게 지위가 높은 사모님들을 모아 호기심을 자극해놓고 중신 이야기를 꺼냈다. 친카이 정도면 거의 최상급의 혼처였으니, 밤으로 낮으로 신분 높은 마나님들과 어울려 웃고 떠들 수 있었다. 그러는 동안 남편들이 허파 뒤에 감춰둔 생각까지 죄 알게 되어 조심스럽게 모칼리에게 고해바쳤다. 요지는 구르칸을 추대했던 반칭기스칸 연합의 부족들이 재도발을 하려고 약속했다는 내용이었다. 그녀는 아주 구체적인 세부 사항을 알려주면서 이렇게 당부한다.

"장군! 초원이 좋아지면 싫어하고, 유목민이 나빠지면 좋아하는 자들을 처벌하소서!"

칭기스칸은 보고를 듣자 곧 선제공격을 택했다. 보오르추, 모칼리, 보로굴, 칠라운까지 네 준마가 버티고 있어서 어느 때보다 자신이 있었다.

새해 첫 찬바람이 몰아치는 어린 겨울의 만월의 날이 길일이었다. 칭기스칸은 급속히 남하하여 타타르의 네 개의 씨족을 순식간에 표

위해버렸다. 차디찬 겨울비가 내리는 가운데 전투는 아주 편하게 진행되었다. 아군의 피해를 거의 입지 않은 채 활 솜씨와 기동성만으로 적에게 타격을 입히는 전술을 써서 매번 기습을 시도하다가 돌아서서 후퇴하는 동작으로 활을 쏘는 바람에 적은 속수무책이었다. 타타르는 응대하지 않으면 일방적으로 당하니 반격해보지만, 푸른 군대가 그들의 무력이 미치지 않는 곳에서만 움직이니 아무 수단이 없었다.

옛날의 영광을 잃은 타타르의 잔존 세력은 밀리고 밀린 끝에 남쪽으로 도주했다. 그러나 흥안령에서 고비 사막으로 흘러가는 작은 강가에서 옴짝달싹 못 하게 포위되고 말았다. 푸른 군대의 독창적인 전술은 이미 높은 단계에 이르러 있었다. 백병전을 치르듯 결전을 하는 것도 아니고, 말을 타고 계속 주위를 맴돌면서 활을 쏘아 주력군을 야금야금 파먹기만 하니 적들은 한없이 괴로웠다. 장렬하게 싸우다가 전사하고 싶어도 그럴 수 있는 자리조차 없었다. 타타르의 백성들은 공포에 싸여 무릎을 꿇고 투항했다.

그렇게 승리가 굳어가자 울란체첵이 칸을 찾아왔다.

"포로를 처리하기 전에 부탁드릴 것이 있어서 왔습니다. 칸께서 이수겐을 거둬주세요."

"그게 누군지, 왜 그러는지 설명해 봐요."

"이수겐은 타타르의 수령 예케체렌의 딸인데, 제 활동의 거점이었습니다. 부족을 대표해 푸른 하늘의 제물로 바쳐진 여인이에요. 칸이 보시면 아주 좋아할 겁니다. 마음이 어찌나 고운지 감히 이수겐의 마음이 푸른 하늘의 마음이라 말하고 싶습니다."

"그래요? 어떤 점이 그런가요?"

"칸! 땅 위의 모든 암컷에게는 수컷을 경쟁시키는 슬기가 있습니다. 푸른 하늘은 어느 신체에 훌륭한 씨앗이 숨어 있는지를 발견하고, 그것을 얻을 수 있는 능력을 암컷에게 주었어요. 한데 이수겐은 자신이 가진 불멸의 무기를 일절 사용하지 않아요. 그 아이가 사는 모습을 보면 틀림없이 감동받으실 겁니다."

"좋아요. 쿠릴타이에서 의견을 묻겠어요."

"저는 이게 몽골이 타타르와 혼인하는 거라고 생각합니다."

이렇게 청하더니 다음 날 이수겐을 데리고 다시 찾아왔다.

"칸! 이수겐이 이렇게 이야기합니다. 옛날에 큰 부잣집에 아주 예쁘게 생긴 딸이 둘 있었답니다. 자매는 지상에서 함께 살 남자를 구하지 못하고, 하늘로 올라가 해와 달이 되어서 사람들에게 빛을 밝혀주며 살아가게 되었어요. 처음에 언니가 달이 되려고 했지만, 동생이 많은 사람들이 쳐다보는 게 부끄럽다고 하여 언니는 낮에 돌아다니라 하고, 자신은 밤에 돌아다녔다는 게 타타르의 전설이래요. 이수겐이 자신은 달이랍니다. 칸께서 언니를 데리고 다닐 수 있도록 건의해도 되겠느냐고 물어서 노하실까 봐 제가 미리 여쭤보는 것입니다."

그리하여 이수겐에게 묻게 되었다.

"그렇습니다. 칸! 저를 맞아주시니 얼마나 황송한지 모릅니다. 한데, 언니가 더 아름답고 영리해서 칸의 옆자리에 앉기에 훨씬 어울립니다."

"그럼, 하나만 묻자. 언니가 오면 자리를 양보할 셈인가?"

"네, 슬퍼하지 않겠습니다."

다음 날, 부하를 시켜서 언니를 데려왔는데, 과연 예쁘고 똑똑했다. 또한 이수겐은 스스럼없이 자리를 비켜주며 아무 미련을 보이지 않는다. 칭기스칸은 신기한 생각이 들었다.

"약속을 지키겠다. 하지만 나는 예쁜 언니보다 이수겐이 더 좋구나. 조금 기다려라."

이렇게 해서 서둘러 쿠릴타이를 열게 되었다.

쿠릴타이는 전쟁, 유목, 제사 등 공동체의 중대사를 관장하는 최고 의사 결정 기구였다. 거의 모든 유목민 집단이 쿠릴타이를 운영했는데, 칭기스칸의 쿠릴타이가 다른 점이 있다면 문중 위주의 족별 체제가 아니라는 것이었다. 비록 카사르와 벨구테이가 참석하지만 그들도 혈육 때문이라기보다 밑바닥 시절부터 동고동락을 함께해온 동지의 의미가 컸다. 그래서 의사소통이 자유로운 '너커르(동지)들의 회의체'가 열리면 무당 코르치와 푸른 군대의 네 준마 보오르추, 모칼리, 보로굴, 칠라운, 또 호위대의 충견 젤메, 쿠빌라이 등이 주인 행세를 하고도 남음이 있었다. 그날도, 언제나 거침없는 코르치가 나서서 누구나 쉬쉬하던 문제를 시원하게 터뜨려버렸다.

"대칸! 초원은 하루살이 서약으로 아주 노랗게 죽어 있습니다. 실컷 약속해놓고 그날만 지나면 없었던 일이 되는 게 허망하지 않아요?"

출정할 때 칭기스칸이 다시 한 번 개별 약탈 금지를 명했음에도 불구하고 칸의 친척들이 보란 듯이 어긴 사실을 지적하고 나온 것이다. 보오르추가 칸의 심기를 헤아려 슬그머니 억양을 낮추려 든다.

"사령관으로서 내가 조금 무능한 것 같아요. 진격할 때 속도 조절이 안 되니까요."

알탄, 코차르, 다리타이는 모두 칭기스칸의 사촌형이자 숙부라는 신분을 내세워서 키야트 씨족의 귀족들이 누리던 특혜를 결코 포기하지 않으려고 들었다. 그들은 적장이 쓰던 지휘부 막사에서 귀금속을 챙기느라 보조를 맞추지 못하고 작전에 차질을 빚게 했다.

"귀중품만이 아니라 그쪽에서 와야 될 가축도 오지 않았어."

그러자 칭기스칸이 태연하게 정돈해버린다.

"개별 약탈 금지를 반드시 지켜야 될 이유는 한두 가지가 아냐. 전투가 끝나지 않은 상황에서 약탈에 정신을 팔면 적들이 재무장해서 도발하게 돼. 완전한 승리를 거둘 때까지 전리품에 손을 대면 안 돼. 그보다 더 중요한 문제도 있어. 목숨을 걸고 싸우다 죽은 용사는 어떻게 할 거야? 전리품은 발견한 자의 것이 아니라 공이 큰 자의 것이다. 여기에 또 하나, 이것은 칙령으로 선포할 건데, 앞으로는 과부나 고아에게도 전리품이 돌아가야 한다. 안 그러면 보르츠는 누가 만들지? 규칙을 어긴 귀족들의 것은 내가 전량을 회수하겠어."

코르치가 박수를 치고, 보오르추가 환호한다. 그간 귀족들의 방해가 컸던 것이다. 하지만 젤메는 분위기가 심각해질까 봐 얼른 화제를 바꿨다.

"울란체첵이 데려온 자매는 언니가 왕비예요, 동생이 왕비예요?"

칭기스칸이 볼을 빨갛게 물들이면서 아무 말도 못하자 코르치가 대신 답했다.

"대칸, 뭘 망설이십니까? 둘 다 왕비지요. 통일되고 대칸 즉위식만 끝나면 나도 서른 개의 옹달샘이 생길 판이니 부러워도 참을 만합니다."

회의가 시작하기 전부터 칭기스칸이 뭔가 난처한 표정을 하고 있는 것을 알아채는 사람은 보오르추밖에 없었다. 그는 아마도 버르테 때문일 거라는 생각을 의심치 않았다. 새 왕비가 들어오는 것을 겉으로는 조용히 지나갈지라도 속으로 탐탁하지 않게 여길 우려는 얼마든지 있었다. 메르키드에서 주치를 얻어온 문제를 후엘룬 어머니 때문에 아무도 건드린 적이 없었는데, 이번에 괜히 급소를 건드릴까 걱정한다고 보았던 것이다. 그래서 칭기스칸이 잠깐 말을 보러 간 틈을 타서 보오르추가 대안을 강구해본다.

"내 생각인데, 누가 버르테 마님의 승낙을 받아오면 칸의 얼굴이 활짝 펴질 것 같지 않아?"

푸른 군대의 저력이 여기에 있었다. 충성심이 큰 젤메가 유연하고 자유분방한 것이다.

"마님께 혼쭐이 날 일을 칸이 해야지, 졸병이 왜 해?"

다들 자기에게 가라고 할까 봐 시치미를 떼느라 눈길을 천창에 두고 있다. 다시 보오르추가 말을 꺼낸다.

"마님께 통할 것 같은 사람은 둘이야. 하나가 텝텡그리, 주술로 해결해야지. 그게 안 된다면 모칼리나 설득시킬 수 있을까?"

"좋아요. 제가 다녀오겠습니다."

모칼리가 난처한 숙제를 떠맡은 후에 심각한 문제를 제기하였다.

"타타르 전은 전시보다 전투가 끝난 후에 더 중요할 걸 몰랐습니까? 변경의 부족들이 아직도 방황하고 있고, 우리도 언제까지 자잘한 전쟁을 하고 있을 수도 없어요. 최소의 피로 최대의 결과를 얻는 '공포 효과'의 최적지가 타타르 아닙니까?"

그 점이었다. 초원의 관습에서 친족의 망에 들어오지 않는 사람은 모두 적이었다. 혼인이나 입양으로 가족의 유대를 만들어내지 않으면 앞으로도 계속 적이 될 수밖에 없었다. 그런 집단들 사이의 끊임없는 다툼을 끝내려면 쥐르긴이나 타이치우트를 그렇게 했듯이 지도

자를 죽이고 생존자와 물자와 가축을 모두 흡수할 필요가 있었다. 만백성이 같은 뼈에 속해서 천호장 조직에 녹아들어야 되는데, 그러려면 몇 가지 중요한 결단을 해야 했다. 모칼리는 그것을 '공포 효과'라고 말하는 것이다.

타타르를 그렇게 하기 위해서는 중요한 결단이 필요했다. 공포감과 단호한 의지를 함께 보여주어야 했던 것이다.

"타타르는 참 독특합니다. 가난한 사람들도 다른 부족과 좀처럼 동화되지 않아요."

"왕비도 둘씩 취하고, 남은 아녀자들도 차별 없이 받아들이고, 또 예수게이 아버지가 남긴 유언을 앞세워 많은 수를 처형해야 해요."

결론은 이미 나온 셈이나 다름없었다.

"예수게이의 유언대로 합시다. 굉장한 공포 효과가 만들어질 거예요."

예수게이는 죽을 때 수레바퀴보다 큰 사람은 다 죽이라고 했으니 어른은 몽땅 처형하고 아녀자는 조건 없이 백성으로 받아들이기로 한 것이다.

이렇게 해서 쿠릴타이가 끝나고, 칭기스칸은 제베를 불러 특명을 내렸다.

"이번에 칙령을 어기고 왕족이 노획한 전리품 전체를 압류해 오라. 새끼 양 한 마리도 남겨서는 안 된다. 그리고 다음번에는 내가 직접 가서 처형한다고 해."

그리고 다음 날이다. 제베가 알탄을 찾아가자 펄쩍 뛰었다. 자신은 식솔이 많아서 전리품을 토하지 않겠다는 것이었다. 하지만 칸의 특명을 받았으니, 제베는 미련 없이 활을 당긴다. 그때마다 화살이 가랑이 사이에 박힌다. 그래도 버티자 아예 적진을 만난 듯이 시위를 당겨 알탄의 발자국이 놓여야 할 자리마다 화살이 꽂혔다. 이렇게 해서 그 문제는 간단히 해결되었다. 한데, 그다음이 문제였다.

타타르의 네 족장 중 하나였던 예케체렌은 딸을 둘씩이나 칭기스칸에게 시집보내게 되어서 기분이 한껏 고양되어 있었다. 한데, 그도 명색이 수령이었으니 백성을 걱정하지 않을 수 없었다. 이미 쥐르긴과 타이치우트의 전례를 알고 있어서 한편으로 잔뜩 기대를 하면서도 타타르와 몽골이 화해할 수 없는 숙적이라는 점이 내내 걸려서 긴장하지 않을 수 없었다. 예수게이에게 독극물을 먹였던 벌로 귀족 하나를 도륙하는 정도는 패자로서 마땅히 감내할 일이었다. 하지만 범위가 넓어진다면 사정이 다르다. 그는 예리한 관찰 끝에 벨구테이가 이루 말할 수 없이 정직한 것을 포착하였다.

"벨구테이! 난 칭기스칸의 장인이 될 사람이야. 포로들을 어떻게 처리할 셈인가?"

"족장님만 알고 계세요. 포로 중 성인 남자 전원을 처형할 것입니다."

죽음을 눈앞에 둔 타타르는 최후의 항전을 하기로 결의하였다. 그리하여 각자 소매에 칼을 숨겨서 일시에 병사들에게 달려들어 다시 전투가 일어나게 되었다. 거의 백병전에 가까운 싸움이었다. 몽골군도 많은 수가 희생되었다.

칭기스칸은 분노하였다.

"쿠릴타이에서 정한 것을 누설한 자가 발생했다. 칸의 동생이 왜 특혜를 받아야 하는가? 앞으로 벨구테이는 쿠릴타이에 참석할 수 없다. 이 징계를 엄격히 지켜라."

2

모칼리의 말을 듣고 버르테는 매우 혼란스러웠다. 그런 상황이 올 거라고 생각은 했지만 그래도 이건 아니라는 생각이 자꾸 들었다.

'자매라니! 왜 그리 호들갑인가?'

아무리 받아들이려고 해도 마음 한구석에서 끝없이 저항감이 일었다.

"동의를 구할 곳이 있다면 제가 아니라 어머니라고 말씀해주세요."

그녀로서는 칭기스칸에게 받은 최초의 실망이었다.

'수컷이란 결국 어쩔 수 없는 존재란 말인가?'

이렇게 치부하는 순간 자신이 경솔하게 느껴지는 것도 사실이었다. 아무리 깎아내린다고 해도 칭기스칸이 그 정도의 인간은 아니었다. 그래서 숨을 고르고 참기로 했다.

"모칼리, 조금 전에 말을 잘못했어요. 어머니께는 제가 말씀드리는 게 도리겠네요."

"칸께는 하실 말씀이 없으신지요?"

"이렇게 전해주세요. '헤를렌 강에는 백조가 많습니다. 엄지손가락이 아플 때까지 쏘아서 잡는 것은 칸이 알아서 할 일이에요. 마찬가지로 초원에도 예쁜 여인이 많아요. 아내를 취하는 것도 칸이 알아서 할 일입니다. 명사수는 강과 거위를 같이 쏜다지요? 남자는 좋아하면 자매를 좋아한다고 들었습니다.' 그리고 제가 서운한 표정은 짓지 않았다고 해주세요."

이렇게 말하고 돌아서는 순간에 까닭 모를 설움이 일었다. 안네,

모칼리가 나가려다 말고 멈춰 서더니 고개도 들지 않은 채 뜬금없는 말을 한다.

"마님! 초원의 역사가 달라지고 있습니다. 보오르추 대장군께서 아주 훌륭한 용사 하나를 장수로 발탁하여 천호장으로 추천했습니다. 칸께서 얼마나 기뻐하셨는지 몰라요."

버르테는 상투적인 보고라고 생각해서 건성으로 답했다.

"좋은 일이군요."

그런데 음색도 바꾸지 않고 말하는데 뒤쪽에 잔뜩 힘이 얹힌다.

"장수가 궁금하지 않으세요? 이름이 주치랍니다. 훌륭한 아드님을 두셨어요."

순간, 목울대까지 차올라 있던 눈물이 복받쳐 펑펑 소리 내어 울어버렸다. 버르테는 모든 용사들 중에서 주치가 별처럼 빛나는 장군이 된 것이 자랑스럽고 기뻤다. 주치 때문에 자신이 세상으로부터 사랑받는다는 느낌을 가질 수 있었다. 존경하는 시어머니 후엘룬 여사가 그것을 상징하고 있었다. 주치 문제로 심각한 대화를 나눠본 적이 없었는데, 그 때문에 더욱 말을 꺼내기가 어려웠다.

"주치야! 너의 몸은 아버지의 것이야. 절대로 누가 되지 않는 사람이 되어라."

이렇게 말해놓고 얼마나 무안했는지 모른다. 주치는 한 번도 속을 썩이거나 걱정되게 행동하거나 제 몸을 아끼는 법이 없었다. 그런데 칭기스칸이 소원하게 대하는 느낌이 엄습하기 시작하면 보통 꺼림칙해지는 게 아니었다. 자기에게 어떤 일이 닥쳐도 주치 문제만 아니면 서운해지지 않을 것 같은 마음을 어찌한단 말인가? 타타르 족의 자매를 왕비로 맞는다는 순간에 들었던 형언할 수 없는 감정은 결국 그곳에서 오는 것이었다. 칭기스칸이 돌아왔을 때 버르테가 한 말은 딱 한마디밖에 없었다.

"자매를 보내주세요. 어머니께 제가 데리고 가야 덜 불편할 거예요."

칭기스칸은 버르테가 쿠두 아랄의 여주인답게 넉넉하게 굴어서 얼마나 고마운지 몰랐다. 겸연쩍어서 감사하다는 말은 차마 못 했지만, 버르테를 기쁘게 할 무슨 일인가를 꼭 하고 싶었다. 그래서 내내 궁리하여 얻은 답이 주치를 장가들이는 일이었다.

"옹칸에게 가면 늘 딸이 눈에 띄어요. 셍굼의 여동생을 주치에게 달라고 해야겠소."

"행여라도 서둘거나 무리하지는 마세요."

"겹사돈을 맺자고 하면 괜찮을 거예요."

이렇게 해서 칭기스칸은 옹칸에게, 주치와 차우리를 맺어주고, 셍굼의 아들과 칭기스칸의 큰딸을 결혼시키자고 제안하게 되었다. 이것이 기나긴 사건의 발단이 되었다.

옹칸은 칭기스칸의 제안을 쌍수를 들어 환영했다. 한데, 아들이 펄쩍펄쩍 뛴다.

"아버지! 강아지와 늑대 새끼를 왜 분간하지 못합니까?"

그 말이 안 통하자 이번에는 칭기스칸을 형으로 삼기에는 격에 맞지 않는다고 막무가내로 떼를 쓴다. 셍굼은 그만큼 절박했다. 칭기스칸이 한 발짝만 밀고 들어와도 케레이트가 그에게 넘어가고 말리라는 생각 때문에 그를 막기 위해서 혼신의 노력을 다해보지만 결국 극약 처방밖에는 수가 없었다. 자무카의 조언을 구한 너라 내진김에 속말까지 전하고 말았다.

"늦기 전에 쳐야 합니다. 온 초원이 칭기스칸 이야기로 넘치는 것이 케레이트에게는 불행의 씨앗이 될 거예요."

"덜떨어진 놈아. 칭기스는 나의 아들이야. 나는 위기에 처할 때마다 녀석을 지팡이처럼 의지했어."

옹칸은 셍굼을 달래보기도 하고, 호통을 치기도 했지만 셍굼은 이미 강을 건너 있었다.

"자무카가 제게 왔습니다. 저는 그 정도면 괜찮은 참모를 구했다고 자부합니다."

옹칸은 불길한 그림자가 덮어오는 것을 보고 있자니 가슴이 막막할 뿐이다. 자무카가 메르키드 전 때 했던 말 '눈 덮인 골짜기의 하얀 사자도 세월이 흐르면 개미 떼에게 잡아먹히지요'. 이것이 그가 태어나서 들었던 가장 심한 말이었다.

"야, 이 답답한 놈아! 네가 자무카의 손바닥 안에서 놀아나는 것을 왜 모르고, 자무카가 네 참모를 해준다고 생각하는 거냐? 케레이트의 앞날이 걱정이구나."

"아버지는 아들의 능력을 그렇게 못 믿으세요? 칭기스칸의 사촌형 알탄과 코차르, 숙부 다리타이도 내게 와 있어요. 난 칭기스칸을 쓸어버릴 만반의 준비가 되었습니다."

아들을 막는 건 이미 불가능한 상황이었다. 옹칸의 갈등은 밤하늘의 별처럼 끝이 없었다.

"도대체 어떻게 되려는지 알 수 없구나! 듣고 싶지 않다. 죽든 살든 네가 알아서 해라."

셍굼은 즉시 측근들을 불렀다. 그리고 계책을 궁리해보니 전혀 어려울 게 없었다. 일단, 칭기스칸에게 주치와 차우리의 결혼이 허락되었음을 알리고, 약혼식을 겸해서 사돈 간에 음식을 나누며 의례를 올리는 절차에 대해서 의논하자고 초대를 한다. 그리고 칭기스칸이 도착해 포옹 인사를 나눌 때 반 발자국만 밀고 가면서 힘을 주면 기름이 펄펄 끓는 솥에 칭기스칸이 빠트려지는 것이다. 셍굼은 예행연습까지 마치고 사람을 보냈다.

칭기스칸은 셍굼이 주치를 받아들이기로 했다는 소식을 듣자 뛸 듯이 기뻤다. 자신의 제안을 처음에 흔쾌히 수락하지 못했던 사정이야 얼마든지 이해할 수 있었다. 셍굼이 마음을 열자면 시간을 끌 수 있다고 보았던 것이다.

"내가 뭐랬소? 옹칸의 눈빛이 달라졌다니까."

그리하여 들뜬 마음으로 주치를 데리고 길을 나섰다. 집안의 경사이니 멍릭아버지에게 알리는 것도 괜찮은 일이라 생각하여 석양 녘에 들러 하룻밤을 묵게 되었는데, 자초지종을 전하자 깜짝 놀란다.

"어찌 그리 무모하신가? 이건 계략이네. 셍굼의 간에서 냄새가 나지 않는가?"

그럴 수도 있겠다 싶어 텝텡그리를 불러 점을 쳤는데, 점괘 역시 흉조로 나왔다.

'제길, 이렇게 사악할 수도 있단 말인가?'

하지만 명확한 근거도 없이 오해를 해서는 안 될 일이라 망설이는데, 멍릭아버지는 자신의 판단에 추호의 의심도 갖지 않았다.

"때가 봄이라는 것을 핑계 대면 좋겠네. 말들이 야위어서 살이 오른 다음에 행사를 하자고 전갈을 보내시게."

결국 사절단만 보내놓고 어떤 반응이 나오는지를 기다려보기로 했다.

생굼은 칭기스칸이 오지 않자 가슴이 철렁 내려앉았다.

'귀신이구나. 도대체 어떻게 눈치를 챘지?'

사실, 케레이트는 옹칸의 침묵 속에서 조금씩 칭기스칸의 영지로 변해가던 중이었다. 두번째 맺은 부자의 맹을 지키느라 애쓰던 중이라 옹칸의 표정은 분명히 예전과 달라 보였다. 오죽했으면 주치를 장가들이려 했겠는가? 그 같은 상황에서 빚어진 생굼의 반란은 옹칸이 이중적인 태도를 보였음을 증명하는 것이니, 꼼짝 없이 전쟁을 부르게 되어 있었다.

아들의 실수를 전해 들은 옹칸은 자신이 돌이킬 수 없는 배신의 벼랑 끝에 섰음을 뼈아프게 깨달았다.

"아들을 잘못 두어 사람의 명을 살지 못하게 되는구나!"

생각할수록 끔찍한 일이다. 이번에야말로 뼈도 못 추릴 것이다. 그래서 옹칸은 눈을 딱 감고 마지막 결전에 모든 것을 걸지 않으면 안 된다고 판단했다. 선제공격을 해서 칭기스칸을 없애는 것 외에 무슨 방법이 있겠는가?

옹칸은 긴급히 쿠릴타이를 열고, 사태의 심각성을 장수들에게 알렸다. 그리고 주요 족장들 앞에서 목숨을 내놓고 싸울 수밖에 없는 자신의 처지를 밝혔다.

"칭기스칸의 네 준마가 협력하면서 선봉대, 본진, 후위대, 예비대를 이끌고, 사나운 네 마리의 충견이 지휘부를 보위하게 되면 난공불락의 전력이 만들어진다. 칭기스칸이 진영을 다 갖추면 때가 늦으니, 첫 충돌에서 푸른 군대의 사지와 육신을 나누어라."

이렇게 음산한 그림을 그려놓고, 옹칸은 물샐 틈 없는 보안을 유지

하도록 강조하며 다음 날 해가 뜨기를 기다렸다. 하지만 전쟁이 전쟁터에만 있는 것은 아니었다. 선봉대로 배속된 부족장 예케가 예비마를 준비하기 위해 잠깐 집에 들러 볼일을 보는 것도 전쟁의 일부였다. 왜냐하면,

"첫 새벽에 칭기스칸을 치러 갈 거야. 준마를 대기시켜."

하는 소리를 말 젖을 짜서 뇌두러 온 종이 듣고 만 것이다.

실로 거미줄 같은 모칼리의 정보망이 거기까지 이어져 있는 것을 누가 짐작이나 하겠는가. 하지만 종이 심상치 않은 공기를 맡고, 헛들은 소린지 제대로 들은 소린지 긴가민가하면서 말치기에게 전하고 나서 예케의 아들이 준마를 데려가자 종과 말치기는 심각한 상황임을 확신했다. 그리하여 위급한 사실을 나코 어른에게 쫓아가 일러바치고, 나코 어른은 또 보오르추에게 전했다. 새벽이 다 될 무렵에야 칭기스칸이 알고 군대를 소집할 수 있었다.

"급하다. 옹칸이 쳐들어온다. 후퇴하면서 대열을 정비하자."

서로를 너무나 잘 아는 세 사람, 칭기스칸과 또 옹칸, 자무카가 부딪쳤으니 결코 간단한 전쟁이 될 턱이 없었다. 삼자가 동맹하여 메르키드를 칠 때처럼 속도전이 벌어질 것이 분명했다.

"모칼리! 테무게와 함께 쿠두 아랄을 지켜. 이번에는 칸들의 전쟁이야. 우리가 섬멸당하면 자무카가 접수하러 올 테고, 그렇지 않으면 장기전이 될 것이다. 일을 재량대로 해라."

말이 채 끝나기도 전에, 먼 초원에서 대규모의 모래먼지가 인다는 보고가 들어왔다.

"반전의 기회가 올 때까지 후퇴한다. 보오르추가 후미를 지켜줘."

칭기스칸의 병력은 적을 당할 수 없었다. 케레이트만 해도 상대하

기가 버거운데, 자무카가 변방의 부족들을 대동했고, 알탄, 코차르, 다리타이 등 키야트 집안의 어른들까지 푸른 군대를 빠져나가면서 상당수의 군사를 빼갔기 때문에 옆구리가 뻥 뚫려 있는 셈이었다. 게다가 전쟁에 대비할 틈조차 없었으니, 급히 기동대를 구성해 적들을 광활한 초원으로 마구 끌고 다녀야 반전의 기회나마 노릴 수 있을 터였다.

칭기스칸의 군대가 광풍을 맞은 곳은 검은 모래사막이라는 뜻을 가진 카라칼지트였다. 생굼의 군대는 이동하는 돌개바람처럼 푸른 군대의 꽁지를 찾아 허술한 진영을 급습했다. 불의의 일격에 대열이 휘청거린다. 칭기스칸이 이끄는 충성스런 잡종 집단은 열심히 방어하면서 틈틈이 후퇴를 기도했지만 사정이 여간해서는 바뀌지 않았다. 그것을 알고 옹칸은 어마어마한 병력들을 밀어붙인다. 안 되겠던지 오로오트 족과 망구트 족의 군대가 수비를 자청하고 나섰다. 푸른 군대의 경쟁력이 그런 자발성에 있었다. 그들은 생굼의 대군에게 고립된 위기의 순간에도 거룩한 죽음을 맞이하려고 작정한 사람들처럼 덤벼들어 생굼을 할퀴는 데 성공했다.

난처한 일이었다. 전쟁을 원한 것도, 옹칸의 만류를 뿌리친 것도 생굼이었는데, 대규모 병력과 준비된 작전으로 유리한 공격을 퍼부었음에도 칭기스칸을 제압하기는커녕 오히려 자신이 먼저 부상을 입은 것이다. 케레이트는 전쟁의 주인공이 말에서 떨어지자 우왕좌왕하는 기색이 역력했는데, 푸른 군대는 그때를 기해 재빨리 죽음의 땅을 벗어나 필사의 탈출을 시도하였다.

또 하루가 그렇게 저물었다. 전력은 명백히 열세이고, 날이 밝으면 옹칸의 군대가 밀려들어 기승을 부리겠지만 칭기스칸은 낙관도 절망도 하지 않았다. 냉정한 결단력으로 야밤에 소리 없이 병력을 빼서 후퇴에 후퇴를 거듭했다. 답답한 것은 쿠릴타이를 열 틈이 없었고, 병력을 여럿으로 쪼갰으며, 대열을 봉합할 새 없이 이동을 거듭한 탓에 재집결을 할 장소도, 병력 손실을 파악할 수도 없다는 점이었다.

칭기스칸은 밤이 깊어서야 핵심적인 장수가 셋이나 없는 것을 보고받았다. 보오르추와 보로굴, 그리고 셋째아들 어거데이.

보오르추는 후미에서 추격대를 따돌리기 위해 독자 행동에 들어갔었다. 본대에서 점점 떨어져 적들을 교란하다 준마의 옆구리에 화살을 맞자 말이 날뛰다가 너무나 많은 화살을 맞은 나머지 제자리에서 숨진 것이다. 그는 야밤에 도보로 후퇴를 하던 끝에 옹칸의 군수품을 나르는 수레를 발견해 칼로 마차의 줄을 끊고 말을 떼어냈다. 그리하여 밤새 내달려 본대를 찾은 것이 여명이 밝을 무렵이었다.

칭기스칸은 푸른 하늘이 돕는 것을 느끼고 쉴 새 없이 감사의 기도를 올렸다. 날이 환하게 밝은 후 또 하나의 병사가 찾아오는데, 말을 탄 등 뒤에서 다른 사나이가 덜렁거린다. 보로굴이 어거데이를 싣고 온 것이다.

"후퇴할 때 어거데이 왕자님이 말에서 떨어지더라고요. 황급히 뛰어내려 부축하고 보니 목에 화살을 맞았지 뭡니까?"

타이치우트 전 때, 젤메가 칭기스칸을 살리듯이 보로굴도 밤새 피를 빨아 어거데이를 살렸다. 그리고 혼절한 왕자를 자기 말에 끌어올려 단단히 묶어서 태우고 온 것이다.

"장하다. 보로굴, 어머니가 얼마나 기뻐하겠어."

보로굴은 후엘룬 어머니가 맡아 기른 전쟁고아의 한 명이었다. 그러나 칭기스칸은 보로굴을 칭찬할 틈도 없이 센군에게 부상을 입힌

영웅 코일다르가 숨지는 것을 보았다. 전투할 때 창에 찔린 상처 때문에 한없는 고통 속에서 눈을 감은 것이다. 칭기스칸은 필사의 도주를 하면서도 그의 장례식을 정성껏 치렀다. 많은 병사들이 말을 타고 뛰면서 울었다.

이렇게 해서 푸른 군대는 타타르를 격퇴했던, 대흥안령의 서쪽 산허리까지 후퇴를 했다. 달란네무게스 지방에서 겨우 적들을 따돌리고 야영을 하면서 정비해보니 도중에 흩어진 부대가 많아서 전력을 복구할 길이 없었다. 아마도 자무카 군대와 부딪쳤을 것으로 추정되는 카사르 군대가 무사한지, 무사하다면 또 어디쯤에 있는지, 이제 본대는 어디로 가야 하는지 좀처럼 길이 보이지 않았다.

칭기스칸은 최악의 상황에 직면해 있었다. 그러나 옹칸도 결코 개운하지 않았다. 칭기스칸이 침착한 줄은 알았지만, 대규모 병력이 하늘을 덮도록 화살을 퍼부어도 대열의 꼬리 하나 잘리지 않고 빠져나갈 줄은 몰랐던 것이다.

"정말 기민한 녀석이군!"

작전의 실패를 인정하지 않을 도리가 없었다. 전쟁에는 이골이 난 사람이 진두에 서서 그 많은 병력을 동원하였음에도 불구하고, 기습에도 실패, 포위에도 실패, 추격에도 실패하는 일이 있을 수 없었던 것이다. 그래서 의기소침해지는 것을 장수들이 위로한다.

"옹칸이시여! 셍굼 왕자님은 무고하십니다. 반면에 칭기스칸 군대는 쫓기고 쫓겨 초원의 끝자락을 헤매고 있습니다."

그 같은 충성 경쟁에 알탄까지 뛰어들어 살랑거리는 게 자무카는 눈에 가시가 박힌 듯이 불편했다.

"칭기스칸은 늘 말을 다섯 마리씩 데리고 다니라고 박박 긁고는 했습니다. 한데, 이번에는 갈아탈 말도 없이 달랑 한 마리에 얹혀 쫓기잖습니까? 밤에도 막사는커녕 이슬을 가릴 천 조각 하나 없이 뒹굴어야 합니다. 지금쯤 녹초가 되어 있을 거예요."

다른 뜻을 품고 있을지언정 자무카도 그런 반응을 보이기는 마찬가지였다.

"푸른 군대는 어떤 유형의 반격도 하지 못하고 흩어졌습니다. 공격할 권리는 오직 우리에게만 있어요. 심지어는 옹기라트 족도 제게 와버린 실정이니."

이런 말들이 옹칸에게 위로가 되는 것은 언젠가 사막에서 끈이 떨어져 죽을 뻔했던 지독한 기억 때문이었다. 광야는 떠돌이를 죽음으로 몰고 가는 유령으로 가득 차 있다. 사람이건 가축이건 초원에 버려지는 순간 그 신체는 푸른 하늘이 먹이는 가축, 즉 야생동물의 몫이 된다. 어떤 종류의 인간도 사막의 모래언덕과 망망 무제의 초원에서 솟아오르는 장엄한 일출 앞에 던져놓으면 영리하거나 잘생기거나 기운이 세어봐야 아무짝에도 쓸모없다는 것을 깨닫게 된다. 낮에는 태양으로부터, 밤에는 혹독한 추위로부터, 매 순간 주위의 건조함으로부터 자신을 보호하기가 얼마나 어려운가? 칭기스칸 진영이 여러 조각으로 흩어진 이상 그런 난관에 부딪치지 않을 리는 만무했다.

그렇게 시간이 흐르자 칭기스칸에 대한 적대감은 점점 묽어져갔다. 자무카는 옹칸과는 전혀 다른 차원에서 허파에 바람이 채워지고 있었다. 그에게 옹기라트 족이 안겨온 것은 얼마나 흥분되는 일인가?

'다시 한 번 구르칸의 시대가 오는 거지.'

그는 이렇게 생각하고 카사르 부대를 쫓다가 돌아와버렸다. 칭기스칸이 패했을 때 초원에서 방황한 수많은 씨족과 부족들을 흡수하려면 심복이 더 많아야 하겠기 때문이었다. 그러나 옹기라트 족의 내심은 그렇게 간단하지 않았다. 사실은 카사르 부대가 그렇게 만들어버렸기 때문이다. 카사르는 떠나올 때 가죽자루에 담아온 마유주가 동나자 아무것도 먹을 게 없었다. 육포도 제대로 준비하지 못했다. 후퇴하는 동안 자무카의 추격이 뒤따랐기 때문에 밤에도 불을 지피지 못하고, 열흘 동안이나 행군했다. 그사이에 먹은 것은 말의 피밖에 없었다. 말의 정맥을 갈라서 입으로 피를 빤 다음 지혈을 시키면 금방 체력을 회복한다. 하지만 그것을 자주하면 기동력을 잃기 때문에 무리를 할 수도 없었다. 그러다 보니 난데없는 노략질을 하게 되었는데, 하필이면 칭기스칸에게 귀속되고자 보이르 호수 일대를 등지고 나선 옹기라트 부족을 급습하여 약탈해버린 것이다. 경악할 듯이 놀란 것은 버르테의 큰오빠였다. 여태 자무카와 타타르의 눈치를 보느라 여기저기 동맹군으로 끌려다니다가 이제야 겨우 자유를 찾아서 칭기스칸에게 가는 중인데, 웬 마적 떼에게 털리면서 보니 두목이 칭기스칸의 동생이었던 것이다. 하도 황당해서 자무카의 부대에 의지하는 수밖에 길이 없었다.

그때 칭기스칸은 달란네무게스를 떠나 보이르 호수 쪽으로 이동하고 있었다. 초원이 넓다는 게 그렇게 다행일 줄은 몰랐다. 아무 냄새도 실리지 않을 것 같은 맑은 바람 속에는 그러나 풀 향기가 가득 담겨 있었다. 빨리 달릴수록 초원의 향기가 코를 찔러 폐부가 감격할 듯이 뻐근하다. 그는 버릇처럼 분지의 산골짜기와 산 주름, 물굽이, 언덕, 풀숲을 살펴가며 처가네 영지를 찾아보는데 기대했던 옹기라트 족은 간 데가 없고, 동부 초원은 텅 비어 있었다. 타타르도, 옹기라트도 사라져버린 광활한 평원에서 칭기스칸은 다시 고민에 빠졌다.

돌이켜보면, 왜 그리 방심했던가? 한심하게 왜 겸손을 잃었던가? 아직까지 어떤 방어전도 쿠릴타이 한번 열어보지 않고 맞은 적이 없었다. 준비하지 않은, 예견되지 않은 패배란 없었다. 예비마도 없이 쫓긴 적이 없었다. 나이만 앞에 홀로 버려졌을 때 그 위기의 순간에도 참모들의 의견을 물었고, 젤메의 의견을 듣다 답을 찾아냈었다.

다들 배가 고픈지 대열은 아무 소리도 없었고, 나란히 흔들리는 보오르추의 숨소리만 들렸다. 말들이 너무나 지쳐 있어서 쉬어야 했다.

"보오르추, 여기서 하영하자."

아무 복안이 없으니 다들 칭기스칸만 쳐다볼 뿐이다. 밤이 되자 쿠릴타이를 열었다. 주고받을 수 있는 의견이라는 게 순전히 안부뿐이었다.

"카사르는 어디에 있을까요? 모칼리는 어떤 상황에서도 방어를 잘 하리라고 봐요. 다른 부대들은 무사하겠지요?"

그렇게 회의를 하는 동안 장수들은 상황이 절망적인 줄 알지만 칭기스칸이 힘들어할까 봐 내색하지 않았다. 칭기스칸도 사기를 떨어뜨리지 않으려고 파란만장한 과거사를 들춘다.

"전쟁이란 인간의 일 중 아주 어려운 것이야. 키릴툭에게 붙들렸을 때 참고 견디다 보니 소르칸시라를 만나더라고. 하단을 알게 된 것은 얼마나 아름다운 추억인가? 말 여덟 마리를 잃었을 때도 무슨 길이 있어서 갔던 것은 아니야. 한데, 보오르추를 만났어. 버르테를 빼앗겼을 때는 보르칸 산이 지켜줬지. 그리고 동지 일곱 명이서 삼자동맹의 수를 찾아내어 사만 일곱 명의 대군을 만들기도 했어. 십삼익 전쟁 때는 가장 뛰어난 장수를 후퇴작전으로 무찔렀잖아. 무당 또 정보원, 이런 것으로 구르칸 연합군을 이기기도 했어."

그나마 코르치가 대꾸가 될 만한 말을 한다.

"대칸! 초원 전쟁의 무한한 악순환에는 반드시 끝이 있습니다. 우리가 언제 그 자리에 설 것인지를 항상 생각하고 있었으면 해서요."

"그래서 드는 생각인데, 전쟁은 군대로, 또 무기로만 하는 건 아냐. 어떤 때는 침묵으로, 또 어떤 때는 산천으로, 또 어떤 때는 패주로 승리를 만들기도 하거든. 이번에는 이야기로 한번 싸워보면 어떨까? '기억전술'을 쓰는 거야. 지금 옹칸의 군대에 속한 사람들은 각자가 나와 깊은 인연들을 맺고 있어. 그걸 상기시키는 거지."

얼핏 무슨 말인지 알아들을 수 없었다. 그러나 보오르추를 불러서 따로 궁리를 하다 보니 결코 손해 볼 일은 아니라는 생각이 들었다.

"좋아, 전언을 날려보자. 옹칸, 자무카, 셍굼, 알탄 다 듣는 데서 외우게 하는 거야."

"항복 선언을 하는 줄 알 거예요."

다음 날, 용사들은 사냥을 통한 보급 투쟁을 하게 하고 칭기스칸은 여러 사람의 조언을 구해가며 어떤 말을 전할지 내용을 짓기 시작했다.

칭기스칸은 가장 정직한 용사 둘을 전령으로 뽑았다.

"말주변이 없어도 된다. 발음을 또박또박 해서 낱말 하나하나가 화살처럼 박히게 해야 돼. 그 자리에 있는 사람이 모두 듣도록 큰 소리로 외워."

두 사람이 출발할 때 칭기스칸이 직접 배웅을 하면서 말했다.

"임무가 끝나면 돌아오지 말고 거기에 남아라. 반드시 살아서 나중에 포상을 받아야지."

둘 다 선불리 발을 떼지 못했다. 사실은 새벽에도 부상자들을 모아 쿠두 아랄로 보냈고, 아침에는 특공대를 만들어 카사르 군대를 찾도록 떠나보냈다. 칭기스칸 진영은 소수에서 소수로 숫자가 계속 줄어들었다.

"용사들을 다 떠나보내면 누가 칸을 지킵니까?"

전령이 옹칸의 부대에 당도한 것은 해름이었다. 케레이트 병사들은 하얀 깃발을 흔들며 나타난 두 패잔병을 옹칸 앞에 대령시켰다. 그동안 어찌나 고생했는지 복장이 너덜너덜해서 첫눈에 봐도 항복을 하러 온 것이 분명했다.

"칭기스칸은 어디 있느냐?"

"보이르 호수 근처에서 헤어졌습니다. 소수가 남아 동쪽으로 내려갈 거라 했고, 저희에게는 항복하라 지시했습니다."

순간, 옹칸은 가슴이 꿈틀하는 것을 느꼈다.

'신세가 처량하구나!'

칭기스칸의 위치와 분위기가 자기가 짐작했던 대로였고, 다른 거짓이 담길 여지도 없었다.

"항복 선언은 오르도에서 듣겠다."

그러자 두 전령이 꿇어앉아 모가지를 내밀고 청을 올린다.

"폐하! 두 사람의 목을 쳐도 좋습니다. 패전한 칭기스칸께 충성할 기회를 주십시오. 저희는 구르칸, 셍굼 장군, 알탄 장군께 드릴 전언도 가지고 왔습니다. 잊을까 봐 두려우니, 한자리에서 올리도록 허락해주시면 안 되겠습니까?"

"선 자리가 늪인지 사막인지 모르는 놈들이구나. 이놈들 모가지를 분질러라."

하고 돌아서다가 금방 정정하고 되돌아섰다.

"아니다. 칭기스의 뜻이니 들어나 주자."

초원에는 오후의 땡볕이 발악을 하듯이 쏟아지고 있었다. 적장들은 천막 그늘 아래 여기저기 흩어져서 앉고, 두 전령은 모두가 보이는 곳에 서서 외운 내용을 읊는다.

"옹칸 아버지시여! 저는 먼 초원을 떠돌고 있습니다. 한 번만이라도 정확히 말해주세요. 제 아버지이신가요, 아닌가요? 저를 공격한 이유는 제가 대들었기 때문인가요, 주치와 차우리를 결혼시키자고 했기 때문인가요?"

"잠깐, 무슨 항복 선언이 이렇게 복잡하고 어지럽다냐?"

하지만 옹칸의 성격은 고원의 날씨만큼이나 변덕이 심했다. 퍼뜩, 자기가 구해주지 않는 한 칭기스칸이 살아올 수는 없다는 생각이 들어 마음이 너그러워진다.

"그래, 끝까지 해라. 다들 들어주어라."

나이 든 전령이 읊는 소리가 가락을 타면서 낭랑하게 울려 퍼진다.

"예수게이 아버지에게 도움을 받던 일은 다 잊으셨습니까? 저와 나눈 맹세는 모두 헛된 것입니까? 고비 사막에서 떠돌던 기나긴 슬픔의 날이 아버지의 육신에서는 다 지워진 겁니까? 어찌하여 당신의 미래를 공격하는 겁니까? 밑에 있는 모든 장수에게 물어주세요. 내가 약속을 어긴 적이 있는지, 내가 맹세를 깨뜨린 적이 있는지."

이렇게 이어진 전언은 결국 '질투가 심하고 사나운 이빨을 가진 독사의 꼬드김에 넘어가지 말자던 맹세'를 상기시키는 걸로 끝을 맺었다.

그때 한쪽 그늘 모퉁이에서 헉, 하고 흐느낌을 참는 소리가 들렸다. 예수게이 동생 다리타이가 형의 이름을 듣고 자기도 몰래 감정이 복받친 것이다.

"오, 예수게이 형님!"

다리타이는 예수게이의 모든 역사에 동참했던 아우로서 후엘룬을 약탈하던 일이 떠올라 격정을 참기 힘들었다. 그래서 혼잣말로 무엇을 중얼댔는데, 옹칸의 경호원이 예수게이를 들먹이면서 흐느꼈다고 전하자 옹칸의 마음이 요동을 쳤다. 주마등처럼 떠오르는 기억들을 뒤로하고, 비겁하지만 못난 아들에게 권좌를 물려주자니 칭기스칸을 외면해야 할 처지가 된 것이 씁쓸해진 것이다. 그래, 이렇게 됐으니 기도나 해주자 싶어서 이상한 짓을 해본다.

"내가 앞으로 칭기스에게 나쁜 마음을 품는다면 내 몸의 피가 모두 흘러나가도 좋다."

이렇게 말하고는 화살촉을 다듬는 칼로 새끼손가락에 상처를 내어 자작나무 껍질에 피를 적셨다. 전령이 오히려 당황스러웠다.

"저더러 다시 돌아가라 한다면 온 초원을 뒤져서라도 칭기스칸을 찾아 전달하겠습니다."

그와 함께 작은 전령이 자무카에게 보내는 말을 울음 섞인 소리로 읊었다. 목청이 얼마나 크고 비장하던지 만인의 귀에 또박또박 닿는다.

"형제여! 늑대와 싸우던 날을 기억하는가? 이것이 형제의 운명이라며 손금을 보여주던 날을 기억하는가? 메르키드를 치고 나서 나를 데려다 한 이불을 덮게 하던 넓은 품은 어디로 갔는가? 형제에게 묻나니, 옹칸 아버지가 따라주는 술잔을 내가 먼저 받으면 안 되는 것인가? 헌 빼를 중오하느라 쓸데없는 고생을 해온 형제에게 반드시 돌려주고 싶은 이야기가 있다. 이 초원이 고원이라고 내게 가르친 사람은 형제였다. 정착민은 저 낮은 땅의 나무 밑에서 살지만 우리는 풀포기밖에 자라지 않는 높은 곳에서 산다. 그러나 드넓은 초원의 어디가 중심이고 어디가 주변인가? 천호장 밑에 있는 백호장, 십호장, 아니 그 밑에 있는 용사들에게 다 물어보아라. 이곳의 어디에 봉우리가 있는지. 높은 곳은 왜 봉우리여야 하는가? 최정상이 평지여서는 안 되는가? 어린애들처럼 언제까지 정상을 차지하겠다고 고집할 텐가?"

자무카는 내용이 너무 통렬해서 눈을 뜰 수 없었다. 봉우리들이 모여서 평지를 이루다니! 그런 바다 같은 안정감은 어디에서 오는 것일까? 칭기스칸이 자신과 다른 게 있다면 낮은 사람들 속에 묻혀 지내는 것을 전혀 두려워하지 않는다는 점이었다. 언제나 귀족들과 어울리고, 항상 부족의 상층부를 다루는 데 능한 자신의 모습은 확실히 검은 뼈로서 흰 뼈들의 횡포에 분노하던 감정과 모순되는 것이었다. 제길, 칭기스칸의 심리 상태가 매우 허탈하고 겸허한 것을 보면 항복 같지만, 들으면 들을수록 뼈아픈 낱말들이 콕콕 가슴에 박히는 것을 보면 공격도 그렇게 심한 공격이 없었다.

그것은 곧 파문을 일으키기 시작했다. 누가 생각해도 다들 가장 가까운 사람이 칭기스칸이었다. 그런데 어찌하여 가까운 사람을 파멸시키기 위해 화해가 불가능할 만큼 먼 거리의 사람들이 한자리에 모여 있는가? 그런 느낌이 더욱 분명해진 것은 전혀 기대조차 하지 않은 알탄과 코차르에게 전하는 말이었다.

"알탄과 코차르 사촌형이여! 키야트 보르지긴 족의 영광을 살리기 위해서 평생을 노력해온 우리 부족의 진짜 흰 뼈 귀족들이여! 어머니 보르칸 산에서 솟아 나온 세 강줄기에 매달려 사는 가엾은 백성들을 위해서 어린 몽골을 살리자고 나를 설득한 것은 당신들이 아니었나요? 흰 뼈의 자식들 중에서 칸이 되어야 할 첫 손가락은 세체, 둘째는 알탄, 셋째는 코차르, 나는 넷째 손가락이라 발을 빼다가 세 사람이 끝까지 거절해서 세 번, 네 번이나 등을 떠밀려 칸이 됐어요. 조상님들이 하던 말을 떠올려보세요. 첫째 손가락은 사람을 다스리는 데 쓰고, 둘째 손가락은 돈을 세는 데 쓰며, 셋째 손가락은 뒤를 닦을 때, 다섯째 손가락은 코를 후빌 때 쓴다고 했지요. 푸른 하늘에 술을 고수레할 때 넷째 손가락을 씁니다. 혼자서 움직이지 않고, 다른 손가락과 더불어 살고자 하는 넷째 손가락을 자르기 위해 정신을 놓다니! 하지만 사람들은 모든 약속을 넷째 손가락에 걸고 합니다. 부끄러운 줄 아세요."

셍굼은 이 같은 말장난이 한없이 거슬리기만 했다. 칭기스칸이 와서 항복을 한 것도 아니고 그의 진영이 초토화가 되었다는 증거도 없었다. 더구나 자신에게 보낸 전언은 오만의 극치를 보이기까지 한다. 쥐꼬리만 한 분량을 남들보다 뒤에 배치하되 내용조차 하룻강아지를 다루듯 해서 자존심이 이루 말할 수 없이 상했던 것이다.

"그대는 발가벗고 태어난 아들이요, 나는 옷을 입고 태어난 아들이 아닌가. 그대에게 실수를 한 적이 없는데, 왜 아버지의 뜻을 거부하는가. 형제들에게 평생을 시달려온 분에게 자식들조차 괴롭힘을 준다면 나중에 어떻게 눈을 감겠는가."

이것이 패장의 발언이고 항복 선언이란 말인가?

'죽일 놈!'

셍굼은 당장이라도 칭기스칸의 머리통을 떼어다가 요절을 내버리고 싶었다. 하지만, 알량한 전언 하나를 듣고, 아버지 옹칸께서 추격전을 중단시켰다. 그리고 초원이 떠내려가도록 시끄러운 잔치를 벌이면서 각종 무용담을 늘어놓는다.

"칭기스가 만리장성까지 도망을 치고 말았는데, 그곳에서 재기를 할 수 있을까?"

옹칸의 관심은 역시 그것에 있었다. 알탄이 자신 있게 고개를 젓는다.

"초원의 모든 울루스에는 중심이 되는 가족이 있고 문중의 어른들이 있으며 씨족과 혈통의 영광이 있습니다. 전투력이란 대대로 내려오는 가문의 전통에서 나오는 법인데, 칭기스칸은 제가 편하자고 말을 잘 듣는 것들만 앞세우다 보니 뜨내기 종들이 장군입네 참모입네 하고 들끓고 있어요. 내세울 것이라고는 하나도 없는 잡종 집단인데, 이미 모래처럼 흩어진 것을 이제 와서 무슨 수로 모으겠습니까?"

다들 생각이 거기에 닿아 있었다. 칭기스칸 진영의 최대 약점은 공동체의 근간을 이루는 황금 가문이 없다는 것이었다. 합종연횡을 하려고 해도 대표자가 있어야 이마를 맞댈 것 아닌가?

그러나 자무카의 생각은 달랐다. 테무진이 칸에 오르면서 내린 칙령이 조치다르말 같은 말치기들을 순식간에 충견으로 바꾸어버리는 것을 보면서 그는 깜짝 놀랐다. 칭기스칸은 유목민의 마음을 사로잡는 법을 알고 있었다. 그의 칙령은 흰 뼈들의 재산과는 비교도 안 되는 힘으로 공동체를 결속시킨다. 그가, 인간이 인간을 약탈하는 한 분쟁이 사라질 수 없다고 보고 내린 각종 갈등의 근절책들은 다른 부족의 백성들까지 관심을 끌게 만들었다. 우선, 여자의 납치를 금지시켰다. 백성이 백성을 노예로 삼는 것도 금지시키고, 서자를 차별하는 것도 금지시켜서 부인이 낳건 첩이 낳건 모든 아이는 적자 취급을 받도록 했다. 그의 울루스에서는 낙타의 가치를 따지듯이 부인의 가치를 놓고 실랑이를 할 수도 없고, 무당이나 노인을 함부로 대할 수도 없었다. 유목민은 언제나 가축을 놓고 싸움이 그치지 않아서 하다못해 야생동물을 사냥할 권리를 놓고도 싸웠는데, 그는 짐승이 새끼를 낳는 봄부터 가을까지는 사냥을 금지시키고, 겨울에도 식량에 필요한 만큼만 동물을 죽일 뿐 필요 이상의 사냥을 못 하게 했으며, 동물을 도살하는 방법까지 규제했다. 그를 따르는 사람들은 흰 뼈와 검은 뼈를 나누는 방법을 잊고 말았다. 세상을 보는 척도가 달라진 것이다.

자무카는 처여를 시켜 칭기스칸의 전령이 겉으로만 항복한 것인지 나중에 몰래 빠져 달아나는지 유심히 관찰하게 했다. 그러한 결과 한 명이 행방불명된 사실을 알고는 정신을 바짝 차리지 않을 수 없었다. 칭기스칸은 아직 전쟁을 포기한 것이 아니다. 어쩌면 그가 죽기보다 옹칸이 죽기를 바라는 게 더 빠를지 모른다. 이것이 그가 내심 노려오던 쿠두 아랄을 한없이 곁눈질해 살피면서도 아직도 접수하러 가지 못하는 이유였다.

'암, 버르테를 차지할 수 있을 때 비로소 칭기스칸을 정복했다 할 수 있겠지.'

그래서 자무카가 침묵하는 동안 옹칸의 진영은 조용히 균열을 진행해가고 있었다. 다들 겉으로는 태연한 척하지만 속으로는 기억전술의 충격을 여간 크게 받지 않았다. 우선, 옹칸은 셍굼을 꾀어 자신을 불편하게 만든 자무카를 어떻게 처리할지 고민하느라 바쁘다. 칭기스칸을 견제할 비장의 무기로 감춰두었을 뿐 자무카를 곁에 둘 이유라고 없으니, 칭기스칸이 사라지면 그도 사라져야 한다고 생각했던 것이다.

그와 똑같은 생각을 자무카도 하고 있었다. 그에게서는 이번 전쟁이 칭기스칸 대 옹칸, 자무카 연합의 전쟁이 아니라 세 사람이 하나의 백성을 차지하기 위해서 벌이는 칸들의 싸움이었다. 뿐만 아니라, 테무진을 꾀어서 자기와 헤어지게 만든 당사자가 알탄과 코차르임이 명백해진 이상 씻을 수 없는 원한을 더는 묵과할 수 없었다. 그런가 하면, 알탄과 코차르는 셍굼을 제거하지 않으면 안 된다는 것을 깨달았다. 옹칸에게 몽골국을 넘겨받으려면 셍굼의 욕심을 다른 데로 돌려야만 했던 것이다. 이 복잡한 셈법들을 감추고 다들 한 가지 일을 하고 있으니, 이제 전쟁을 더 해야 할지 말아야 할지도 알 수 없게 되고 말았다.

셍굼은 그것이 불안했다. 어떻게든 칭기스칸의 몰락을 제 눈으로 확인하지 않고는 물러날 수 없었으므로 자무카와 연대하여 마지막까지 소탕작전을 밀어붙여야 했다. 그래서 제발, 칭기스칸의 요설 따위에 아버지가 더 이상 흔들리지 말 것을 부탁해본다.

"아버지, 테무진이 해대는 소리에는 아버지에 대한 존경심이 없어요. 오히려 동생들을 죽였다는 야유가 흐르고 있잖아요."

그러나 셍굼은 어설픈 존재였다. 전에도 옹칸의 승낙만 떨어지면 금방이라도 칭기스칸을 섬멸할 것처럼 해놓고 막상 자기가 부상을 입어서 도피할 기회를 만들어줬으니, 옹칸은 셍굼의 말을 들은 척도 하지 않는다.

그와 정반대되는 사람이 다리타이였다. 그는 마음이 한번 뒤집어지고 나자 거의 정신을 차릴 수 없는 지경이 되었다.

'나쁜 놈들이 내 조카 하나를 죽이려고 이 지랄들을 하는구나! 나는 돌아가서 벌을 받겠어. 예수게이 형에게 지은 수많은 죄를 조카에게 씻어야 저승에서 떳떳이 볼 수 있을 것 아닌가?'

자무카는 이 같은 파장을 저울질하면서 옹칸에 대한 쿠데타를 구상하고 있었다. 그러다가 생굼이 부상도 채 가라앉지 않은 상태에서 수색대를 만들어 칭기스칸을 섬멸하러 가자는 제안을 하자 한껏 뜸을 들였다. 생굼이 먼저 자무카에게 총사령관을 맡아달라고 요청하였다.

"총사령관? 글쎄, 그런 게 필요하겠어?"

이렇게 얼렁뚱땅 피해놓고는 오히려 생굼이 급하지 않은 일로 초조해한다고 면박을 주었다. 그러고는 옹칸이 살아 있는 한 생굼의 꿈은 뜬구름처럼 허망할 뿐이라고 역설하기 시작했다. 아들이 아버지를 치도록 만들어보려는 수작이었다.

"생굼! 세상에는 세 가지 빈 것이 있어. 하나는 꿈이지. 꿈은 붙잡아도 놓아도 빈 것. 또 하나는 신기루인데, 어슴푸레 나타나 사막을 덮지만 모두 빈 것이야. 소리쳐도 외쳐도 메아리 역시 빈 것, 잡을 수 없지. 내가 보기에 생굼에게 케레이트는 꿈이자 신기루요 메아리 같아. 그게 칭기스칸 탓일까? 혹시 아버지 탓은 아닐까?"

생굼은 자무카의 말을 들을 때면 돌처럼 굳어 있던 머리에 피가 도는 걸 느꼈다. 아버지는 독선적이어서 무슨 일이든 자식의 뜻을 손톱만큼도 받아주지 않았다. 그가 아버지와 나누는 대화는 언제나 꾸지람을 듣는 것이 다였다. 그러나 어떻게 아버지를 칠 수 있단 말인가. 생굼의 성격은 모질지 못했다.

물론, 자무카는 예측하고 있었다. 생굼은 아버지의 말을 안 들을 수는 있어도 모반을 할 수는 없는 사람! 그렇다면 생굼의 눈을 피해야 하는데, 그렇다고 해서 좋은 기회를 날리고 싶지 않았다. 자무카가 아는 칭기스칸은 이길 수 없는 전쟁을 하는 사람이 아니다. 초원의 어디에선가 숨죽인 채 엎드려 기회를 엿보고 있을 것이다.

'어쩜 그리도 늑대가 하는 짓과 똑같단 말인가?'

반면에 옹칸은 긴장이 한껏 풀어져 있었다. 그토록 의심이 많아서 시종 경계를 늦추지 않는 사람이 모처럼 승리에 도취해 앞을 환히 열어놓았던 것이다. 케레이트의 영지로 돌아가기 전에 제거하지 않으면 안 될 것이다. 그래서 알탄에게 슬슬 말을 걸어본다.

"저거 좀 봐. 초원의 반짝이는 무늬는 고향 바람이 그린 것, 그립지 않은가? 나는 오논 강을 향하는 마음이 새털처럼 가볍네."

"장부께서도 아내가 그리우시군."

코차르도 아는 체를 한다.

"나도 홀어머니를 두고 왔어. 어떻게 지내시는지."

자무카는 이렇게 해서 알탄과 코차르를 설득해 옹칸을 치기 위한 모의에 동참시켰다.

"우리는 케레이트가 어떻든 칭기스칸이 어떻든 상관없는 사람들이 아닌가? 허나, 각자의 백성을 찾으려면 케레이트 군대를 사용해야지."

그들은 옹칸이 잠든 틈을 타서 사로잡기로 했다. 그리고 해가 져서 거사에 막 들어가려는 참인데, 임시 막사 앞에서 막히고 말았다.

"서라. 어떤 놈이냐?"

옹칸의 숙소 안팎에 무장한 호위대가 잔뜩 대기해 있었다. 사실은 그날, 옹칸도 자무카를 쳐내려고 비밀회합을 하고 있었다. 전쟁이 끝났으니 연합을 파기할 명분을 찾는 중인데, 자기들이 알아서 기회를 만들어준 셈이다. 자무카와 알탄과 코차르는 소수 병력만 데리고 그 자리에서 달아나지 않을 수 없었다. 달이라도 떴으면 꼼짝없이 잡혔을 것이다.

자무카와 옹칸의 연합은 이렇게 해서 허물어지고 말았다.

한편, 쿠두 아랄에서도 이 같은 상황을 낱낱이 읽고 있는 사람이 있었다.

'자무카가 갈 데라곤 이제 나이만밖에 없군. 설마 금나라로 가지는 못할 테고.'

모칼리였다. 그는 자무카가 언제 도발할지 몰라 철통같은 수비망을 지키느라 똥줄이 타지만, 군데군데 부서진 정보망을 통해 한 치 앞을 내다볼 수 없이 불안한 초원의 정세를 읽고 있었다. 푸른 군대가 여기저기 흩어져 있어서 수습할 길이 쉽지 않지만, 서서히 움직일 시점이 온 것은 분명했다. 그런데 칭기스칸의 행선지를 파악할 수가 없었다. 아무리 알아봐도 달란네무게스 이후의 행적이 분명하지 않았다. 어쩌면 만리장성 가까이에서 반격을 준비하고 있는지도 모를 일이다.

하지만 장기전에 대비하지 않고 갔으니 여간 걱정되지 않았다. 칸에게 술렝이라도 제공해야 될 텐데, 큰일이었다. 모칼리가 그 문제로 골똘해 있을 때 쿠리엔을 호위하던 수베테이가 뛰어왔다.

"장군님! 소규모의 말 떼가 이쪽으로 오고 있습니다."

"말치기가 기르는 말들이 아닐까?"

"어린 말이 없습니다. 전부 큰 말이에요."

"자무카 군대가 이곳으로 올 리도 없고."

"기수도 타지 않았습니다."

나가보니 지난 전투에 출정했던 말들이 주인을 잃고 돌아오는 중인데, 회색의 새가 끼어 있었다. 보오르추가 칭기스칸의 셋째아들 어거데이를 싣고 간 말이었다.

"어라, 저건 왕자님이 타고 간 말인데."

모칼리는 울란체첵을 불렀다.

"회색의 새가 엉덩이에 달고 있는 흙 딱지를 보세요. 저건 습지에서 뒹군 흔적인데."

"타타르에 가면 '낙타의 혹' 가까이에 습지가 있어요. 그쪽에서 뒹군 것 아닐까요?"

칭기스칸은 어쩌면 작은 호수 근처에 있을지 모른다. 모칼리는 예비마로 쓸 말 떼를 몰고 달렸다. 수베테이가 말로 끄는 전차에 먹을 것을 먼저 실려 보내고, 본인은 나중에 직접 군대를 이끌고 뒤따른 것이다.

그때 낙타의 혹에서는 뜻밖의 인사가 하영하고 있었다. 서양에서 나이만을 거쳐 만리장성까지 넘어 다니는 회교도 상인 친카이가 옹기라트 지역을 배회하다 머물고 있었던 것이다. 그는 울란체첵의 남자였는데, 가끔 아르혼 강 상류에서 바이칼 호수까지 돌면서 검은담비 가죽을 사러 다니고는 했다. 당시 상인들은 세금과 역참, 안전 문제를 해결하는 것이 무엇보다 중요해서 칭기스칸을 찾는 중이었다.

'칭기스칸, 장사꾼들의 꿈이 당신에게 있습니다.'

주변이 이렇게 분주하게 움직이고 있을 때 칭기스칸은 보이르 호수에서 만리장성 사이를 헤매고 있었다. 어찌나 배가 고프던지 무슨 일을 해도 허기를 잊는 데 도움이 되지 않았다. 그러다가 쉰 곳이 완

만한 평지가 이어져 있지만 분지의 많은 부분이 바위나 자갈로 덮여 있는 불모지였다. 머리카락이 없는 어머니를 보는 듯이 슬펐다.

그곳에서 케레이트에 보냈던 전령이 돌아와 상봉하였다. 한 사람은 칭기스칸의 말대로 케레이트 영지에서 살아남는 길을 택하고, 다른 한 사람은 옹칸의 소식을 전하기 위해서 돌아온 것이었다.

"살아남으라는데 왜 다시 왔어? 우리가 나중에 쳐들어갔을 때 받아주지 않을까 봐?"

보오르추가 웃자고 하는 농담이었다.

"칸! 옹칸이 이걸 줬습니다."

옹칸이 피를 묻힌 자작나무 껍질이었다. 칭기스칸은 그것을 보는 순간, 옹칸의 진영이 내부 분열을 심하게 겪을 것을 직감하였다. 옹칸은 변덕이 심하고 일관성이 없지만, 산전, 수전, 공중전을 겪은 사람이었다. 어려서부터 포로와 인질로 사는 경험을 했고, 또 역시 오랫동안 포로와 인질을 잡아 안전을 유지했으며, 평생을 쿠데타와 전쟁 속에서 살아온 사람이라 실전에 관한 한 타의 추종을 불허했다. 그가 허술해 보인다고 해서 함부로 덤비면 큰 코를 다치게 되어 있었다. 자무카와 옹칸이 연합한 상황에서는 싸움 자체가 안 될 터이고, 문제는 자무카와 헤어진 후가 될 터인데, 그때도 맞부딪치면 전쟁의 승패와 상관없이 쌍방이 엄청나게 죽을 것이었다. 칭기스칸은 그 때문에 옹칸의 긴장이 더 풀어질 때까지 꽁꽁 숨어 지낼 생각이었다. 시간을 벌 필요가 있었다.

"보오르추! 나는 조금 더 가보고 싶어. 이 초원 끝까지."

3

쿠두 아랄은 겉으로는 너무나 평온했다. 칭기스칸의 동네라 할, 이 거대한 쿠리엔의 수령은 테무게였고, 옹칸 연합군의 침탈에 대비해 주둔한 군대의 사령관은 모칼리였다. 그리고 오르도의 중앙 게르에는 칭기스칸 진영의 정신적 지주인 후엘룬 어머니가 아직도 어린 전쟁고아들을 양자로 데려다가 기르고 있었다. 하지만 쿠두 아랄의 표정을 결정짓는 사람은 따로 있었다. 매일같이 세상의 공기를 밝게 하거나 온 게르를 침묵에 빠트리는 능력을 가진 이는 버르테였다.

버르테는 어린 여름에 떠난 칭기스칸이 가을이 되도록 소식이 없자 자꾸만 불길한 예감이 들어서 답답해 미칠 노릇이었다. 핵심 측근들의 발길이 이렇게 오래 끊긴 적이 없었다. 모칼리가 눈에 띌 때마다 궁금했지만 불러서 묻거나 확인하지 않았다. 주인을 잃은 말들이 자꾸 돌아오는 것을 보면 전사자가 속출하고 있음이 분명한데, 모칼리가 따로 보고를 하지 않는 것을 보면 칭기스칸은 물론, 전선에 나간 다른 세 아들의 신상도 심각한 일이 없음은 분명했다.

'그러나 왜 무소식인가?'

이렇게 마음을 졸여가며 기다리던 어느 저녁 시간에 버르테는 게르를 나서다가 하마터면 소리를 지를 뻔했다. 짐승처럼 보이는 사람 하나가 인기척도 내지 않고 바로 문밖에 서 있었던 것이다. 버르테가 놀랄 것은 당연했다. 칭기스칸이 출정하기 전날, 어디서 거렁뱅이 사내가 찾아와서 먹을 것을 달라는 뜻인 줄 알고, 후엘룬 어머니가 막내손자 톨루이를 세워둔 채 양고기를 챙기러 갔다. 그때, 비렁뱅이가 톨루이를 마치 독수리가 새끼 양을 채가듯이 눈 깜짝할 사이에 대롱 대롱 들고 가버린 것이다. 그리고 단도를 꺼내서 막 목에 대려던 순간에 알타니가 비명을 지르며 쫓아가 팔뚝을 물어뜯었다. 마침 게르 뒤쪽에서 소를 잡던 젤메가 달려가 칼로 목을 베어버렸다. 타타르 전 때 살아남은 사내가 복수를 하기 위해 저지른 일이었다.

한데, 사나이에게서 조금도 사악한 기운이 느껴지지 않는다. 자세히 들여다보니, 끼니를 얼마나 건너뛰고, 땡볕과 소나기를 얼마나 맞았던지 얼굴이 새카맣게 되어서 한참을 봐도 얼른 식별이 되지 않았다.

"어머니!"

이렇게 목소리가 들려서야 화들짝 놀라 팔을 잡는다. 언제나 낮게 가라앉은 음색은 그의 장남의 것이었다.

'정신이 나간 게지. 내가 주치를 몰라보다니!'

버르테의 가슴에서는 금방 불이 일어 온몸이 활활 타버릴 것 같았다. 몸을 함부로 움직이면 감정의 불꽃이 살아나 육신이 재로 변할 것 같은 기분이다. 그녀는 감정이 일절 실리지 않는 목소리로 말했다.

"왜 왔어?"

"어머니가 보고 싶어서요."

버르테는 눈물이 나도록 고맙고 반가운 소리가 귀에 닿는 순간 너무나 불길한 예감으로 쓸개가 뒤집히는 것을 느꼈다. 아무 일이 없다면 어떻게 주치의 입에서 그런 말이 나오겠는가.

"천 명을 거느리는 장수가 어린애 같은 소리를 다 하네. 주치야! 어떤 경우에도 너만 살아와서는 안 된다고 하지 않았어?"

"아버지도 무사하실 거예요. 십삼익 전쟁 때처럼 초반에는 싸울 생각이 없으셨어요."

"무사하실 거라니? 그게 지금 곁에서 지켜야 할 사람의 입에서 나오는 소리냐?"

하지만 필요 이상으로 냉정하다 싶어서 얼른 말투를 고친다.

"전쟁터에서 도망칠 사람이 아니라는 건 안다. 허나, 다들 고생하고 있을 터이니 너도 게르에서 눕지 말고 다시 가거라."

버르테가 알타니를 불러서 눈짓을 하자 잠시 후에 삶은 소의 혀가 나왔다. 주치가 가장 좋아하는 고기였다. 어머니는 그를 눈길 한번 주지 않고 길렀지만 그 사랑은 이렇게 난데없는 곳에서 확인되어 꼭 가슴이 먹먹해지게 했다. 주치는 허겁지겁 먹으면서도 눈물이 돌아서 목이 말랐다.

'왜 왔는지 묻지 않으시는구나!'

막상 물으면 답변이나 할 것처럼 서운해하는 자신이 한심스러웠다.

"할머니만 보고 가면 안 될까요?"

"그랬다가 칸은 어떻게 됐느냐고 물으면 뭐라고 답할래?"

"알았어요."

"아버지 안부를 물어도 되니?"

"저는 카사르 숙부님과 함께 후퇴했다가 곧 헤어졌어요. 아버지가 택한 방향을 잘못 읽어서 내내 흰솜꽃밖에는 보지 못한걸요."

주치는 처음에 카사르 숙부와 함께 후퇴했다. 그리고 배고픔을 참으면서 마적 떼처럼 초원을 누비는 일도 함께했다. 그러다 토착민이 이동하는 걸 알고 급습한다고 해서 도우러 갔다가 깜짝 놀랐다. 숙부가 옹기라트 족을 약탈한 것이다. 주치는 몰래 빠져나가서 외삼촌 일가를 빼돌리느라 죽을 고생을 했다. 카사르 숙부와 외숙이 충돌했으면 틀림없이 하나는 죽었을 것이다.

주치는 숙부가 칸의 명을 어기는 것을 벌써 두 번이나 목격했다. 한번은 타타르 족을 처형할 때 천 명을 데리고 나가서 절반 이상을 풀어주고 말았다. 칸이 이수겐 왕비를 얻으면서 또 다른 미인을 카사르 숙부가 취했는데, 새 아내가 애원하는 바람에 쿠릴타이의 결정을 어기고 동지들을 속였다. 칸이 알았으면 벨구테이 숙부보다 훨씬 심각한 벌을 내렸을 것이다. 주치는 그것을 알지만 절대로 입 밖에 내지 않았다. 마찬가지로, 굶주림을 참지 못하고 옹기라트 족을 약탈해 버린 폭거에 대해서도 맹인처럼 지나갔다. 하지만 얼마나 가슴이 아팠던가. 세상에서 가장 사랑하는 어머니를 주치는 걸음마를 배우자마자 바로 그 어머니를 위하여 되도록 거리를 유지해왔다. 그를 보면 어머니도 언제나 마음으로 팔을 벌리고 그도 언제나 마음으로만 가서 안길 뿐, 무조건적으로 동생들에게 양보했다. 어머니에게 달려가고 싶을 때마다 할머니에게로 달려가는 것을 어머니도 알고, 할머니도 안다는 것을 그 자신도 알고 있었다. 하지만 외삼촌들에 대해서는 사정이 달랐다. 옹기라트 족은 자무카와 타타르 족 사이에 끼어서 비록 구르칸 연합군에 참여했지만 그는 자신의 영혼이 옹기라트의 품에 안겨 있다는 생각을 한 번도 버린 적이 없었다.

'어머니가 알았더라도 칸에게 고하지는 않았을 거야!'

주치가 칭기스칸을 찾지 않고 곧장 쿠두 아랄로 달려온 이유가 여기에 있었다.

버르테는 성격도 대범해서 남자 이상이었다. 주치만 낳지 않았다면 장수들처럼 칸을 따라 전쟁터를 누볐을 것이다. 그러나 주치를 낳은 죄로 다소곳한 여인네가 되었다. 주치가 식사를 마치고 일어서자 버르테가 부둥켜안는데, 어깨가 부르르 떨리고 있었다. 한참 동안, 버르테는 아무 말 없이 안고 있고, 주치는 아무 동작 없이 안겨 있었다.

"어머니! 사실은 길을 잘못 들어서 이곳으로 온 거예요. 저는 아버지를 알아요. 칸이 아직도 모습을 드러내지 않는 이유는 케레이트를 물리치고 돌아올 생각 때문이라는 걸 어머니도 아시지요? 제가 앞장서서 반드시 이기고 올게요."

"고맙다. 또 언제나 미안해."

그리고 말이 뚝 잘렸다.

이렇게 해서 모칼리도 수베테이도 주치도 다 칭기스칸을 찾아서 길을 나서게 되었다.

칭기스칸은 꽤 여러 장수가 그의 종적을 찾느라 혈안이 된 사실도 알지 못했다. 너무나 많은 날을 초원에서 버텨온 끝이었다. 먹을 것도 없이 지친 몸을 이끌고 고난의 행군을 하는 것도 이미 절정을 넘겼으니, 다들 기다림조차 잊은 뒤였다.

대지는 오직 거대하고 고독할 뿐이다. 묵묵히 칸을 따르는 말들이 일으키는 먼지가 코로, 입으로 들어오고 땀에 엉겨 붙는다. 한없이 열려 있는 무한 세계에 갇혀 있어서 아무리 뛰어도 뜨겁게 타는 한낮의 햇볕을 피할 곳이라고는 없었다.

"배고프지 않으세요?"

칸 앞에서 이렇게 힘든 말을 꺼내야 하는 몫을 보오르추가 아니면 누가 맡을 수 있겠는가? 몇 번을 휘둘러봐도 사냥감이라고는 보이지 않는다. 맹수들이 출몰하고, 위험과 위험이 동시에 발생하는 약육강식의 순간은 차라리 행복한 것이다.

"영원히 존재하는 것도 없고, 영원히 소멸되는 것도 없어요. 귀신과 육신이 함께 사는 곳이라."

코르치의 음성을 오랜만에 들은 것 같아서 칭기스칸이 물끄러미 뒤를 돌아보았다. 표정들이 힘들어 보여서 다 쳐다보지 못하고 암산을 해보니, 동행하는 용사들이 줄고 줄어서 마지막에 셈한 숫자가 열아홉에 불과했다. 서로 위로할 것도 없고, 위로할 힘도 없었다. 보오르추에게라도 귀띔을 해둬야 할 것 같아서 바라보지도 않고 그냥 묻는다.

"지금 어디로 가는지 알아?"

"바람을 따라간다면 모를까, 칸의 생각을 잘 모르겠어요."

"바람? 그렇지. 날씨도 바람을 따라다니잖아. 또 날씨를 따라다니는 게 풀이야. 그 풀을 따라서 동물이 가고, 동물을 따라다니는 게 유목민이거든. 우리도 유목민이니 물을 찾으려면 동물을 따라가야지."

"그런 지식을 언제부터 알았어요?"

"철들 때부터."

"철부지가 깨달아요?"

"아니, 족제비할머니가 가르쳐줬지. 위험할 때는 동물을 따라가야 산대."

"그렇다면 지금 칸께서 동물을 따라간다는 거잖아요? 보이는 게 아무것도 없는데. 타르박도 굴속에 숨어 있을 테고."

"고개를 위로 쳐들어봐."

하얀 새들이 날고 있었다. 가지런히 줄을 맞춰 나는 왜가리들의 모습이 눈부시다.

"새들이 한 방향으로 가는데, 숫자가 계속 늘어나고 있어. 물이 가깝다는 얘기가 아닐까?"

보오르추는 깜짝 놀랐다. 칭기스칸은 가끔 이렇게 난데없이 사람을 놀라게 하는 재주를 가지고 있었다. 아무도 보지 못하는 것을 혼자서 발견하고 알려주는 것이다. 보오르추가 새 떼들을 향해 입을 쩍 벌리고 있으니 한마디를 더한다.

"어머니께서 늘 하시던 말씀이 있어. 얘야, 물이 법이야. 물을 마셨으면 그곳의 법을 따라야 해. 생각할수록 명언이라는 걸 알겠어."

젤메가 덩달아 고개를 쳐들어 보더니 새로운 것을 발견한 사람처럼 목청이 커진다.

"백조가 많네. 칸, 저걸 몇 마리 잡아볼까요?"

"배고파도 날짐승은 건드리지 말자. 먼 조상들이 백조에게서 태어났다는 전설이 있어."

그러면서 계속 새 떼를 따라간다.

"푸른 하늘로 날아오르는 생명체를 해치면 신령님이 노하지."

코르치의 말이다. 그 때문에 다들 눈빛이 깨어서 위로, 아래로, 앞으로, 뒤로 고개를 두리번거리게 되었다. 그러다 보투가 엇, 하고 탄성을 내더니, 큰 소리로 외치기 시작했다.

"칸! 저쪽 지평선을 보세요. 저기요. 멀리 낙타가 보이지요? 그 위에 사람이 앉아 있어요. 모자를 쓴 사람."

"맞아. 상인 모자를 쓴 게 보여. 반 역참 거리는 되겠다. 뛰자."

칭기스칸은 눈이 특히 발달해 있었다. 일제히 속력을 내어 한참을 달리고 나서야 소지품을 식별할 만큼 가까운 거리까지 접근하게 되었다. 무장대를 거느린 대상단이 아니고, 번거로운 물품들도 가지고 있지 않았다. 상대가 마적 떼로 오해할까 봐 칭기스칸은 화살이 미치지 못할 거리에서 기다리고 젤메만 나가서 말을 걸었다.

"오논 강에서 온 젤메올시다. 어디서 오셨나요?"

"만리장성을 넘어 다니는 장사꾼 친카이라고 합니다. 지금은 낙타의 혹이라는 곳에 여장을 풀어놓고 있어요."

"타타르 족을 찾아왔나 본데, 다 흩어졌지요? 전쟁이 쓸고 간 지 얼마 되지 않아서."

"알고 있습니다. 사실은 칭기스칸 이야기를 듣고 한번 뵙고 싶어서 돌아보는 중이에요."

"어라! 외국에서 온 사람이 칭기스칸을 왜요?"

"말 지뢰를 만들고 싶어하는 걸 알고 있어요. 미력하나마 도울 수 있을까 해서."

"지금 내가 누군 줄 알고 하는 얘기요?"

"만나려는 분들 같아서 해본 겁니다. 울란체첵에게 들었어요."

이렇게 해서 칸과 조우하게 되었다. 난데없는 우군이 보태지자 대열은 아연 활기를 띠었다. 친카이도 칭기스칸을 접한 뒤 잃어버린 형님을 찾은 듯이 흥분하는 기색이 역력하다. 무엇이 그리 좋은지 쉴 새 없이 말을 건넨다.

"칸! 사막을 지나갈 때마다 재미있는 일이 있어요. 우리가 볼 때는 똑같은 모래밭인데 낙타 녀석들은 서로 어떤 자리를 차지하려고 피 흘리며 싸운다는 겁니다. 그 자리를 왜 차지하려고 다투는지 하도 궁금해서 한번은 제가 서봤다가 깜짝 놀랐어요. 바람이 지나가는 길목이지 뭡니까? 다음번에 지나갈 때도 보니까 똑같이 그 자리예요. 바람이 지나가는 길, 구름이 지나가는 길이 따로 있다는 걸 그래서 알았습니다."

칭기스칸이 신기해하며 친카이의 눈동자 속을 한참이나 들여다본다. 이목구비는 다르게 생겼지만 그도 동생을 얻은 것처럼 기분이 좋았다.

"그럼, 새가 지나가는 길목으로 내가 따라온 것을 알았던 거요? 다 알고 기다린 건가?"

친카이가 대답 없이 웃기만 한다.

"야, 이거 임자 만났네. 친카이, 함께 가자. 조금만 더 가면 호수가 나올 거야."

그렇게 해서 구릉을 또 하나 넘었을 때 기적처럼 가느다란 먼지가 띠를 만든 게 보였다. 젤메가 그 끝을 찾아서 한참을 몰두하더니,

"앞에는 전차고, 뒤에는 기수라."

그러다 재깍 말을 바꾼다.

"저거 봐라. 늑대 깃발이 달렸네. 칸! 수베테이예요. 우리 수베테이가 끌고 있어요."

대열이 금방 소란해졌다. 준마들이 행군을 멈추고 일렬로 서버렸다. 코르치가 흥분된 소리로 떠든다.

"전차가 오는 건 쿠두 아랄에서 보냈다는 건데, 쿠리엔은 무사하구나. 오, 보르칸 산신이시여."

뒤따르는 기수는 앉음새가 주치임이 틀림없었다.

"만세!"

용사들 중에는 이미 말에서 내린 사람도 있었다. 소리를 지르고, 손을 흔들고, 얼마를 더 떠들고 나니, 수베테이가 당도하여 칸 앞에 엎드린다.

"칸! 얼마나 고생이 많으셨습니까?"

주치는 절을 올리자마자 전차에 실린 짐부터 내린다. 마유주와 양고기가 풀밭에 던져진다. 모칼리의 마음이 가득 담긴 식량이 도착한 것이다.

"모칼리 장군이 부대를 데리고 곧 뒤따라오겠다고 했습니다."

용사들은 실로 오랜만에 성대한 식사를 마쳤다. 양가죽으로 그릇을 삼고, 갈비뼈를 숟가락으로 삼아서 다들 뱃가죽에서 북소리가 나도록 양을 채운 것이다.

"늑대가 먹이를 어떻게 운반하는지 알아?"

"몸에 담아서 가져가지. 나중에 새끼들을 만나면 토해내거든."

새 떼들이 지저귀듯이 떠드는 소리는 누가 누구에게 하는 것인지 모를 만큼 뒤섞여 있었다. 그간에 고생했던 기억은 어디에 버렸는지, 거친 광야를 마구 떠내려 다녔던 일들이 모두 무용담으로 바뀐다. 칸과 동행했던 추억들이 입에서 귀로 옮겨지면서 용사들의 사기가 한껏 높아져 있었다.

"친카이! 나는 싸울 때 이런 생각을 해. 저 동물은 어디에서 어떻게 살도록 만들어져 있을까? 물에서 자유로울까 뭍에서 자유로울까? 산일까 평지일까? 초원일까 숲일까?"

칭기스칸도 친카이와 말을 섞는 게 즐거워 어느새 심취해 있었다.

"칸! 저도 장사를 하면서 그런 생각을 합니다. 숲에서 살아보면 나무들이 금방 우거집니다. 가만히 보면 키 큰 나무의 그림자 때문에 키 작은 나무들이 하늘을 보지 못하고 죽어요. 나중에는 작은 덤불들이 숲에서 쫓겨나 벌판에 나앉습니다. 한데, 사람이 그림자 때문에 죽었다는 소문은 아직 들어본 적이 없어요."

"아, 대단해! 말 지뢰 이야기는 울란체첵에게 들었다고 했나?"

"네. 초원의 싸움은 숲의 나무들이 하는 싸움보다 훨씬 무섭습니다."

"그런데 왜 돕겠다는 거지?"

"말은 목자들이 길렀지만, 낙타를 사육하는 일은 상인들 때문에 생겨난 겁니다. 상인들에게 중요한 것은 물건을 운반하고, 이동하는 동안 위험을 겪지 않으며, 통행료를 핑계로 물건을 빼앗겨버리지 않는 일이에요. 저희가 대륙 이쪽에서 저쪽으로 자유롭게 옮겨 다닐 수 있어야 굶는 사람이 줄어듭니다."

"옳은 얘기야. 하지만 초원에는 나 말고도 좋은 지도자가 많아."

"먼발치에서 자무카도 본 적이 있습니다. 상인들이 그를 찾지 않는 이유는 공동체를 혈통으로 묶으려 하기 때문이에요. 칸께서 혈통이 아닌 공동체를 만들 수 있을지 늘 궁금합니다. 서로 다른 땅에서 태어난 사람들을 하나의 공동체로 만든다는 것은 각기 다른 대지를 하나의 대지로 엮는 것과 같지 않아요?"

칭기스칸은 아직까지 세상을 친카이처럼 이해하는 사람을 본 적이 없었다. 신기하고 기뻤다. 어느덧 해가 기우느라 그림자들이 기다랗게 키를 늘인다. 다들 배고프던 참에 고기에 들파를 곁들여 과식한 탓에 갈증을 견디지 못한다.

생명체란 무엇이나 생존의 요구를 따르는 것이다. 아무리 멀리 보아도 눈에 보이는 것이라곤 하늘과 땅뿐이다. 몇 발자국 앞에서 코르치가 떠들고 있었다.

"대칸! 어렸을 때 철새가 날아가는 걸 세다가 어른들에게 혼난 적이 있습니다. 아주 된통 맞았는데, 요지인즉 돌아올 때 숫자가 모자라면 얼마나 가슴이 아프겠느냐는 거였어요. 그때는 무슨 뜻인지 몰랐지요."

물을 찾으려면 역시 새 떼를 따라가는 수밖에 없을 것이다. 그리하여 새가 나는 방향으로 구릉 하나를 넘으니 드디어 물 냄새가 풍기기 시작한다. 호수라기보다는 연못에 가까운 웅덩이 발주나였다. 하지만 발주나 일대에는 물오리와 기러기, 백조들이 무리를 이루어 새들의 쿠리엔이 들어선 것 같았다. 주름진 기슭마다 새하얀 점들이 오밀조밀 모여 있다. 보오르추가 힘껏 말을 달려도 겁이 없는지 날아가지 않는다. 조금 더 가자 모두들 놀라 멍해지고 말았다.

눈을 믿을 수가 없었다. 보이는 모든 것들이 흰 새 떼였다. 철새들이 남쪽으로 내려가기 위해서 이별의 축제를 하는 것 같았다. 초원의 광범한 지역에 흩어져 있던 새들을 총집결시켜서 원정을 지휘하는 새는 어떻게 생겼을까? 용사들은 너무 신기해서 자꾸만 가까이 간다. 부리를 물속에 한 번, 깃털 속에 한 번 처박곤 하던 새들이 기마병이 나타나자 각자 몸을 흔들어 물기를 털었다. 엄청나게 많은 새들이 물을 튕기고 날개를 철썩이더니 일제히 하늘로 날아오른다. 작은 물방울들이 하늘을 가득 채웠다가 푸른 가랑비처럼 흩어져 내린다. 새 떼들이 얼마나 떠드는지 대화를 나누기가 불가능했다. 친카이가 감탄사를 터뜨린다.

"새들 속에도 칸이 있어요. 아, 저기 봐요."

저녁 물결이 잔잔해지자 백조들이 갈대숲 아래로 미끄러져 나왔다. 빠른 속도로 움직이는데도 물결 한 점, 바람 한 올 건드리지 않고, 소리 하나 내지 않는다. 세상은 적막하고 수많은 새 떼들이 수면 위에서 미끄러진다. 물결 때문에 떨리는 새는 그림자이고 떨리지 않는 것만이 신체였다. 물 위에는 기러기와 물오리들이 낮게 포복하고, 갈대

숲에서 백조가 날아올라 커다란 날개를 펼치자 세상이 깜깜해진다. 이윽고 셀 수 없이 많은 그림자들이 하늘을 덮어버렸다. 다리를 펴고 힘껏 날개를 친다. 갈대숲 깊숙이 헤엄쳐 가서 위험을 알리는 '연락병 새'가 끼룩끼룩 울어대는 소리가 그치지 않았다. 그러다가 어느 순간, 지도자 새가 앞장에 서고 두 줄로, 뒤로 갈수록 대열이 넓어지면서 새 떼가 비행하기 시작했다. 앞이 두목, 맨 뒤에 어른 새 두 마리가 후미를 지키고 있었다. 일시에 날아간다.

"기러기들이 올해도 가는구나. 겨울마다 따뜻하고 먹을 것도 많은 남쪽 땅을 찾아 떠나간다. 족제비할머니가 들려주고는 했지. 너무 추워서 잠시 추위를 피하려고 고향을 떠나는 거라고. 날이 따뜻해지고 먹을 것도 많아지는 봄이면 다시 돌아온다. 가지 않으면 푸른 하늘이 벌주는 걸까?"

그것들이 앉을 자리를 생각하다가 칭기스칸은 갑자기 자신이 엄청나게 큰 대지 위에 서 있다는 생각을 감당할 수 없었다. 새들은 산맥과 바다를 건널 것이다.

"아, 푸른 하늘에 성벽을 쌓아서 막아놓고 자기네 땅이라고 우기면 저 지도자 새는 무엇을 선택할 것인가?"

끝내 길을 떠나지 못하고 남겨진 허약한 새들도 고원의 여기저기로 흩어졌다. 그들은 이제 요령껏 겨울을 버텨야 한다. 새 떼들이 날아가버리자 텅 빈 하늘은 눈을 뜰 수 없을 만큼 허전했다. 빈 허공에는 아직도 날개가 퍼덕이던 기운이 남아 있었다.

새들이 사라진 발주나는 고기 한 마리 남지 않았다. 흙탕물이 가라앉지 않는다.

"이 물이라도 마시자."

칭기스칸은 새의 흔적을 품듯이 손바닥으로 물을 움켜쥐고 서서 옹칸과의 싸움에서 숨져간 용사들을 애도했다.

"숨져간 용사들이여! 나도 그대들처럼 평생을 전선에서 살다 가겠다."

그와 함께 다들 손에 물을 움켜쥐었다. 칭기스칸은 자신을 따라 수많은 고통을 감내해온 동지들에게 마음속 깊이 감격한다. 젤메가 외쳤다.

"따르자. 해가 뜨는 곳에서 해가 지는 곳까지 칸의 땅이라고 푸른 하늘이 명하셨다."

뒤따르는 합창 소리에 물살이 흔들린다.

"해가 뜨는 곳에서 해가 지는 곳까지 칸의 땅이라고 푸른 하늘이 명하셨다."

흙탕물의 맹세였다. 한참 만에 친카이가 나직한 소리로 한마디를 남긴다.

"전쟁을 없애는 길은 하나뿐입니다. 철새처럼 푸른 하늘을 따라다니며 사는 것이에요."

칭기스칸이 충격을 먹었는지 숨소리조차 내지 않는다.

"알겠어, 푸른 하늘이 우리에게 뿌리가 아니라 다리를 주신 뜻을. 찾아다니라는 거야. 넓게 흩어져서 배고프거나 그리우면 또 어딘가로 찾아가야지."

그때 멀리서 망을 보게 했던 용사가 달려와 흥분한 소리로 보고한다.

"칸, 카사르 장군이 도착했습니다. 저기 대열의 가운데 있는 분을 보세요."

날씨가 어두워져서 보이지 않았다.

형제가 이마를 맞댄 것은 달이 뜰 무렵이었다. 카사르는 얼마나 굶주린 뒤에 양고기를 먹었는지 말이 끝날 때마다 트림이 나왔다. 시큼한 마유주 냄새가 섞여서 악취가 진동하지만, 칭기스칸에게는 거칠게 없다.

"그간 얼마나 고생했어?"

한 인사가 가면 두 인사가 온다.

"하늘이 천창이고, 풀포기가 베개였죠. 형은 아르갈이 타는 냄새가 그립지 않으세요? 나는 꿈을 꿀 때마다 어머니에게 갔는데."

세상은 얼마나 크고 인간은 얼마나 미천한가. 평생을 함께 싸워온 형제는 반가운 마음에 시간 가는 줄 몰랐다. 두 사람 사이로 숱한 별빛이 내려앉고, 밤과 함께 고난의 시간도 기울어가고 있었다. 도란도란하는 소리가 겨우 끊기는가 싶을 때 멀리서 가축 떼가 소란하더니 반가운 목청이 무릎을 꿇는다.

"문안 올리겠습니다, 칸! 쿠두 아랄은 아무 이상 없습니다."

그때에야 대규모 병력이 당도하는 소리가 들린다. 모칼리 군대가 몇 밤을 달려서 도착한 것이다.

"다들 무사하구나!"

칭기스칸은 목울대가 먹먹하여 말이 잘 나오지 않았다. 얼마나 고마운 일인가. 그에게 필요한 대부분의 병력들이 발주나 앞에 결집된 것이다.

다음 날 아침, 구름장이 미처 가리지 못한 하늘에서 새파란 빛이 흘러나와 초원을 더욱 윤기 나게 하고 있었다. 칭기스칸은 쿠릴타이를 소집했다.

"때가 됐다. 케레이트를 응징하러 가자."

푸른 군대는 군사력의 우세로 적군을 제압하는 힘의 집단이 아니라 작전에 의해 적진을 와해하는 두뇌 집단이었다. 아무리 조직적이고 군율이 잘 잡혀 있다 할지라도 전략과 전술을 실행하도록 명령하고 지휘할 사람이 필요했다. 이제야 그들이 다 갖춰졌으니, 장수들은 어디를 침공할 것인가 하는 문제보다 어떻게 침공할 것인가를 놓고 열을 올린다.

"적군이 가장 방심하고 있을 때 공격을 해야지."

그래서 채택된 전술이 위장 투항이었다.

"형! 다들 지쳐 있어. 내가 앞장설게."

역시 카사르였다.

"잔치가 끝나기 전에 들이닥쳐야 돼."

결전의 시간이 임박하고 있었다. 신성한 초원을 경영하는 인간 세상을 더럽히는 자들이 왜 그리 많은지. 칭기스칸은 인간의 믿음을 무참하게 짓밟는 족속들을 이번에야말로 반드시 끝장을 내기로 결심했다. 옹칸이 경계하지 않을 만한 용사 둘을 골라 적진을 교란하도록 등을 떠밀자 충실히 수행한다.

"카사르 장군이 더 이상 형을 찾을 수 없게 되었습니다. 온 초원을 뒤졌지만 칭기스칸은 보이지 않습니다. 옹칸께서 받아주면 오겠다고 합니다. 그의 아내와 자식은 미리 데려왔습니다."

카사르의 가족을 인질로 세운 것이다. 옹칸은 칭기스칸을 찾을 수 없다는 말을 추호도 의심치 않았다. 거의 마적 떼로 변한 카사르에게 옹기라트 족이 약탈당한 사실을 알고 있었던 것이다. 그는 자신의 성공을 축하하는 잔치를 벌이기 위해 노루 협곡으로 이동하면서 카사르의 안전을 보장할 장수 하나를 길잡이로 보냈다.

그날은 잔뜩 흐린 날, 헤를렌 강 상류 노루 협곡은 옹칸의 잔치로 시끌벅적하였다. 일은 계획대로 진행되었다. 칭기스칸은 적군에게 들키지 않도록 전 군대를 소규모로 나누어 발주나에서 노루 협곡으로 진군해갔다. 유격대와 전위부대가 신속하게 전진하는 동안 주력부대는 좀 천천히 행군한다. 옹칸이 보낸 길잡이 이루겐이 눈치채지 못하도록 수색대를 보내놓고, 주력부대는 가능한 한 멀리서 열을 확대하여 적군의 측면보다 더 넓게 포진했다. 이제 진격이 시작되면 돌격대가 전위로 나오고, 수색대는 본진으로 돌아가 적지의 지형, 적군의 물자, 군세와 군대의 배치 등을 공유할 것이다.

옹칸의 진영에도 현명한 장수가 없는 건 아니었다. 그들 중 일부는 경계를 늦추지 않고 카사르를 감시했다. 선발대가 무사히 진영 안에 들어가자 카사르의 심복으로 변장한 주르체데이의 군대가 따라가고, 뒤를 이어 보오르추 부대가 들어간다. 칭기스칸은 외곽에서 순식간에 옹칸의 진영 전체를 에워쌌다. 그때를 맞추어 모칼리가 말 떼와 황소 떼를 투입해 옹칸의 잔치판을 순식간에 난장판으로 만들었다. 멀리서 화살이 쏟아지고 투창이 날아든다. 여기에 주르체데이 부대가 맞서자 본격적인 전투가 개시되었다.

케레이트와 싸울 때처럼 계산이 복잡한 전투는 없을 것이다. 칭기스칸은 기마병을 막고자 진영 앞에 창을 꽂아둔 적군과 맞서 있었다. 벨구테이는 용사의 대부분을 후미에 두고, 소수를 측면으로 보내서 적을 쉴 새 없이 공격했다. 케레이트의 충신 카다크가 옹칸을 지키기 위한 항전에 나섰다. 하지만 전세는 이미 기울어 있었다. 왜냐하면, 옹칸의 진영에서 쭈뼛거리고 있던 버르테의 큰오빠가 옹기라트 족을 이끌고 재빨리 칭기스칸 쪽으로 넘어온 것이다. 그새 모칼리의 정보 요원이 투입돼 칭기스칸의 뜻을 전달한 결과였다.

이제 누가 아군이고 누가 적인지 구별하기 어렵게 된 상황에서 희한한 백병전이 벌어진다. 쌍방의 병사들은 서로 활을 쏠 수 없도록 뒤섞여 있었다. 푸른 군대의 주요 무기는 '올가', 장대에 줄을 매달아 빙글빙글 돌리면서 줄 끝의 올가미로 목표물을 옭아매는 도구였다. 장대의 끝에 달린 올가미는 반항하는 가축의 머리에 느슨하게 걸려 있다가 점점 팽팽하게 조이는 것이고, 장대는 가축을 제어하는 데 효과적이었다. 푸른 군대는 그 올가로 장수들만 골라 말에서 끌어내렸다. 올가미가 장대에 매어져 있기 때문에 적군으로부터 일정한 거리를 유지할 수 있었고, 적의 공격을 방어하는 데도 유용했다. 케레이트는 칭기스칸을 겪어본 병사들이 대부분이었으니, 옹칸에게 충성심이 높은 소수의 장수들을 진압하고 나면 적보다 아군이 더 많아지게 되어 있었다.

사흘째 되는 날, 모칼리 부대가 늑대 깃발을 들고 진격해 들어가자 카다크의 병사들은 허물어져버렸다. 소수의 무장 병력이 남아서 마지막 저항을 하는 동안 옹칸과 셍굼이 겨우 야음을 타고 도주한다. 파란만장한 초원의 왕국 케레이트의 흰 뼈가 무너지는 순간이었다. 그와 함께 장수들까지 다투어 투항해버린다. 이렇게 해서 칭기스칸은 케레이트를 무찔렀다기보다 삼켜버렸다. 그대로 백성을 흡수한 것이다. 이어서 고민할 틈도 없이 케레이트의 백성들을 조가조각 나누어 여러 개의 부대로 배속시키고, 케레이트 내에서 전통적으로 '친

(親)칭기스칸 세력'이었던 자카감보의 부대에게는 머리카락 하나 건드리지 않는 호의를 베풀었다. 그러자 자카감보의 집에서도 양가의 우의를 돈독히 하기 위하여 두 딸을 보내 언니 이바카는 칭기스칸에게, 동생 소르칵타니는 칭기스칸의 막내아들 톨루이에게 주었다. 적진에서 승전의 깃발을 꽂은 것은 가축 떼를 앞세워 돌진한 모칼리지만 전 과정을 통해 가장 큰 공을 세운 사람은 주르체데이였다. 칭기스칸은 자신에게 온 이바카를 주르체데이에게 줄 상으로 내놓았다. 주르체데이가 한사코 사양한다.

"칸의 여인을 제가 차지하면 어떻게 됩니까?"

"아냐, 주르체데이! 이바카 공주는 행실이 단정하고 청결하며 아름다워. 이렇게 무엇 하나 모자란 것이 없는 여자라서 그대에게 안기는 거야. 공주에게 딸린 몸종과 가재도구와 가축까지 모조리 선물로 주마."

이 같은 과정을 빠짐없이 지켜본 친카이가 감탄을 한다.

"푸른 군대의 지구전은 정말 놀랍습니다. 여러 곳에 흩어진 군대가 한곳에 집결할 때까지, 또 전투 장소에 대한 숙지가 끝날 때까지 그토록 인내심을 갖고 기다리더니! 칸은 이 세상 군대 중에서 고통과 시련을 가장 잘 참아내고, 군대 유지 비용이 가장 적게 들며, 전투력이 가장 뛰어난 군대를 가졌어요. 이제는 상인들도 신하가 됐다고 생각하세요."

그렇게 전쟁이 끝났다. 무서운 배신으로 시작되어, 그토록 기나긴 인내와 고통스런 유랑을 겪게 하더니, 충정 어린 동지와 충신들의 헌신이 모이자 별일도 아니었던 것처럼 승패가 간단하게 갈린 것이다.

옹칸은 초원의 무력을 상징하는 인물이자 칭기스칸을 진압할 유일한 실력자였다. 무서운 성채처럼 기세등등하던 케레이트가 그렇게 형편없이 무너질 줄이야! 압승이었고, 완승이었다. 칭기스칸은 옹칸의 왕실을 빼앗고, 혈육들을 처형했으며, 백성을 모두 흡수해버렸다. 최대한 관용을 베풀었기 때문에 일시 몸을 피했던 신하들도 서서히 사태를 이해하고 칭기스칸 진영에 합류하였다.

보오르추는 명실상부한 천호제를 구성하여 푸른 군대의 지휘 계통을 완성하였다. 초원에는 이제 귀족도 없고, 특권 가문도 존재하지 않았다. 누구나 공적의 크기에 따라 품신을 받고, 품신의 크기에 따라 전리품을 가졌다. 키릴툭의 종에 불과한 소르칸시라 같은 사람이 메르키드의 영지에서 평민을 거느릴 수 있게 되었다고 해서 불만스러워하는 자도 없었다. 은덕을 입은 천호장, 백호장들은 자식을 호위대로 보내 칸의 상비군을 만들었다. 이제 칸의 지휘체계와 상관없이 소집되고 동원되던 명문 혈족의 군대는 소멸되었다.

그러나 칭기스칸은 발길이 떨어지지 않는다. 케레이트의 도발을 알린 두 명의 종은 쿠두 아랄에서 테무게의 보호를 받고 있으니, 돌아가서 포상하면 될 일이었다. 더욱 중요한 사람은 칭기스칸이 셍굼에게 포위되어 절체절명의 위기에 처했을 때 푸른 군대 전체를 살리겠다고 헌신을 자원한 두 수령이었다. 주르체데이는 마지막까지 전선을 지켜서 칸의 여인과 식솔들을 포상으로 받았다. 그러나 죽은 사람에 대해서는 어떻게 해야 하는가? 특히 셍굼에게 부상을 입히고, 자기도 부상을 당해서 승전의 길을 열어놓은 코일다르를 생각하면 너무나 슬펐다. 그는 맨발의 테무진이 자무카와 결별할 때 배고픈 쪽을 따라온 자무카 진영의 사람이었다. 그만큼 행복을 안겨주고 싶은 대상이었는데…….

칭기스칸은 케레이트의 진영 한복판에 늑대 깃발이 들어서는 것을 보자마자 코르치를 보내 코일다르의 가족 상황을 알아오도록 했다.

"칸! 코일다르 장군에게 아내와 아들이 있었습니다."

"아들이 몇 살이지?"

"네 살, 두 살입니다."

"형이나 동생은?"

"누나가 있는데, 출가외인이 된 지 오래라."

난처한 경우였다. 셍굼을 잡아서 가족 앞에서 원수를 갚으면 얼마나 위로가 될 것인가.

"옹칸이나 셍굼의 행적은 파악되지 않았어?"

"아직 소식이 없습니다."

"제베를 불러라. 추격을 명하겠다."

이윽고 젤메가 와서 상황을 아뢰었다.

"옹칸과 셍굼을 놓친 사실을 알고 주치가 추격에 나섰다 합니다."

마지막 진격 때 모칼리 부대의 포위망을 뚫은 것은 카다크가 이끄는 특공대였다. 달이 뜨고 별이 흩어질 무렵, 카다크는 고비 쪽으로 빠져나가다 추격대를 따돌리기 위해서 방향을 서쪽으로 선회했다. 그곳에서도 주치에게 따라잡히기 직전에 다시 특공 조 두 개를 남기고 꼬리를 잘라 빠져나갔다.

"각자 투항하라. 케레이트는 해체되었지만 칭기스칸은 한때 케레이트의 아들이었으니, 우리와 원한을 산 적이 없다. 저항하지 않으면 보복하지 않을 것이다."

남은 대원들 중에서 특공 조 하나는 셍굼의 은덕을 입은 커커추에게 맡겨 셍굼이 망명할 탕구트 쪽으로 가게 하고, 하나는 자신이 인솔하여 옹칸을 보위했다. 하늘의 새도 떨어뜨릴 것 같던 옹칸은 처량한 도망자 신세가 되었다. 달밤에 도주하는 빈털터리 노인을 한없이 후회스럽게 만든 것은 셍굼 때문에 세번째 배신을 허용한 사실이었다. 끝까지 배신했으니 칭기스칸이 결코 살려두지 않을 것이다. 케레이트의 영지가 끝나고 나이만의 영지와 접경한 강가에 이르자 옹칸이 말한다.

"달이 휘영청 밝구나. 사납던 말이 다리를 묶인 기분이야, 카다크! 옛날에 어떤 사람이 강가로 물을 길으러 가보니 달이 강에 잠겨 있는 거야. '아, 달이 물에 빠졌구나!' 하여, 나뭇가지에 갈고리를 달아서 달을 당겨 꺼내려고 했지. 갈고리에 돌이 걸려 잘 나오지 않자 힘껏 잡아당겼다. 그 바람에 나뭇가지가 부러지면서 뒤로 벌렁 자빠지고 말았어. 그자가 하늘의 달을 바라보며 말했지. 아, 내가 힘을 너무 써서 뒤로 넘어지고 말았구나. 하지만 달은 물에서 건졌네. 나도 이제 케레이트를 건지러 강을 건너겠다."

카다크는 눈물이 났다.

"역시 칸이십니다. 절대 위기의 순간에도 웃음을 잃지 않으시네요. 못난 신하는 주군의 영광을 위하여 추격자를 제지하겠습니다. 이제 다 털어버리고 강을 건너세요."

돌아서 가기 전에 옹칸이 마지막으로 팔을 벌렸다.

"카다크, 죽지 마라. 나이만에서는 적장의 예우를 해줄 거야."

옹칸이 강을 건너느라 첨벙거리는 소리가 들렸다. 카다크는 곧장 돌아서서 추격자들을 맞으러 갔다가 다시 남쪽으로 한 역참 거리를 도주했다. 옹칸이 무사히 건널 수 있도록 시간을 번 것이다. 그리고 안전거리를 확보했다고 느껴지자 말에서 내려 순순히 투항했다.

"옹칸과 셍굼은 어디 있느냐?"

"포기하세요, 장군! 제게 속았습니다. 난 옹칸의 도주를 감추기 위해 반대쪽으로 달려온 겁니다."

결국 옹칸과 셍굼을 포기하고 카다크를 생포해 돌아가지 않을 수 없었다.

주치는 칸이 원하는 것을 내놓지 못해 마음이 아팠다.

"옹칸이 탈주할 수 있도록 시간을 끈 주범을 데려왔습니다. 고비 사막까지 추격했는데, 그 앞에서 자수했습니다."

칭기스칸이 카다크의 눈을 가만히 들여다본다.

"끝까지 저항했던 놈이 자수는 왜 했느냐?"

"이제 목을 치세요. 옹칸은 당신에게는 적이지만 내게는 군주예요. 군주가 붙들려 죽는 모습을 어찌 눈뜨고 본단 말이오. 내가 사흘 동안 싸운 이유는 군주를 추격할 수 없도록 붙들기 위해서였습니다. 이제 임무를 끝냈으니 죽어도 부끄럽지 않아요."

칭기스칸의 마음이 기우뚱하고 넘어졌다.

"그대를 본 적이 있다. 나를 알 텐데, 왜 살려달라고 하지 않는가?"

카다크는 아무 대답 없이 고개를 든다. 칭기스칸이 먼저 제안했다.

"살 것을 권하면 받아들일 테냐?"

"내게는 칸을 모실 기회가 오지 않았습니다."

"가족은 어찌 되지?"

"없습니다."

"충신이구나. 기회는 만들면 되지. 제안하겠다. 그대는 주군을 잃고, 나는 신하를 잃었다. 그대도 훌륭하지만 나의 코일다르도 최고의 장수였어. 백 명의 용사를 줄 테니, 코일다르의 아내와 자식을 섬기도록 다스려줄 수 있는가?"

그가 동의하자 코일다르의 아내를 불러오게 했다.

"카다크는 케레이트에서 가장 훌륭한 장수였네. 나는 저자의 눈빛을 믿어. 포상하고 싶은데, 받아줄 건가?"

"분부대로 하겠습니다."

"그럼, 부탁하겠어. 코일다르를 대신해서 자식들을 지키도록 해주면 좋겠어."

이렇게 해서 코일다르의 아내에게 남편의 몫을 맡기도록 권해주었다.

카다크가 새로운 가족에게 떠나고 나자, 또 하나의 포로가 칸 앞에 엎드려진다.

"자수했으니 충성할 기회를 달라고 말하고 싶답니다."

행색을 보니 옷이 찢기고 얼굴에 상처가 나 있었다. 칭기스칸 앞이라 그런지 곁에 있는 아내의 낯빛이 사색이 된다. 고개를 주억거릴 때마다 왼쪽 뺨이 땅에 닿아 풀 자국이 남는다. 아내는,

"살려주십시오. 제가 죽을죄를 졌습니다. 사실은……."

해놓고, 말을 잇지 못해서 물을 먹여가며 자초지종을 들어보니, 부부는 셍굼의 종이었다. 카다크가 특공 조를 맡겨서 탕구트까지 동행하도록 딸려 보냈는데, 사내가 중간에 반역을 시도한 것이다. 자신은 칭기스칸을 섬기겠다고 주장하고, 아내는 의리를 지키자고 만류하다 부부간에 큰 싸움이 벌어진 모양이었다.

"셍굼을 황야에 버리고 도망쳤단 말이냐? 망명지까지 못 갔어?"

"네. 탕구트 국경에서 상인들을 노략질하며 살고 있습니다."

"그런데 왜 왔지?"

"자수하면 칸께서 보호해준다고 들었습니다."

"생굼 밑에서 종을 지냈다고 들었다. 나중에는 무슨 일을 했지?"

"카다크 부대에서 백호장을 했습니다."

"똑똑했던 모양이구나. 한데, 황야에 버려지는 게 어떤 건지는 아느냐?"

"저는 푸른 군대에 충성하는 용사가 되고 싶습니다. 칸을 섬길 수 있도록 해주십시오."

칭기스칸은 괘씸한 생각이 들어서 얼굴을 대하는 것도 내키지 않았다.

"젤메, 이런 자를 어떻게 동지로 삼겠는가! 추울 때는 주변의 돌이 따뜻해야 불이 꺼지지 않는 법이야."

분위기가 심상치 않았던지 그의 아내가 눈물범벅이 되어서 읍소를 한다.

"칸을 등지려고 한 것은 소갈머리 좁은 이 여편네이니 남편은 살려주세요. 저이는 생굼보다 칸을 존경합니다. 옛날부터 그랬습니다."

젤메는 사내가 처형될 것을 미리 예측하고 있었다. 하지만 그의 아내를 칸이 어떻게 처분할지 몰라 기다렸던 것인데, 칭기스칸이 한참을 생각하다 지시를 내린다.

"쿠릴타이를 소집하자. 공식적으로 발표하겠어. 앞으로는 여자도 남자와 똑같이 포상하겠다. 먼저 저 여자에게 상을 내려라. 사내도 좋은 걸 만나야 섬길 맛이 나지."

쿠릴타이에서는 여자도 남자와 똑같은 기준을 적용하여 상벌을 내리는 문제, 칭기스칸의 진영뿐 아니라 적진에서 있었던 맹약도 어긴 사실이 발각되면 벌하는 문제 등을 일괄되게 처벌하는 규칙을 정했다. 그런데 난데없는 사안이 생겨 참모들이 살얼음판을 걷는다. 타타르 전 때 개별 약탈 금지 조항을 어겨서 알탄과 코차르를 따라 케레이트로 옮겨갔던 다리타이가 후엘룬 어머니에게 선처를 호소하여 칸이 진노한 것이다. 카사르는 곤혹스러워 어쩔 줄 모르는데 칭기스칸은 조금도 망설이지 않고 답했다.

"보투! 쥐르긴 족을 쳤을 때 내가 세체에게 했던 말을 기억하나?"

"네."

"네가 가서 그때 그대로 해라."

즉결 처형을 명한 것이다. 보오르추가 난감해서 칸에게 건의했다.

"칸께서는 중요한 문제를 언제나 쿠릴타이에서 결정했습니다. 이번에도 신하들이 말할 기회를 주심이 어떻습니까?"

"이제 신의를 지키지 않는 인간은 남녀를 불문하고 초원에서 설 자리가 없게 되었어. 친척은 왜 달라야 해? 황금 씨족이니까?"

여기에 신하들이 일제히 입을 다물어버린 것이다. 칭기스칸이 혼자서 이말 저말을 해보다가 대꾸가 없자 혼자 숙소로 돌아가버렸다. 무거운 침묵을 모칼리가 깬다.

"저는 칸을 존경합니다. 한데, 이번 결정은 철회해야 되지 않겠어요?"

다시 찾아온 침묵을 흔들며 모칼리가 자리를 뜨자 보오르추가 뒤따라간다. 칸의 숙소를 찾아간 것이다. 이제 막 침상에 들려는 칸 앞에 보오르추가 소리 나지 않게 앉는다. 모칼리는 바닥에서 무릎을 꿇고 칸의 눈길을 정면으로 마주하고 섰다.

"칸께서 어린 몽골의 속담을 얼마나 좋아하셨습니까? 조상들의 지혜가 속담에 담겨 있으니, 백성들은 칸의 말씀을 조상의 지혜를 듣듯이 여겼습니다."

"모칼리! 무슨 말을 하고 싶어서?"

"이번에도 속담을 따르시면 어떨까 해서요. 속담은, 친척을 모르는 유목민은 물을 모르는 물고기와 같다고 말합니다."

보오르추가 기회를 놓치지 않고 곧바로 보충 설명을 이어갔다.

"예수게이 아버지께서 후엘룬 어머니를 납치했습니다. 그리고 적장의 이름을 빼앗아 아들에게 주었어요. 손에 복사뼈만 한 핏덩이를 쥐고 태어났다고 해서 영웅이 될 거라고들 하셨습니다. 다리타이 숙부는 그 모든 장면을 보신 분이에요. 어머니를 찾아간 것도 전혀 잘못된 일이 아닙니다. 납치할 때 예수게이 아버지와 행동을 함께했으니까요. 칸께서 머잖아 초원을 통일하고 대칸에 오르시면 어린 시절의 이야기를 증언할 분이 숙부님밖에 없어요. 명령을 거둬주세요."

칭기스칸은 충신들의 말을 듣고 어찌해야 좋을지 알 수 없었다. 무려 세 번이나 배신했던 다리타이 숙부를 용서하다니! 그러나 결국은 용서하였다.

9

저녁에 핀 꽃이 아침에 지다

1

가을에 기러기들이 고향을 떠나는 모습을 보고 우울해지지 않으면 유목민이 아닐 것이다. 기러기들은 멀리 떠나고 싶어서 가는 게 아니고 너무 추워서 어쩔 수 없이 가는 것이다. 그래서 기러기의 날갯짓에 마음들을 매달아 보내면서 자식처럼 걱정하는 것이다. 어디까지 갔을까? 못된 놈들에게 돌팔매질이나 당하지 않을까? 몇 마리나 살아서 되돌아올까? 이러다 봄에 돌아오면 너무나 반가워하고 좋아한다. 그날은 하늘이 새까맣게 변해서 게르의 천창이 무너지도록 종일 새 울음소리가 떨어져 내리고 있었다.

"추위가 갔나 보다. 따뜻한 남쪽으로 떠나간 것들이 죄다 돌아와 떠드는구나."

처여는 들짐승에 물려 죽은 가축을 내다 버리러 갔다가 가슴 아픈 소식을 들었다. 그것을 자무카에게 알리려고 서둘렀는데, 혼자 골똘히 생각에 빠져 있어서 말을 못 한다. 도대체 무슨 생각을 하고 있는지 알 수 없으니 쭈뼛거릴 뿐이다.

자무카가 문득 말을 건넨다. 이렇게 친근한 사람으로 바뀐 것은 최근이었다.

"처여야! 세상에는 과대망상가가 셋이 있어. 두루미는 자기가 힘껏 밟으면 땅이 내려앉아서 다른 동물들이 떨어져 죽을까 봐 조심스럽게 살살 밟는다. 매미는 온 세상이 물에 잠겨 다른 동물이 재난을 입을까 봐 언제나 높은 돌 위에 앉아서 조심하라는 경고를 하고 있지. 박쥐는 하늘이 무너져 동물이 멸종될까 봐 높은 곳에 매달려 날마다 하늘을 감시하고 있는 거란다."

"아! 구르칸 님의 말씀을 들으니."

"이제 구르칸이라 부르지 마라."

"대장군님의 말씀을 들으니 제가 그러는지 모르겠습니다. 오늘 옹칸이 죽은 소식을 듣고, 온 세상이 무너진 것 같아서."

"옹칸이 죽었다는 말은 어디에서 들었는데?"

"나이만 병사들에게요."

자무카가 손바닥으로 한 움큼 하늘을 떠서 얼굴을 씻는다. 처여는 그것이 이제 막 떨어지기 시작한 봄비 때문인지 옹칸의 죽음 때문인지 알 수가 없다. 대장군이 표정 하나 바꾸지 않고 침묵을 지킬 때처럼 불안한 시간이 있을까? 처여는 답답했다. 주위를 둘러봐도 움직이는 것이라곤 없었다.

비가 오면 대지 위의 모든 것은 엄숙하게 숨을 죽인다. 한참 만에 자무카가 누구에게 말을 거는 듯이 중얼거린다.

"오늘은 바람마다 그림자가 지는구려!"

아무래도 분위기를 바꾸어야만 했다.

"옹칸의 소식을 아는 대로 말해볼까요?"

"그래, 자세히 일러라."

막사 곁에는 늙어서 천명을 기다릴 나이가 된 백마가 그의 음성에 귀를 쫑긋 세우고 있었다. 처여는 인생사가 허망하다는 듯이 눈살을 잔뜩 찌푸리고 이야기를 시작했다.

"그곳이 네쿤 강이랍니다. 케레이트와 나이만의 경계를 가르며 흐르는 강인데."

나이만의 수비대장 코리 장군이 지키는 곳이다. 그는 변방이나 지키는 것이 불만이라 언제나 심통을 내는 성격이었다. 한데, 달이 휘영청 밝은 날, 강물이 요동을 치듯이 첨벙거려서 초병이 강기슭을 살펴보니 지친 말을 끌고 물을 건너온 사람이 있었다. 검은담비 가죽옷을 입기는 했으나 행색이 초라해서 정체를 알기 어려웠다. 체포하고 보니 제법 아는 소리를 한다. 초병이야 윗사람에게 넘기는 게 상책일 것이다.

"대장님! 웬 미친 노인네가 아는 척을 많이 합니다."

안 그래도 재미가 없는 터에 코리 장군은 괜히 부아가 일어서 호통을 치며 물었다.

"영감탱이야. 자기가 누구라고 먼저 설명을 해."

"나 케레이트의 옹칸이오."

"그러셔? 농담도 할 줄 아네. 영감이 옹칸이면 난 빌게칸이야."

빌게칸은 옹칸과 숙명적인 경쟁자로 살았던 나이만의 옛 왕이었다.

"젊은 장군! 제발 귀담아들으시오. 내가 케레이트의 토오릴 옹칸이오. 망명을 청하려는 것이니 타양칸에게 데려다 주시오."

옹칸이 절규를 하듯이 외쳤지만 아무 소용이 없었다.

"그걸 보고 망명이라 하지 않고 망령이라 하는 거야, 미친놈아."

코리 장수는 선 자리에서 칼을 휘둘러 노인의 머리통을 땅바닥으로 굴려버렸다.

이 소문이 병사들의 입에서 입으로 전해져 타양칸의 귀에 닿았을 때 케레이트가 망하고 옹칸이 도주한 사실이 알려졌다. 이에 눈이 뒤집힌 것은 빌게칸의 애첩이었다. 토오릴칸은 빌게칸이 살았을 때 입만 열면 떠들어댈 만큼 강력한 경쟁자였다. 애첩은 빌게칸의 두 아들 타양칸과 보이록칸을 싸우게 만든 요사스런 암사슴이었으니, 왕년 추억이 떠올라 감정 조절이 되지 않았다.

"거장이 애들에게 죽다니! 온 세상이 애들만 남아서 나는 재미가 없어."

그래, 무료감 때문에 옹칸의 머리통을 수급해서 제사를 지내주게 되었다. 그런데 어떤 일이 있고 나면 그 일은 꼭 다음 일의 원인이 된다. 애첩은 워낙 괴팍스러운 여인네라 제사상에 놓인 옹칸의 머리통을 가지고 놀다가 그것이 자신의 미모를 탐하여 미소를 날렸다 하여 머리통을 발로 차 오르도 밖으로 굴려버렸다. 그 장면을 명장 쿠쿠세우가 보았다. 늙어서 퇴역할 날만 기다리던 쿠쿠세우는 대노하여 나이만 왕실이 머잖아 천벌을 받을 거라고 혀를 차며 옹칸의 머리를 아무도 모르는 곳에 묻어주게 되었다.

처여의 말이 채 끝나기도 전에 자무카는 열이 올라 견딜 수 없었다.

"이런 무식한 것들!"

그리고 화를 삭이느라 엉뚱한 노래를 부른다. 눈에는 톨 강, 오논 강, 헤를렌 강의 물빛이 넘실거리고, 고향 언덕이 보이는 듯했다. 흰 빼라고 미워하던 것들도 밉지 않다. 심장에는 오직 술기운이 퍼져서 신기루로 가득 찬다. 모든 것이 허무했다.

버들가지 푸르러 오논 강물에 스치네
내 마음은 미풍이요 당신은 나뭇가지
임이여, 꿈길에도 반겨주어요

"대장군님께서 평소에 안 하던 노래를 하십니까?"

자무카는 처여가 묻는 말에 대답도 않고, 또다시 푸른 하늘에 항의를 하듯이 시를 읊는다.

"식물은 소리도 없고 고통도 없이 자란다고 들꿩이 운 것은 거짓이었다. 호수와 연못의 새들이 울고 간 것도 거짓이었다."

그러자 감질나게 대지를 적시던 비도 곧 그치고 만다.

거물 옹칸이 애송이 늑대를 당하지 못하고 패하여, 변경의 초병에게 숨지다니!

나이만 진영은 술렁거리기 시작했다. 오랜 날을 케레이트 때문에 편히 자지 못하고 군사 훈련을 해온 사람들은 난데없이 찾아온 소식에 한없는 연민에 사로잡혔다. 타양칸조차도 콧구멍이 근질거려서 견딜 수 없었다. 그의 만용은 고원에 널리 알려져 있었다.

"동쪽에 몽골인가 뭔가 하는 약소 부족이 있다고 들었다. 옹칸을 무찔렀다는구나. 가소로운 것들. 하늘에는 태양과 달이 있어 두 개의 빛이 존재할 수 있을지 모르지만 땅 위에 나 말고 또 다른 빛이 있는 걸 내가 어찌 두고 보겠는가."

이렇게 해서 칭기스칸을 공격할 군대를 풀겠다고 하자 그를 놓고 왕실과 군부의 여론이 나뉘어 반쪽짜리 나이만이 또다시 쪼개어질 판이 되었다.

"아버지! 제가 군대를 데리고 가서 칭기스칸의 모가지를 뽑아오겠습니다."

이것이 타양칸의 아들 쿠출룩의 주장이었다. 그러나 군부는 명장 쿠쿠세우의 의견을 듣고 신중론을 펴기 시작한다.

"서(西)나이만의 보이록칸과 싸울 때 원정을 가보니, 놀라운 게 옹칸의 군대가 아니라 칭기스칸의 군대였어. 싸우기 쉬운 상대가 아냐."

타양칸은 두 주장의 절충점을 찾았다. 쿠출룩의 말대로 몽골을 공격하되 쿠쿠세우의 조언을 참고삼아 '반(反)칭기스칸 연합'을 결성하기로 한 것이다. 아직도 초원에는 칭기스칸에게 걸리면 죽을 수밖에 없는 맹장이 여럿이었다. 가깝게는 서(西)나이만의 보이록칸에서 멀리는 메르키드의 톡토아베키까지 모으기 위해서는 자무카의 능력을 빌리는 수밖에 없었다. 그리하여 아직 몽골에 흡수되지 않은 부족들에게 계획을 알렸다.

'몽골의 화살통을 빼앗자.'

여기에 맨 먼저 반응한 것이 엉구트 족이었다. 엉구트의 수령 알라쿠시는 나이만의 연맹군에서 몰래 빠져나와 공습이 임박한 사실을 칭기스칸에게 알렸다.

"세상 무서운 줄 모르는 놈들! 가축들이 새끼를 낳아서 밤낮을 일해도 모자라는 때에 전쟁이라니! 칸께서는 부디 화살통을 지키십시오."

때는 늙은 봄이라 용사와 말들이 모두 지쳐 있었다. 칭기스칸의 장수들은 전력이 열세이니 전투를 연기하자는 주장이 대세였다. 하지만 나이만의 타양칸이 보란 듯이 업신여기고 있었으니, 쿠릴타이에서도 평소에 싸움을 좋아하지 않던 테무게가 먼저 강경한 주장을 펴기 시작한다.

"칸! 살아 있으면서 화살통을 빼앗기면 무슨 소용이겠습니까? 대장부라면 죽을 때 제 화살과 함께 묻혀야지요."

쿠릴타이의 밖에서는 벨구테이가 테무게의 말에 전적으로 찬성을 하고 나섰다.

"제깟 것들이 세다고 해봐야 늑대가 뒷다리를 반이나 뜯어 먹을 때까지 꼼짝도 하지 않는 낙타 꼴밖에 더 되겠습니까?"

이렇게 하여 알타이 전쟁을 피할 수 없게 되었다.

칭기스칸은 곧 전쟁 준비에 착수했다. 시기가 여러 가지로 적절치 않았지만 이미 피할 수 없는 상황이었다.

"초원은 너무 넓구나! 끝없이 바람이 불고 또 불어오니."

케레이트 전 때 모칼리가 말과 황소 떼를 앞세워 진격했기 때문에 생겨난 손실도 아직 복구되지 않았다. 말은 죽지 않으면 대부분 돌아오지만 소는 찾으러 가야 하기 때문에 모칼리가 거기에 한 철을 매달렸다. 또한 추위를 나느라 기력을 소진해버린 가축들이 새끼를 낳아 기르느라 봄이 되자 모두 영양실조로 기진맥진하고 있었다. 이들이 기력을 보충할 시간을 어떻게 만드는가? 칭기스칸은 고민 끝에 매우 정교한 계획을 짜서 장수들을 불러 일일이 점검했다. 전쟁에 참가할 용사들에게 무기를 사용하는 법을 훈련시켰는지, 새로 흡수된 병사들이 늑대병법을 터득한 비율이 어느 정도인지, 또 그것이 집단사냥을 통해 몸에 익었는지 말았는지 모두 확인하고 나서 제베를 부른다.

"적을 막으려면 먼저 치는 수밖에 없어. 전투의 때와 장소를 우리가 정해야지. 나이만 땅이지만 용사들에게 낯설지 않는 곳이 있어. 이 기회에 사아리 초원을 차지해버리자. 제베가 군대를 이끌어라. 내가 직접 부대를 만들어서 쿠빌라이 장수를 붙여주겠다. 그럼 제베가 저 승사자군단의 지휘관이 되는 거야."

칭기스칸은 가공할 군대를 만들었다. 백호장, 천호장, 기타 참모의 자녀들로 구성된, 능력과 신의, 충성심에서 일당백이 되는 매우 정치적인 친위대를 조직한 것이다. 그들은, 용사 한 명에 세 마리에서 다섯 마리에 이르는 군마를 가지고 있는 대단위 말들의 체력을 보충할 초지를 재빨리 차지하는 임무를 받았다. 겉으로는 전투 병력이 총출동하는 무력시위지만 속으로는 '오토르(봄에 좋은 초지를 얻기 위해 게르를 버리고 유랑 목축을 하는 것)'를 할 만한 시간을 벌도록 농성을 하는 셈이다.

나이만의 타양칸도 선제공격론을 실행에 옮기기 시작했다. 그는 매번 신중론을 펴는 장수들이 귀찮아서 이번에 보란 듯이 전과를 올려 쿠쿠세우 장군의 코를 꺾어놓을 생각이었다. 그 생각을 하면, 자무카의 망명을 받아주기를 얼마나 잘했는가.

장수들의 의견은 한결같았다. 칭기스칸은 수많은 전투를 통해 딱 두 번 패하였다. 한번은 십삼익 전쟁인데, 힘 한번 써보지 못하고 제에렝 협곡으로 도주하여 사흘 동안이나 엎드려 있었다. 그곳이 아찔한 칼바위 숲이 아니었으면 전멸하고 말았을 것이다. 또 한번은 옹칸과 싸울 때 한 계절을 꼬박 초원의 이슬을 맞으며 쫓겨 다녔다. 중요한 것은 두 차례 모두 자무카가 지휘한 전투였다는 것이다. 그래서 자무카를 붙들려고 생각해보니 그로서도 여간 좋은 기회가 아니었다. 망명객이 기여할 일을 찾는 것은 얼마나 좋은 일인가.

"자무카 장군! 때가 온 것 같소. 그대의 형제인지 원수인지 하는 놈을 내가 도륙을 낼 거요. 이번 연합군의 군사고문을 맡으시오."

자무카야 뭐라고 군소리를 할 만한 입장이 아니었다. 다른 때 같았으면 반드시 쿠쿠세우 장군을 전선으로 끌어들이자고 고집했을 것이다. 아무리 거동이 불편할지라도 나이만 군에게 쿠쿠세우가 있고 없고의 차이는 너무나 컸다. 사실, 자무카가 알기에 칭기스칸이 진정한 위기에 처한 적은 딱 한 번밖에 없었다. 옹칸 연합군이 서(西)나이만의 보이록칸을 치고 나서 바이다라크 강에서 쿠쿠세우 장군과 맞닥뜨렸을 때 그가 옹칸을 꼬드겨 칭기스칸을 호랑이의 아가리 앞에 남겨놓고 와버린 것이다. 그때만큼 절대적 위기는 있을 수 없었다. 자무카는 그간 수없이 이간책을 썼지만 모두 형제의 다툼에 불과했고, 바이다라크에서만은 진심으로 가슴 아픈 배신을 했었다. 칭기스칸은 그때 반드시 죽게 되어 있었는데, 어찌하여 쿠쿠세우가 그를 치지 않고 셍굼을 공격했는지 그는 지금도 그것을 이해할 수 없었다.

'녀석은 정말 하늘이 돕는지 몰라.'

한데, 타양칸은 그 위대한 쿠쿠세우를 불편하게 여길 뿐 귀를 기울이지 않는다. 그래서 속으로 혀를 차는 것이다.

'쯧쯧. 전쟁을 숫자로, 힘으로 하나?'

이렇게 해서 양쪽 군대가 통과할 예정지를 금지의 땅으로 선포하고, 두 곳 다 백성들이 수풀을 훼손하거나 방목하지 못하도록 통보하였다. 그토록 오래 전란에 시달린 초원이지만 이때만큼 조직적이고 치밀하게 준비된 전쟁은 일찍이 없었다. 양측에서 얼마나 긴장감이 고조되었던지 따사로운 봄볕조차 머물러 있을 여가가 없었다.

그리하여 서력 1204년 어린 여름의 붉은 만월의 날 열엿새, 톨 강 상류에 아직 봄기운이 가시지 않은 때였다. 물이 풍족해서 '검은 숲'이 길게 늘어선 곳. 강가에는 수풀이 우거지고 키 작은 야생화들이 이름을 셀 수 없을 만큼 피어 있었다. 사향초, 총총이풀, 연미붓꽃……. 톨 강 남쪽에서 아르혼 강 동남쪽에 걸친 사아리 초원은 '나귀 등 초원'이라는 말뜻 그대로 둥근 언덕들이 한없이 이어지고 있었다. 제베는 원정길에 만나게 될 초지와 초지, 수역(水域)과 수역을 점검하여 곳곳에 미리 우물을 파두었다. 겉으로는 눈길이 끝나는 곳까지 낮은 언덕이 물결치듯 이어지고 간간이 모래땅이 있어서 빨리 시드는 풀포기들이 돋아날 뿐이다.

그래도 제베는 저승사자군단을 사아리 초원에 배치하고 나서, 곧 굶어 죽을 만큼 야위고 병들어 전쟁을 수행하기 어려워 보이는 말을 끌고 인근을 순찰했다. 더불어 정성껏 나이만의 척후병에게 발각되어 맥없이 쫓기다가 맨 후미에 있는 말 한 마리를 나포당했다. 척후병들이야 신이 났을 것이다. 사로잡은 말을 상부에 보고하지 않을 턱이 없다. 병사들이란 자기가 얻은 하찮은 노획물이라도 대단한 공적처럼 무용담을 만들기 마련이었다.

보고를 받은 타양칸의 군대는 희색이 만면하여 기쁨을 감추지 못했다. 보이록칸의 서(西)나이만이 옹칸 칭기스칸 자무카 연합군에게 패한 적이 있을 뿐, 명장 쿠쿠세우가 인솔하는 동(東)나이만은 패한 적이 언제인지 기억할 수 없으니 사기가 하늘을 덮을 기세였다. 문제는 쿠쿠세우가 늙어서 이제는 활동할 수 없다는 점인데, 타양칸의 아들 쿠출룩은 나이만 군대의 관록만 믿고 당장 공습하여 칭기스칸 군대를 쓸어버리자고 재촉한다.

"말을 좀 봐. 겨우내 제대로 먹지도 못한 걸 군마로 쓰다니! 어서 가서 쳐버려야지."

그러나 제베는 적진의 동향은 안중에도 없이 칭기스칸의 지시를 충실히 이행하고 있었다.

"대열을 넓게 펼쳐라. 용사 한 사람당 모닥불을 다섯 개씩 올려라."

밤마다 수많은 모닥불을 지펴서 넓은 사아리 초원이 온통 불바다로 타고 있으니 나이만 진영은 시끄러울 수밖에 없었다. 병든 말을 보고 빨리 치러 가자는 강경파와 야간 모닥불의 규모에 놀라 더 정교한 작전이 필요하다는 신중파의 싸움이 끊이지 않았다.

제베는 그들이 어떤 결정을 하든 응할 각오가 되어 있었다. 자신의 군대는 비록 칸의 친위대에 불과하지만 용사 개개인의 전투력과 몽골에 대한 충성심이 하늘을 찌르는 상황이니 어떤 적을 맞는다 해도 쉽게 지지 않을 것이었다. 그가 볼 때 적어도 투항할 가능성이 있는 부하는 한 명도 없었다. 또한 적진에서 그것을 눈여겨보고 있던 자무카는 푸른 군대의 위세에 경악을 금치 못했다. 모닥불에서 피어나오는 불빛은 분명한 어조로 사기충천한 기세를 전하고 있었다. 케레이트 전의 여파가 채 가시지도 않았을 시점이었다.

'그토록 짧은 시간에 저토록 가지런한 군대를 조직하다니!'

자무카는 본대가 모습을 드러내기 전에 '본대로 위장하고 있는 척후대'를 치고 곧장 후퇴해버리는 방식으로 야금야금 싸우지 않으면 결코 승리를 기대할 수 없다고 보았으나 타양칸에게는 그런 말을 해주지 않고 혼자서 꾹 삼켜버렸다.

칭기스칸은 오토르를 하면서 최고의 전투력을 만들어갔다. 말들은 새로 돋은 싹을 뜯으며 실컷 양을 채운다. 보오르추의 훈시가 없었으면 용사들은 어디까지 유목이고 어디서부터 전투인지도 식별하지 못했을 것이다.

"전투 중에 동료가 떨어뜨린 무기나 짐은 뒤따르던 사람이 반드시 주워서 돌려주어야 한다. 만일 귀찮아서 말에서 내리지 않거나 주워 놓고 돌려주지 않으면 엄벌에 처할 것이다."

푸른 군대의 규율은 매우 섬세한 곳까지 미치고 있었다. 하지만 칭기스칸은 결코 마음을 놓을 수 없었다. 나이만 전에서 자무카가 어떻게 움직일지 도무지 짐작이 가지 않았기 때문이다. 상대편의 작전이 자무카에게서 나오느냐 타양칸에게서 나오느냐에 따라 전쟁의 양상은 완전히 다를 수밖에 없다. 그래서 세 역참 거리 앞에 척후병을 두고 선봉의 전위대를 자신이 직접 인솔해야 했다. 칸이 맨 앞장에서 전면의 위험을 막고 있으니, 호위병들은 칸의 안위가 불안해서 좌우로 백 명씩 붙어서 장막을 친다. 푸른 군대가 어쩔 수 없이 늑대의 조직이라 불리는 이유가 이런 데서 나오는 유기적인 결속력에 있었다. 본대의 수장은 카사르에게 맡겼다. 예비대는 막내동생 테무게. 보오르추와 모칼리는 자무카와 충돌할 경우에 있을 작전 변경에 대비해 곁에 두었다. 용사들은 칭기스칸의 측근들이 위험지대를 도맡은 것이 전쟁의 중요도를 반영하는 것으로 알고 정신을 바짝 차린다.

부대가 막 사아리 초원을 나설 때 척후병이 전갈을 보내왔다.

"나이만 군의 매복지가 발견되었습니다."

칭기스칸은 제베의 저승사자군단에게 매복지의 병사들을 격침하도록 지시했다. 그것이 전투의 시작이었다.

"작전을 내리겠다. 우리는 세 단계로 공격한다. 먼저, 바람에 날리는 다북쑥처럼 소리 없이 굴러가자. 뒤이어, 호수처럼 돌격하여 물살이 채워지듯이 고요하게 차올라라. 마지막으로, 적진을 끌로 파듯이 충격을 주다가 균열점이 포착되는 순간 최후의 타격을 그곳에 집중하라. 자, 돌격!"

일곱 개의 지대장들은 칸의 의중을 명쾌하게 알아듣는다. 집단사냥을 통해 이미 훈련된 전술이었기 때문이다. 용사들은 각 지대별로 흩어져 줄을 맞추는 것도 아니고, 함성을 지르는 법도 없이, 각자 빠른 속도로 적진을 향해 굴러가기 시작했다. 남는 문제는 한 가지뿐이었다. 적진을 누가 이끄는가 하는 것. 자무카가 이끈다면 밤에 공격진영을 다시 짜야 된다. 만일 타양칸이 이끈다면, 그리고 자무카가 영혼을 팔지 않는다면 전세는 칭기스칸의 생각대로 풀려갈 것이다.

그때 타양칸은 카치르 강에서 진을 치고 있었다. 적정을 살피다가 겁이 벌컥 나지 않을 수 없었다. 푸른 군대의 군마가 형편없다더니 전위대가 밀려드는 기세가 예상했던 바와는 판이하게 달랐다.

"자무카 장군! 전위대를 지휘하는 게 누구이기에 병사들이 저리 날뛰는 거요?"

자무카도 놀라서 말이 잘 나오지 않았다. 전위대를 칭기스칸이 지키면 보오르추나 모칼리조차 보좌관처럼 되는 것이니, 그 밑의 새끼 사령관들이야 물불을 가릴 틈이 없을 것이다. 말 그대로 몽골이 동원할 수 있는 전투 역량이 총체적으로 사용되는 것이다. 그 앞으로 나이만 군이 진격한다면 정면충돌을 불사할 수밖에 없는, 초원에서 벌어지는 최대의 진법전이 될 것이었다.

"음, 저게 칭기스칸입니다."

"어라, 그럼 본대는 누가 맡고?"

"동생이 지키겠지요. 저것들이 참 무서운 놈들이에요. 형제가 똘똘 뭉쳐서 바늘구멍 하나 틈을 낼 수가 없어요. 가만히 보니, 상황이 조금 심각하네요. 칭기스칸 왼쪽에 오로오트 부대, 오른쪽에 망구트 부대, 그렇다면 진짜 독한 놈들은 다른 부대를 맡는다는 얘기인데."

타양칸은 군사고문의 입에서 희망적인 소리가 나오지 않으니, 나름대로 궁리한 끝에 '개싸움전법'을 쓰기로 했다. 개가 다른 동물을 공격할 때는 서서히 뒤로 물러나면서 기회를 노린다. 그는 칭기스칸의 군대가 먼 길을 달려왔으니 말들이 지쳐 있을 테고, 조금만 끌고 다녀도 주저앉을 게 틀림없다고 판단했다. 그래, 알타이 산으로 유도해서 말을 더 지치게 만들어, 매복지에 대기해 있는 병사들의 사냥감으로 떨어뜨려주면 좋겠다고 생각했던 것이다. 하지만 타양칸의 장군들은 나이만 군이 푸른 군대와 직접 교전해서 열세가 되면 알타이를 등진 상태에서 군대를 재편성하기 어렵다고 믿었다. 특히 타양칸의 아들 쿠출룩은 두 가지 다 비겁한 전술로 여겨 전면전을 주장한다. 수베테이 부대를 보면 그런 생각이 안 들 수가 없었다.

수베테이는 가장 나이 어린 사령관이라 칸의 명령을 곧이곧대로 받아들인다. 부하들에게 내리는 작전 지시도 명료하기만 했다.

"바람이 부는 쪽으로 마구 굴러가라. 포위당하지 않게 흩어져서 최단 시간에 적의 옆구리에 붙어라."

그래 놓고 무작정 달리니 주변이 영향을 받지 않을 수 없었다. 그의 머릿속은 온통, 푸른 하늘이 도울 거라는 믿음, 칸에게 잘하고 싶은 열망, 적을 무너뜨리면 대원이 늘어나고 공을 세운 자는 백호장,

천호장에 오를 수 있다는 기대, 철저히 추격하여 화의 근원을 뿌리째 뽑아버려야 안전하다는 생각으로 가득 차 있었다.

'저걸 개싸움전법으로 어찌 이길 수 있는가?'

쿠출룩은 전략이나 전술의 활용보다 나이만의 힘을 보여주고 싶었다. 나이만의 지휘부는 이미 내분이 일기 시작하였다.

푸른 군대의 기세가 하도 맹렬하여 타양칸의 눈에는 병사들이 마치 집단사냥을 따라나선 맹견들이 들짐승을 발견하고 덤비는 것 같은 느낌이 들어서 자무카에게 묻는다.

"늑대가 마치 양 떼를 덮치듯이 덤비는 놈들이 있소. 저것들은 뭐요?"

자무카가 계속 난처한 설명을 반복한다.

"나도 놀랍네요. 맨 오른쪽 장수가 제베요. 그다음이 수베테이. 맨 왼쪽 장수는 쿠빌라이, 그다음은 젤메. 이게 칭기스칸이 전쟁 때 사람을 잡아먹도록 기른 네 마리의 충견이오. 쇠사슬로 묶어두었던 놈들을 다 풀었구만. 저 개들은 이마가 쇠붙이로 되어 있고 주둥이가 끌처럼 생겨먹었지요. 송곳 같은 혀, 쇠로 된 심장, 칼을 말채찍으로 사용하고, 이슬을 먹고 바람을 타고 날아다녀요. 전투만 시작되면 사람을 닥치는 대로 잡아먹는 것들인데, 쇠사슬이 풀리니 저렇게 침을 흘리며 날뛰는군요."

타양칸이 다시 후퇴를 명하자 나이만의 장군들은 난리가 났다. 그렇게 후퇴하면 알타이 산턱까지 밀리는 순간에 수습할 길이 없는 상태에 빠지기 때문에 자기들끼리 개싸움전법을 놓고 개처럼 서로 으르렁거렸다. 불만이 높으니 전투력은 더욱 분산되고 만다. 그래서 옹칸을 죽였던 코리 장군은 군대를 이끌고 이탈해버렸다. 이어서 연합군들도 흔들린다. 타양칸의 아들 쿠출룩이 정면 대결을 하자고 날뛰자 타양칸도 결국 받아들였다.

그러나 칭기스칸은 공격의 고삐를 늦추지 않았다. 전위를 맡은 칭기스칸과 오로오트 부대, 망구트 부대가 중앙을 뚫고 들어갈 때 양쪽에서 뒤로 돌아 들어간 제베의 저승사자군단은 이미 나이만 본대의 뒤통수를 가격하고 있었다. 그리하여 중앙이 뚫리고 나자 타양칸은 카사르의 주력부대와 테무게의 예비부대까지 진격해도 속수무책이 되었다. 외곽에서 포위망을 좁히던 나머지 부대에게 밀려 나이만은 완전히 포위된 채 산꼭대기로 몰려갔다.

밤이 되자 나이만 병사들이 어둠을 틈타 도망치기 시작했다. 많은 병사들이 절벽에서 떨어져서 시체가 산더미처럼 쌓였다. 뼈가 부러지고 서로 충돌하여 부상당하는 혼란 속에서 사상자가 마치 썩은 통나무 더미를 이루는 듯했다.

그때 자무카는 북쪽으로 도망쳤다.

다음 날 아침, 푸른 군대는 도망가던 타양칸을 붙잡았다. 쿠출룩은 도망치면서 진지를 구축해 잠시 저항해보다가 이내 이르티쉬 강으로 퇴각했다. 나이만과 연합했던 여타 부족들도 알타이 산맥 남쪽 기슭에서 칭기스칸에게 모두 항복했다.

2

짧은 가을이 가고 추위가 어두운 그림자를 내리는 때였다. 바람에 날리는 모래먼지 사이로 보이는 것은 무한히 펼쳐지는 메마른 벌판뿐이다. 초원은 제베의 저승사자군단이 '반칭기스칸 연합'의 잔당들을 청소한다고 분주히 뛰어다니고 있었다. 광야에는 더 이상의 적이 없었다. 제베는 뽐내듯이 척후병도 없고, 경계병도 세우지 않은 채 종으로 횡으로 무한 질주를 하고 다닌다. 자무카는 그들이 아득한 지평선으로 사라진 것을 확인하고 나서야 길을 가기 시작하였다. 메르키드의 다이르우순을 찾아가는 중이다. 다이르우순은 버르테를 찾기 위한 삼자동맹에 패한 이후 한 번도 칭기스칸에게 맞서지 않았다. 그저 소박하게 북쪽 변방에서 작은 약탈이나 하면서 존속해온지라 상대적으로 생존 능력이 컸다. 겨울이 되기 전에 그들과 합류해야 그나마 조드를 만나더라도 살아남을 것이었다.

고원의 경사는 완만히 높아지고 기온은 나날이 떨어지며 바람은 때때로 누런 광야를 휘젓다 못해 하늘까지 닿도록 거대한 모래기둥을 일으켜 눈앞을 가린다. 막막한 초원은 다 시들어 누렇게 되었다. 끝없이 인해전술을 펴는 대군처럼 밀려드는 다북쑥을 헤치며 말들은 뛴다. 저물어가는 황막에 초라하게 남아 있는 한 무더기의 풀 더미, 석양에 물든 해가 기운을 잃고 사라질 때까지 자무카는 뛰고 또 뛰어 겨우 쉬어갈 만한 호수를 만났다.

"오늘은 여기서 자자."

자무카가 나직하게 말하자 처여가 크게 외친다.

"여기서 쉬어가자 하신다."

겨우 열댓 명이 될까 말까 한 대열이었다.

자무카는 밤의 초원에 펼쳐지는 처량한 광경을 보고 싶지 않았다. 먼 어둠 속에서 희미하게 지워져가는 지평선에서는 끊일 새 없이 무서운 괴물의 독기 같은 먹장구름이 피워 올라 한없이 넓은 하늘을 덮어가고 있었다. 하늘의 절정만이 검푸른색을 남기고 있었다. 나머지는 완전한 칠흑에 잠겨 그림자를 모두 잃어버렸다. 자무카는 그 침울하고 처참한 어둠이 불길한 징조나 되는 것처럼 괴롭고 불안했다.

"나는 텃새, 테무진은 철새라고 했던 적이 있는데."

자무카가 더 말을 하려다가 입을 다물어버린다. 하마터면 '철새가 길을 잃었구나!' 하는 넋두리가 입 밖으로 나올 뻔했다. 처여가 들으면 얼마나 힘들겠는가.

새까맣던 땅거미가 차차 응어리를 풀면서 그새 자취도 없이 사라졌던 먼 지평선이 희미하게 돌아와 하늘과 땅을 겨우 나누어놓는다. 하나씩, 둘씩 반짝거리기 시작한 별들이 삽시간에 온 하늘로 퍼져 영원한 젊은 눈동자를 밤의 땅에 쏟으며 속살거리기 시작한다. 반은 하늘이고 반은 땅이라 하면 틀릴 것이다. 발을 디딘 바닥을 빼고는 앞도 뒤도 위도 하늘이니 삼면이 별밭인 셈이었다.

자무카는 별빛들의 모서리에 몸을 부비며 앉아 있다가 무슨 생각인지 처여를 불러 옛이야기를 하나 외우게 했다.

"잘 듣고 외워라. 옛날에 새의 왕이 있었다. 이름이 붕새야. 한데, 붕새에게 유산을 물려줄 자식이 없었어. 살펴보니, 부엉이가 제법 영특해 보이지 뭐냐. 그래, 눈이 반짝반짝 빛나고 얼굴이 환하다 하여 양자로 삼았어. 부엉이라는 놈이 그 밑에서 한동안 호강했지. 어느 겨울이었다. 날씨가 추워지자 붕새가 말했어. 지금까지 살면서 이렇게 추운 건 처음이구나! 그러자 부엉이는 칭찬을 받으려는 마음에 앞뒤도 재보지 않고 자랑을 해댔다. 이건 아무것도 아니에요, 아버지. 제가 어렸을 때 침을 뱉으면 땅에 떨어지기도 전에 얼어버렸어요. 또 세 살 된 소뿔이 꽁꽁 얼고, 눈이 하도 와서 저는 나무 꼭대기에 앉아 있으면서도 떨지 않았어요. 그러자 붕새가 버럭 화를 내면서, 그렇다면 네가 나보다 어른이라 해야 옳겠다. 버르장머리 없는 애늙은이 같으니! 그러고는 쫓아버렸지."

처여가 이상한 기분이 들어서 말을 자른다.

"귀에 안 들어옵니다. 이렇게 절박한 마당에 한가한 걸 다 시키니까요."

자무카를 따르기 시작한 후 처음으로 감히 대사의 중동을 부러뜨린 것이다.

"왜 그리 멍청하냐? 꾸지람을 그렇게 들어도 변하는 법도 없고. 네 놈이 도대체 어디까지 멍청할 수 있는지 마지막으로 시험해보는 것이니, 뒷이야기도 마저 외워라."

그렇게 면박을 주며 확인한 끝에, 이야기를 외웠다 싶어지자, 어서 칭기스칸에게 전하라고 심부름을 보낸다.

"따로 지시가 있을 때까지 거기 눌러 있어라."

"제가 분부대로 하면 대장군님께서 재기할 기회가 생기는 겁니까요?"

"어허, 오늘따라 왜 이리 말이 많을까."

처여는 영문을 알 수 없지만 막무가내로 등을 떠밀려 내처 뛰는 수밖에 없었다. 병사들에게 자기가 없는 동안 대장군님을 잘 모시라고 단속할 틈도 없이, 해가 뜨고 지고 또 뜨고 질 때까지 말을 달려 쿠두아랄에 닿았다. 참으로 평화롭고 아름다운 초원의 유목궁전이었다. 다른 게르보다 훨씬 큰 게르는 얼핏 보아도 칸의 오르도임이 분명했다.

때마침 추격에 나선 장수들이 돌아오는 시기라 호위대는 하마터면 그냥 들일 뻔했다.

"저는 자무카 장군님이 보낸 처여라고 합니다."

자기가 먼저 밝혀서 다행이지 안내 없이 들어갔다가는 모가지가 열 개라도 모자랄 것이 틀림없었다. 칭기스칸의 거처는 아무리 활을 잘 쏘는 사람도 미치지 못할 만큼 널찍이 떨어져서 호위대원들의 보호를 받고 있었다.

칭기스칸은 그곳에서 적장의 추격에 나선 장수들이 돌아오기를 눈이 빠지게 기다리고 있었다. 그는 가까운 동지들과 둘러앉아 술잔을 돌리면서 후일담을 나누는 것이 인생의 낙이었다. 게다가 나이만 전은 작전 계획에서부터 깃발을 꽂기까지 참으로 심혈을 기울여서 얻은 값진 승전의 마당이었다. 수베테이의 형이 죽은 것을 빼고는 주요 장수 하나 잃은 바 없이 모든 계획이 이루어졌고, 그것을 가능하게 만든 공로자들이 셀 수 없이 많았다. 그런데 사실상 초원의 마지막 전쟁인지라 전후 처리를 할 것이 너무나 많았다. 칭기스칸은 나이만의 포로들을 분류해 훌륭한 기술자들을 모조리 수하로 끌어들였다. 특히 기분 좋은 것은 나이만에서 문서를 다루는 최고의 기술자 타타통가를 포섭하는 데 성공하여 이제 그의 진영에서도 법률을 문자로 공포할 수 있게 되었다는 점이었다.

그런데, 그럼에도 불구하고 어쩔 수 없이 마쳐야 할 중요 과제가 또 있었다. 전쟁의 씨앗이 남아 있으면 안 되니, 정치적 지도력을 발휘할 가능성이 있는 수령 급의 장수들을 모두 뿌리 뽑아야 되었다. 그래서 제베의 저승사자군단이 전쟁을 끝낸 지 두 달이 되었는데도 돌아오지 못하고 있었다. 제베는 나이만 전쟁이 끝나자마자 타양칸의 동생 보이록칸을 제거하기 위해 서(西)나이만으로 출정했다. 보이록칸은 매사냥을 하던 중에 사냥터에서 체포되어 죽었다. 한편, 주치가 타양칸의 아들 쿠출룩을 추격했는데, 그는 위구르를 지나 초이 강까지 도피하여 치르크의 딸과 결혼해버리고 말았다. 이제 그를 잡으려면 탕구트와 전쟁을 하는 수밖에 없을 것이다. 수베테이는 메르키드의 톡토아베키를 뒤쫓아 임무 완수를 하고 왔다. 문제는 자무카인데, 다들 거점을 잃으면 세력을 잃고 잔당에 불과했지만 자무카만은 자기 세력을 잃더라도 잔당들을 모아 또 다른 세력을 구축할 능력을 가진 자인데, 종적을 찾을 수 없었다. 그래, 어떻게 할까 생각하는 중인데, 처여가 칭기스칸 앞에 당도했다.

"네가 웬일이냐?"

"장군님이 이런 이야기를 전하라고 보냈습니다."

그리고 엎드리더니 붕새가 어떻고 부엉이가 어떻고 횡설수설하는 얘기를 듣고 다들 얼마나 황당했는지 모른다. 카사르가 곁에 있다가 참지 못하고 화를 벌컥 낸다.

"뭐하는 수작이냐? 여기가 어딘 줄 알고."

진노하자, 모칼리가 끼어들어 카사르의 기분이 상하지 않도록 조심스럽게 중개를 한다.

"자무카 장군이 처여를 맡기려는 뜻을 전하는 것 같습니다."

칭기스칸이 한참 생각에 잠기더니 입을 열었다.

"하던 얘기를 해라."

"그럼, 마저 올리겠습니다요. 하여튼, 부엉이는 들어갈 집도 없이 나무 구멍에 자리를 잡고 밤을 새우게 됩니다. 그러다 붕새가 죽자 새들이 모여서 누구를 왕으로 삼을지 상의했어요. 그래도 부엉이가 붕새의 양자이니 왕으로 세우자, 새들 가운데 위엄도 있고 밤에 눈이 번쩍거리니 다른 새들을 다스릴 수 있을 것이다. 그러자 여기에 까마귀가 끼어들어 부엉이가 왕위에 오르지 못하게 훼방을 놓았어요. 저렇게 생긴 걸 왕으로 삼자는 소리를 다 하다니! 다리는 보기 싫게 구부러져 있고, 색깔은 혐오스런 누런색이며, 고기를 훔쳐 먹다 계모에게 붙들려 눈에 기름 있는 국을 뿌렸기 때문에 보기 싫게 되었어. 우는 소리는 또 얼마나 불길한지 몰라. 새 대가리를 하고 있으면서 소처럼 뿔이 있는 이상한 동물을 왕으로 삼는 법이 어디 있어. 이때부터 부엉이와 까마귀가 원수가 되어 밤에는 부엉이가 괴롭히고 낮에는 까마귀가 괴롭히는 관계가 되었다고 합니다."

처여가 이야기를 끝냈지만 다들 말이 없어서 눈만 끔벅거리고 서 있다.

"거기가 끝이냐? 다른 말은 없고?"

"몸이 조금 안 좋은 것 같은데, 제게도 아픈 곳을 감추십니다."

"네 생각에는 자무카 장군이 왜 그런 이야기를 전한 것 같아?"

"저야 모릅니다요. 다만 듣는 내내 눈물을 참느라 혼났습니다. 외람되지만, 자무카 장군님은 어린 몽골을 생각하느라 평생 몸을 살피지 않았습니다."

칭기스칸이 또 말을 잃었다. 한참 만에 주위를 둘러보더니 코르치를 찾는다.

"처여를 데리고 가서 살길을 마련해주어라."

두 사람이 빠져나가고 나자 칭기스칸이 보오르추 쪽을 보며 혼자 하는 소린지 누구에게 묻는 얜긴지 모를 말을 한다.

"훌륭하지?"

보오르추는 그것이 처여를 가리키는 말이라고 듣고 간단히 대답했다.

"저도 그렇게 생각합니다."

자무카는 처여를 보내고 나서 깊은 외로움에 시달리고 있었다. 데리고 있는 동안 한 번도 얄팍한 꾀를 내거나 잇속을 따져가며 일하는 모습을 보지 못했다. 한번 정한 주인을 진정으로 섬기고, 조건 없이 믿으며, 죽음의 위기 앞에서도 순정을 바쳐 따르는 인간이 처여 말고 어디에 또 있겠는가? 돌이켜보건대, 자무카의 진심을 티끌만큼의 의심도 없이 받들어준 것은 한 사람뿐이었다.

'왜 이제야 깨닫나?'

위대한 처여에게 한 번도 실권을 맡겨주지 못했다는 생각에 자무카는 잠을 한숨도 이루지 못했다. 정치적 출구가 막혀버린 수컷의 삶이란 참담할 만큼 공허하기만 하다. 이리저리 뒤척일 때마다 자신은 얼마나 실패한 인생을 살았는지 생각할수록 몸이 으스러질 것 같았다. 남길 것이라고는 없다. 모든 수컷은 불꽃처럼 산화하고 떠날 뿐이다. 숱한 여자를 취하고 품고 버렸지만 어느 여인의 몸에 씨앗이 남아 있는지, 자기의 흔적 같은 거라도 남아 있기라도 한지 알 수 없었다. 처여를 보내기 전에 그런 것이 있었는지 물어보기라도 할 것을.

자무카가 허무감과 싸우느라 악전고투를 하며 흡수굴에 있는 메르키드 영지에 다다랐을 때 다이르우순은 쿠두 아랄에 가고 없었다.

그해 늦은 가을이었다. 나이만 전 때 도주한 패잔병들을 모아서 톡토아베키는 마지막 결사 항전을 호소하며 사아리 초원으로 떠났지만 다이르우순은 아무 승산이 없다고 판단하여 도중에 주저앉고 말았다. 칭기스칸 신화는 이미 바람을 타고 번지는 초원의 불길이었다. 그가 내린 명령은 살아 있는 새 떼처럼 민심을 타고 날아다닌다. 만백성이 그의 뜻을 추호의 의심도 없이 푸른 하늘의 뜻으로 믿어버리니, 적들에게 남은 것은 명예롭게 죽기 위하여 목숨을 던질 자리를 찾는 일뿐이었다.

다이르우순은 한동안 칭기스칸의 군대가 쳐들어오는 날이 언제인지만 기다리고 있었다. 남자들은 모두 무장을 하고 꿈길 속으로 옮겨가는 순간에도 활과 칼을 놓지 않는다. 가끔 푸른 군대가 나타났다는 소문이 돌 때마다 메르키드 진영은 엄청난 혼란에 빠졌다. 그것이 걱정되었던지 훌릉이 어느 날 아버지께 간언한다.

"항복하세요. 죽는 것보다 그게 용기 있어요. 명예롭게 싸우다가 죽겠다는 사람도 있지만 제 부족이 없어진 후에 뭘 위해 싸웠다 하겠어요. 칭기스칸의 사람이 되어서 남은 백성을 지키는 게 낫다고 봅니다."

다이르우순은 이 말을 철없는 계집애의 생각이라고 여겨 안중에도 두지 않았다.

"너는 잘 시간에 왜 이러고 있느냐? 어서 들어가거라."

한데, 찬찬히 생각해보니 경청할 대목이 없지 않았다. 어려서부터 어찌나 앙큼하고 깜찍한지 어른들을 능히 요리하고도 남는 딸이었다. 남들이 입에 담지 못하는 소리를 그 아이만은 마음껏 지껄이고도 잘했다는 소리를 들으며 컸다. 메르키드에서만 그럴까 싶어서 나이만의 무당에게 점을 친 적이 있는데, 예언에는 왕비가 될 운을 타고 났다고 했다. 그래서 마음이 기우뚱대고 있던 터에 그만 날벼락이 내리고 만다. 수베테이 군대가 쇠붙이로 만든 마차를 앞세우고 들이닥친 것이다.

사내들은 저항도 하지 못하고 혼비백산해서 달아났다. 다이르우순은 초원에 있는 백성을 모아서 삼림지대로 도피시키고, 자신도 삼림의 백성들 틈에 숨어서 살길이 없겠는지 궁리하기 시작했다. 그때 집요하게 떠오르는 생각이 훌룽의 말이었다.

"훌룽아, 혹시 칭기스칸이 데려간다면 살 자신이 있냐?"

"제게 맡기세요. 아버지를 지켜드리겠어요."

딸이 이렇게 나오니, 그래, 씨를 말리느니 차라리 항복을 하는 게 낫겠다 싶어서 푸른 군대의 변방 수비대장을 찾아갔다. 언젠가 키릴툭을 풀어주고 의리를 지켰다는 공으로 수비대장 자리를 차고앉은 나야였다.

"제게 훌룽이라는 딸이 있습니다."

나야는 자기에게 맡기러 온 줄 알고 반색을 하고 맞아들인다.

"미인이라는 소문은 들었소."

"칭기스칸에게 보여드리고 싶습니다. 장군께서 데려다 줄 수 있는지요?"

"좋소. 데려오시오."

나야의 생각에는 그거나 저거나 마찬가지였다. 초원 최고의 미인이라는 소문이 자자하여 어느 부족의 수령이 데려갈지 모르는 처녀를 넘겨받는 기분이 한없이 괜찮았다. 만나보니 과연, 지나가는 자리마다 공기에 붉은 체취가 묻어날 것 같은 미색이었다. 꾀 많은 나야가 열여덟의 처녀를 자신의 게르에서 재우면서 얌전하게 굴 턱이 없었다. 독한 술을 마시고 나니, 취하면 본심이 나온다고, 아름답고 고운 자태에 반해 음심이 요동을 쳤다. 밤에 기어이 덮치게 되었는데, 홀릉이 저항하다 안 되겠던지 제 손으로 옷을 벗게 해달라고 사정을 한다.

"장군님, 품위 없이 이게 무슨 일이랍니까?"

그러고는 옷을 훌훌 벗더니 단 한마디로 제압해버렸다.

"저를 가지려거든 가지십시오. 한데, 칸의 귀에 들어가지 않으리라 보십니까?"

나야가 깜짝 놀라 생김새를 다시 본다. 달덩이 같은 입에서 그런 비수가 쏟아져 나올 줄은 상상도 못했던 것이다.

"아비가 그렇게 말하라고 가르친 게냐?"

"그런 걸 가르치는 아버지가 어디 있습니까? 저는 장군님이 다칠까 봐 하는 말입니다."

"메르키드 족은 버르테 왕비님을 납치한 부족이야. 너를 칸이 받아줄 거라 생각해?"

"칸께서는 타타르에서도 왕비를 둘이나 데려왔다고 들었습니다. 마음에 안 들면 모를까 원수의 딸을 품어야 천하를 품게 되지 않겠는지요."

나야는 술기운이 어디로 갔는지 총총해지고 말았다. 모가지가 붙었다 떨어졌다 하는 순간임은 분명했다.

"예쁜 공주님은 목덜미에 생긴 자국을 어떻게 하실 텐가?"

"염려 마세요. 장군님은 저를 지키신 분입니다. 사흘이면 지워질 테지요."

이렇게 해서 홀릉은 나야의 목숨 줄을 쥐락펴락할 수 있게 되었다.

홀릉의 목덜미에 생긴 흔적이 지워지는 데는 정확히 사흘이 걸렸다. 나야는 홀룽에게 함부로 굴었다가 무슨 일을 겪게 될지 몰라 일거수일투족을 조심한다. 까닭에, 쿠두 아랄에 닿을 때까지 깍듯이 마님 대접을 하지 않을 수 없었다. 낮은 구릉을 따라 단조로운 기복이 반복되는 분지의 한복판에 가로누운 쿠두 아랄의 오르도는 조용하고 장엄한 칸의 성격 그대로였다.

"다이르우순이 공주를 보여드리고 싶다고 해서 데려왔습니다."

눈부신 석양을 등지고 온 탓에 게르 안은 어두워서 누가 앉아 있는지 알 수 없었다.

"공주는 가운데로 나와서 서보라."

홀룽은 천창으로 새어 들어오는 빛 아래 섰다. 먼 길을 헤쳐온 피로한 모습이라곤 보이지 않는다. 오랫동안 햇볕을 피해 살아온 얼굴처럼 낯빛은 곱고 자태는 예쁘며 표정에 긴장하는 기색도 얹혀 있지 않았다.

"다이르우순은 길일도 가릴 줄 모르는가?"

"아버지께서 길일에 맞춰 보내셨으나 세상의 거친 바람을 피하느라 늦었습니다."

순간, 칭기스칸의 표정이 어두워졌다. 얼핏 셈해도 사흘은 지체한 터라 젤메가 눈을 부라리며 목소리를 높인다.

"나야, 설명해보라. 칸에게 오는 공주를 사흘이나 붙든 자는 누구인가? 공주가 세상이 거칠다 했는데, 아직도 거친 곳이 남아 있는가? 변방의 비적들을 색출하라고 그대에게 군대를 맡긴 것 아닌가. 어떤 사정이 있었는지 칸께 아뢰라."

공기가 자못 험악하게 흐르고 있었다. 만약 오해가 생겨 칭기스칸이 부노하게 되면 나야는 물론 홀룽까지도 꼼짝없이 죽게 될 터였다.

그래서인지 나야보다 먼저 홀릉이 입을 열었다.

"제가 말씀드려도 되겠습니까?"

나서는 양이 하도 스스럼없어서 식솔처럼 느껴질 지경이었다.

"이실직고를 해라."

"메르키드 사람들은 몽골이 무서워서 투항하지 못하는 경우가 많습니다. 푸른 군대가 나타나면 달아나기 일쑤이니, 용사들 역시 거칠게 대해서 여인들도 길을 나서지 못합니다. 장군님은 제가 못된 일을 겪을까 봐 여간 걱정하지 않았어요. 저의 안전을 위해 사흘이나 기다린 점을 살펴주십시오. 혹여 거짓을 아뢰는지 칸께서 제 몸을 조사하면 아실 겁니다. 만약 제가 깨끗하지 않다고 진단하시면 기꺼이 목숨을 내놓겠어요."

참모들이 깜짝 놀랐다. 칸 앞에서 그렇게 당돌한 사람도 처음이고, 무서운 장군들 앞에서 눈 하나 까딱 않고 제 몸을 조사하라는 맹랑한 처녀도 처음이었다. 칭기스칸도 별생각 없이 듣다가 뜻밖의 말에 놀라 맑은 물에 정신이 씻기는 느낌을 받았다.

"몇 살이냐?"

"열여덟입니다."

또박또박한 말투가 너무나 예쁘고 꾸밈없이 들려 대화를 나누는 사람이 통쾌해지는 기분이었다. 하고 있는 맵시도 머리에서 발끝까지 조목조목 정갈스럽다.

"너는 여기가 무섭지 않느냐?"

"네. 결백을 증명할 수 있습니다. 푸른 하늘에 맹세합니다."

"사람은 누구나 억울한 순간에 처할 수가 있다. 허나, 자신이 뱉은 말에는 반드시 책임을 져야 하는 법이야."

칭기스칸의 얼굴이 활짝 펴지자 게르 안이 온기로 가득 찬다. 보오르추가 곁에서 충언을 고한다.

"선 자리에서 결정할 문제는 아닌 것 같습니다."

"좋다. 공주의 말이 사실이면 메르키드에 대해 다시 생각하겠다."

이렇게 해서 하루가 지나자 칭기스칸의 측근들은 일제히 눈이 휘둥그레졌다. 검은 톡 기와 흰 톡 기 말고는 걸린 적이 없는 칸의 오르도에 난데없이 여인의 속곳이 얹힌 것이다. 훌릉이 유목민의 관습대로 초야의 혈흔이 묻은 옷을 칸이 취침했던 게르의 지붕 위에 올려놓았으니, 약속도 확인시키고 관습도 따른 셈이다.

"놀랍긴 하지만 잘못된 일은 아닙니다."

코르치가 아침 문안을 와서 이렇게 말하자, 칸이 배를 쥐고 웃는다. 훌릉이 하는 짓이 어찌나 맹랑한지 종일 웃음을 참지 못해 온 쿠두 아랄이 들썩거렸다. 그리고 그로써 다이르우순도 메르키드 족을 안전하게 칸의 백성으로 합류시킬 수 있게 되었다.

자무카는 다이르우순까지 떠난 흡수굴 호반이 한없이 쓸쓸했다. 숲이 우거진 산맥들 사이로 몇 역참 거리일지 모르는 호수의 물들은 바람에 몸살을 앓는지 쉼 없이 뒤척이고, 물새들은 떠나간 주인을 찾는지 여기저기 이동하며 소리들을 지른다. 그렇게 추운 곳에서도 새 울음소리가 살아있다는 게 신기할 지경이었다.

"삼자동맹 때 살려둔 덕을 보게 되나 했는데, 쩝."

꿈을 잃고 돌아서는 길은 더욱 멀어지는 법이다. 흡수굴 호수를 벗어나자 자무카는 앞도 뒤도 어디인지 가릴 틈이 없게 되고 말았다. 바람에 날리는 황진 사이로 가끔씩 나타나고 사라지는 흐릿한 구릉은 망막한 평원에 변화와 활기를 주는 대신에 침울함과 단조로움만 보태줄 따름이다. 어쩌다 마주치는 백성들의 얼굴에는 두려움이 걷히고, 새로 부임할 천호장을 기다리는 기대감조차 엿보인다. 그가 멀리 한 바퀴 원을 그리는 동안에 병력이 또 떨어져 나가 일곱 명밖에 남지 않았다. 처여가 없으니 일일이 보고하는 사람도 없다.

'닥쳐오는 엄동설한을 눈앞에 두고 만 리 여정을 떠나는 자여! 바람의 그림자 안에 고향 냄새가 있구나!'

모든 추억조차 희미해진다. 그는 마지막 남은 부하를 데리고 알타이 산맥 동북쪽의 탄루 산으로 몸을 옮긴다. 이제 고원의 서쪽 끝까지 쫓겨간 것이다. 탄루 산은 홉드의 늪지대와 시베리아 밀림의 경계에 있는 만년설이 있는 산으로서 사슴, 곰, 산양들이 사는 곳이었다. 그는 광막한 사막을 가로질러야 하는 추방자처럼 겨울이 깊어가지만 사냥으로 허기를 달래며 불안에 쫓기는 수밖에 없었다. 또 하루가 어두워갈 때 음울한 삼림 앞에서 그들처럼 처량해 보이는 한 떼의 산양을 뒤쫓아 먹을거리를 건졌다. 화살을 세 발이나 맞은 산양 한 마리가 그날 밤의 만찬을 제공하였다. 다들 기름진 음식이 없어서 오장을 닳던 끝이라 눈을 녹여 물을 만들고 호신용 칼로 나무를 구해 요리를 하는 솜씨가 귀신같았다.

그들은 고기를 실컷 먹고 나서도 허기가 멎지 않는지 저마다 가지고 있는 호신용 단도로 뼈다귀를 깎는다. 임시로 허술하게 쳐둔 게르 안에 장정들이 둘러앉아 뼈다귀를 깎는 소리가 몹시 기괴한 느낌을 준다. 자무카는 귀에 거슬렸지만 유목민 사내들이 식후에 흔히 하는 버릇들이라 못 본 척하고 있었다. 뼈다귀 깎기가 끝나자 식후에 국물을 마시는데, 그릇이라고는 오직 나무잔 한 개밖에 없었다. 그들은 차례차례 돌려가면서 산양 국물을 마시되, 먹고 난 사람은 그릇이 말끔해지도록 그야말로 마지막 물 한 방울 남지 않도록 잔을 닦아서 뒷사람에게 넘긴다. 그도 국물을 마시고 난 그릇을 크고 넓은 혓바닥으로 나무잔 속까지 남김없이 핥아서 아주 번쩍거리도록 깨끗하게 닦은 다음에야 부하 하나를 불러 넘겨주었다.

'쯧, 게걸스럽게 먹고 나니 속조차 메스껍네!'

잠시 후, 자무카는 화로 앞에서 옷을 모두 벗은 다음에 온몸이 빨갛도록 긁고 나서 내의를 덮개문 밖으로 내놓았다. 아침이 되면 얼어죽은 이가 하얗게 서리처럼 덮여 있을 것이다. 그렇게 이를 얼어 죽게 해서 화로 위에 탈탈 털면 볶는 소리가 들리기 마련이었다. 삶이란 얼마나 구차한 것인지, 그래도 닷새에 한 번은 이 볶는 소리를 들어야 몸뚱어리에서 붉은 자국이 가라앉는 것이다.

그리고 다음 날 아침에 눈을 뜨는 순간 그는 깜짝 놀랐다. 억지로 들었던 새벽잠에서 깨고 보니 먼 지평선에서는 벌써 희미한 여명이 움직이는데, 등 뒤에서 다섯 개의 칼이 기척을 했던 것이다.

"꼼짝 마라!"

간밤에 공모라도 했는지 부하들의 눈빛이 악의로 가득 차 그를 결박하기 시작한다.

"누구 생각이냐?"

"그걸 알아서 어쩔 텐가?"

"그래, 듣고 싶지도 않다."

자무카는 세상을 보기가 혐오스러워서 더 이상 눈을 뜨고 싶지 않았다.

'어쩌자고 이런 형편없는 녀석들을 부하로 두었을까? 날 잡아가면 칭기스칸이 상을 줄 줄 알 테지만, 쯧쯧, 그러고도 퍽이나 무사하겠다. 물정도 모르는 것들 덕분에 형제의 얼굴은 보고 죽겠구나.'

그는 차라리 잘됐다는 생각이 들었다.

자무카는 이송되는 동안 한 번도 입을 열지 않았다. 어차피 인간은 운명의 끈에 묶여서 사는 존재이다. 신체의 포박이 없어진다고 마음이 자유로울 것인가? 그는 부하들이 수모를 줄 때마다 파렴치한 배신에 치가 떨렸지만 그렇다고 분기탱천하거나 저항할 기분도 아니었다. 몸과 마음이 답답하지만 억울해한다고 풀릴 일도 아니었다. 무엇엔가 사로잡힌 인간은 돌이킬 수 없는 지점까지 추락해야 깨닫는 법이다.

고원의 서쪽 알타이 산맥의 끝 봉우리에서 초원의 동쪽 오논 강기슭까지는 유라시아 대륙을 송두리째 건너는 광대한 거리였다. 말 타고 뛰어도 한 달이 소요된다. 그사이에 계절이 바뀌어 볕이 일찍 드는 곳은 말발굽이 뛰는 동안에 얼음이 녹았다. 한낮에는 초원도 결빙된 흙이 물러져 흐물거린다. 자무카는 물고기처럼 소리를 내지 않고 분노와 슬픔, 증오의 감정을 모두 허파 뒤에 숨겨버렸다. 흡사 심장이 없는 사람 같았다.

투명하게 맑은 하늘에 따뜻한 정오의 태양이 걸린 날, 쿠두 아랄에 닿자 수비대가 서 있는 경계선에서 배신자 하나가 자랑스러운 듯이 외친다.

"구르칸 자무카를 붙잡아 왔소. 길을 열어주시오."

경계병이 그들을 세워놓고 공중에 휘파람 화살을 쏘아 올렸다. 어디서인지 테무게가 알고 달려 나왔다. 부모의 유산을 막내가 상속받는 유목민의 관습대로 쿠두 아랄의 실제적인 주인이라 할 수 있는 본

부사령관은 테무게였다. 어머니를 모시는 터라 후엘룬의 재산이 곧 그의 것인 까닭이었다.

"칸을 뵙게 해주세요."

"너희들이 뭔데 칸을 뵌단 말이냐?"

"구르칸을 잡아왔습니다. 이놈입니다."

"그래? 뭐 하는 자들이냐?"

다섯 중 하나가 뭐라고 얼버무리는 것을 테무게는 건성으로 듣고 경계병에게 이른다.

"요것들을 몽땅 죄수 대기소로 넣어라. 칸께 다녀와야겠다."

그리고 말에 오르려다 문득 자무카를 훑어보더니 어릴 때 보던 흔적이 남았다는 건지 그렇지 않다는 건지 혼자서 중얼거린다.

"나이 때문에 그런가?"

자무카를 잡은 것이 엄청난 일임은 확실한데, 칸이 뭐라고 할지, 죽일지 살릴지 혹은 또 다른 지시가 있을지 테무게도 전혀 짐작할 수 없었다. 다만, 옛 생각이 어른거려 경비대장에게 이른다.

"포승을 풀어라. 그리고 구르칸을 따로 두는 게 좋겠다. 참, 칸의 명령이 있기 전에는 먹을 것도 주지 마. 소문나지 않게 입단속도 시키고."

하지만 유목민의 입소문을 막을 수 있는 장사가 있는가? 구르칸 자무카가 잡혀왔다는 소식은 테무게가 칭기스칸에게 닿는 시간보다도 빠르게 온 초원에 퍼지고 말았다. 모처럼 전쟁이 없는 세상이 심심해진 사내들에게는 그것만으로도 말을 달릴 이유가 충분했으니, 누구에게나 관심거리가 아닐 수 없었다. 과연, 어떤 벌이 내려질 것인가? 사형인가 태형인가?

한편, 자무카의 부하들은 최대의 원수를 잡아 바친 공을 눈곱만큼도 알아주지 않는 것이 서운해 미칠 노릇이었다. 거물을 잡기가 얼마나 어려우며, 또 끌고 오느라 얼마나 고생을 했는가 말이다. 그들은 칭기스칸이 오면 대우가 달라질 거라는 희망을 안고 당장의 불만을 참는 수밖에 없었다.

칭기스칸은 겨울잠에서 깨어난 동물들처럼 부하들을 이끌고 모처럼 집단사냥을 하고 있었다. 겨울이 가고 봄이 오는 중이라 백성들의 형편이야 더할 나위 없이 곤궁하였다. 한없이 허기가 지고 먹을 것이 모자라 야생동물이라도 잡아야 배를 채울 수 있으려니와, 한편으로는 탕구트를 치기 위한 군사 훈련도 필요했다.

푸른 군대에는 탁월한 전투력을 가진 장수들이 넘치고 넘쳤다. 칭기스칸은 그들을 어떻게 선발해야 효율성이 커질지 연일 보오르추와 모칼리를 불러 궁리하는 중이었다.

"유목민은 정착민과 달라. 정착민은 태양을 아버지라 하지만 유목민은 달을 아버지라 하지. 왜인 줄 알아? 태양이 달을 낳았기 때문이야. 또 유목민은 밤에 일해. 해가 지고 어두워지면 온갖 위험이 닥쳐오지. 하지만 정착민은 밤이 되면 남몰래 부끄러운 짓을 하지. 그리고 정착민은 전쟁에 동원되는 사내들을 병사라 하는데, 누구의 졸병이라는 뜻이지. 우리 유목민은 바타르, 용사라고 해. 공동체를 지키는 용기 있는 사람들이라는 뜻이잖아."

칭기스칸은 유목민의 장점을 살리기 위해 어떤 일을 해야 할지 아는 사람이었다. 그가 사령관을 선발하고 임무를 맡기는 방식은 동시대의 사람들이 알고 있던 것과 전혀 달랐다. 푸른 군대는 결코 혈연을 바탕으로 사령관을 선발하지 않았다. 귀족이든 평민이든 가리지 않고 철저하게 신의와 능력을 우선시했기 때문에 모든 용사들에게 진급의 기회가 열려 있었다. 그래서 십호장, 백호장, 천호장의 눈에 들면 보오르추나 모칼리에게 전해졌는데, 칭기스칸은 언제나 그들이 보지 못하는 것을 보는 눈이 있었다. 그날도 젤메의 아들이 사냥을 따라갔는데, 열한 살짜리가 어찌나 조숙하던지 힘이 장사 같고, 지혜가 가상해서 어른들이 당할 수 없었다. 그것을 보고 칭기스칸이 연거푸 감탄을 하더니 이렇게 지시한 것이다.

"정말, 훌륭해. 주변에 견줄 사람이 없구나. 남들이 한 역참을 뛸 때 두 역참을 뛰고도 땀 한 방울 안 흘리는 걸 좀 봐. 잠도 없다지? 나중에 아주 중요한 일을 하겠어. 한데, 저런 사람은 지휘관을 시키면 안 돼. 너무 뛰어난 사람은 보통 사람들이 왜 자기처럼 하지 못하는가를 이해하지 못하거든. 능력이 부족한 사람은 속이 얼마나 힘들겠어. 다른 임무를 맡겨야지."

집단사냥은 작전 실험 못지않게 이와 같이 군대 조직을 살피고 조절하는 실험장이었다. 칭기스칸은 자무카 소식을 그 같은 실험장에서 들었다. 당장 달려가고 싶어서 집단사냥을 중지할지 계속할지를 망설일 정도의 중대 소식이었다.

"자무카가 따로 건넨 이야기는 없었어?"

"전해달라고 하지는 않고 혼자서 이렇게 말했어요. 검은 까마귀가 얼룩 오리를 잡았네. 종이 주인을 범했네. 잿빛 솔개가 천둥오리를 물었네. 신하가 칸을 범했네."

"알았다. 먼저 가서 배신자들을 묶고 자무카를 손님 게르로 옮겨."

"달아나면 어떻게 하지요?"

"몰라서 하는 얘기야. 자무카에게는 감시병도 세우지 마."

테무게가 이렇게 하고 돌아오자 곧바로 더 자세한 지시를 받은 장수가 따라왔다.

칭기스칸의 명을 받아 포로를 맡은 자는 공교롭게도 조치다르말이었다. 그가 자무카에게 전한 첫 소식은 이것이었다.

"칸께서 장군님이 서운하지 않도록 배신자들을 거칠게 다루라 하셨습니다."

자무카가 일체 대꾸하지 않자 조치다르말이 자무카의 몸에 있는 상처를 되는 대로 세어본다. 모두 일곱 군데의 상처가 있어서 다섯 명의 부하를 차례로 일곱 군데씩 칼로 찢어서 상처를 입게 했다. 그러고는 또 묻는다.

"장군! 더 다친 곳은 없습니까?"

"언제까지 날 괴롭힐 셈이냐? 저것들도 모두 부하 아니냐? 마지막까지 곁에 있어준 공도 있거늘."

하는 수 없이 칸이 오기를 기다리는 수밖에 없었다. 그래서 배신자들을 처형할 준비를 마쳐놓고 쉬고 있을 때 칭기스칸이 돌아왔다.

"배신자들이 처형당하는 광경을 지켜보겠다."

그러더니 칭기스칸이 배신자들을 향해 눈알을 잔뜩 부라린다.

"나의 형제가 네놈들 때문에 패했다. 목숨을 바쳐 사죄해도 모자랄 판에 배신까지 하다니! 마지막 가는 길에, 너희들이 누리던 세상을 앞으로 어떤 사람들이 누릴지 보여주겠다. 여기가 보오르추, 내 친구였다. 내게 아무것도 없는 빈털터리 시절에 저 친구는 인간이 무엇으로 만나야 하는지를 보여줬지. 그 곁에 젤메 사령관, 날 때부터 집안의 종이었다. 또 모칼리는 쥐르긴 수령 세체의 종인데, 주인에 대한 예를 끝까지 다했어. 저기 카다크가 목숨을 걸고 사수했기 때문에 나는 생굼을 놓쳤다. 인간의 신체를 쓰레기처럼 사용한 자들은 초원에서 다시 풀포기로 태어나야 한다. 너희는 이제 떠나라. 초원은 이렇게 생긴 사람들이 사는 곳이야."

3

봄 하늘에서 뿌리는 눈은 가볍고 보슬보슬하다. 하얗게 각이 선 알갱이들이 먼 허공에서 가까이 올수록 둥글어진다. 바람에 희끗희끗 몰려다니는 것들이 공기 방울과 부딪치면서 눌러지고 엉겨 붙어 쌀알처럼 작고 단단한 눈싸라기가 되는 것이다. 그것이 점점 무거워져서 땅에 닿을 때는 얼음처럼 투두둑 소리를 낸다. 마치 하늘이 천 개의 손길로 두드리는 것 같은 버르테의 천창 밑에서 알타니가 다섯 살짜리와 놀고 있었다. 둘째 차가다이가 낳은 아들이 할머니에게 와 있었던 것이다.

"갑자기 내리는 눈을 무슨 눈이라고 해?"

"소나기눈."

"살짝 내리는 눈은?"

"살눈."

언젠가 족제비할머니가 어린 테무진을 기르면서 시작한 놀이가, 어느덧 그 집의 문화가 되었다.

"눈과 비가 섞여서 오는 눈은?"

"진눈깨비."

게르 안에는 나이 든 여인이 둘이나 있었다. 후엘룬 어머니가 오랜만에 버르테를 찾아와 이것저것 들여다보고 있었던 것이다. 버르테가 반가운 표정으로 뒤를 졸졸 따른다.

"어머니! 나무랄 게 있어서 오신 건 아니지요?"

"할망구가 왕비님께 꾸짖을 게 있어야지."

곁에서는 알타니의 목소리가 계속 들린다. 보슬보슬한 눈은? 마른 눈은? 하얀 가루같이 고운 눈은? 잿빛이 도는 눈은? 물기가 많은 눈은?

후엘룬의 음색도 밝고 버르테의 표정도 청명하지만 어느 구석엔가 엷은 그림자가 없지 않았다. 조상의 제사를 모시는 상에는 조그마한 돌멩이가 놓여 있다. 유목민은 흔히 고향의 흙이나 돌멩이를 가슴에 지니는 것으로 자기의 대지를 가지고 다니는 것처럼 생각하는 풍습이 있었다. 오래전 옹기라트에서 온 돌멩이를 만져보며 후엘룬이 물었다.

"훌릉 때문에 속상한 것은 아니지?"

"칸이 하는 일을 속상해하면 어쩌려고요?"

"그래도 속상한 줄 안다."

"나도 모르게 아주 조금 어른거리다 만 거예요. 하필 메르키드 여자일까 해서요."

"그 말을 하고 싶어 왔어. 다른 부족의 여인을 데려왔다면 칸에게 한마디 하려고 했다. 한데, 원수의 딸을 데려온 걸 보고 고개를 끄덕끄덕했지. 백성을 죽이는 것보다 낫지 않니?"

버르테는 가슴이 철렁 내려앉았다. 다른 부족을 통합하는 과정을 짐작하지 못한 것이다.

"아차, 제 생각이 짧았어요. 이제 마음에 두지 마세요."

"그래도 부탁하자. 이수겐은 말을 잘 듣지? 훌릉도 바탕이 괜찮은 애야. 한데, 주치 표정이 어두워. 속이 깊은 아이라 겉으로 드러내지 않지만 어미가 슬퍼할까 봐 그러는 거야. 그늘을 걷어줄 사람은 너밖에 없다."

버르테는 문득 세상사가 복잡하게 얽힌 데 비해 여자의 소갈머리가 너무 좁다는 것을 깨닫는다. 그래, 시어머니가 돌아가자 밖에다 대고 주치를 불러오게 했는데 소식이 없다. 다시 외치자 한참 후 목소리가 되돌아온다.

"칸께서 붙들어두어서 움직이지 못한다고 합니다."

그 말을 듣자 버르테는 세상 일이 그토록 치밀한 인과관계에 얽혀 있는 게 너무나 놀라웠다.

'옳아. 칸이 자무카와 술자리를 하면서 아무도 접근하지 못하게 하고 심부름도 주치에게만 맡기는 이유가 있었구나!'

자무카의 게르에서 낳았던 아이가 바로 주치였다. 그 생각을 하는 순간 정신이 번쩍 돌아온다.

그날은 어린 봄으로는 유난히 포근한 날씨였다. 자무카를 데려온 배신자들을 처형한다고 해서 버르테도 나가 게르 뒤에서 지켜보았다. 틀림없이 자무카도 나올 것이었다. 젊은 날에 그토록 사이가 좋았던 두 사람을 결정적으로 헤어지게 한 사람이 자신이었다. 자무카의 부인이 촐싹대는 게 판단의 근거였는데, 사실은 얼마든지 자신이 틀릴 수도 있었다. 그래서 언젠가 한번은 자무카의 표정을 살펴보고 싶었는데, 끝내 한쪽이 파산하고 나서야 볼 수 있게 된 것이다.

역시나 사내들은 하는 짓이 다르다. 그날 칭기스칸은 배신자를 처벌하자 곧 자무카를 부둥켜안았다.

"형제! 이거 얼마 만인가?"

옹칸이 연합군을 만들어서 나이만을 치러 갈 때 보았을 테니 결코 짧다고 할 수는 없었다. 하지만 그사이에 아무 일 없었던 사람들처럼 부둥켜안고 술좌석에 들어가는 걸 보고 여자들 같으면 저런 일이 어찌 가능하랴 싶었던 것이다.

"먼발치에서는 봤지."

"아니야. 형제의 뒷머리가 희잖아. 그렇게 세월이 얹힌 모습이 보여야지."

자무카는 그런 처지에서도 허허허 너털웃음을 웃었다.

"흰 게 대순가? 옛말에도 자랄 때는 이가 희고, 늙어서는 머리가 희고, 죽어서는 뼈가 희다고 했네. 허허허."

그러면서 둘이 들어가더니 이틀째 아무도 접근하지 못하게 하고 술상만 몇 번째 내갔는지 모른다. 도대체 무슨 이야기를 하는지, 앞으로 어쩔 셈인지 아는 이가 없었다.

자무카는 칭기스칸의 환대가 너무나 뜻밖이었다. 두 손을 벌리고 눈을 빛내며 반가움을 터뜨리는 감탄사에 그는 진실로 감사의 눈빛으로 답했다. 유목민이면 누구나 하는 인사말을 주고받는 동안에 십수 년 묵은 불길한 느낌들이 거두어진다. 그래서 자신도 칭기스칸에게 더욱 뭔가를 해주고 싶었는지 모른다. 쿠두 아랄에 들어서는 순간부터 형제에게서 풍겨오는 아늑하고 불가사의한 매력이 예전보다 결코 못하지 않았다. 쿠두 아랄은 여느 쿠리엔과 달리 조금도 황량해 보이지 않고 문란해 보이지 않는다. 햇살에 반사되는 벌판의 허리에는 눈처럼 보드라운 털에 덮인 양들이 대여섯 마리씩 떼를 지어 우글거리는 것이 보이고, 여기저기 낙타도 있었다. 먼 옛날, 늑대에게 공격받을 때 만난 열두 살짜리 테무진에게서도 그런 따뜻함은 있었다. 그런 성정이 마을을 만들면 이렇게 되는구나 싶었던 것이다.

칭기스칸은 자꾸 옛 이야기를 한다.

"형제, 우리가 코르코낙에서 만났던 것처럼 이제 쿠두 아랄에서 다시 만난 거야. 그때 일이 나는 꿈같아. 사람이 드문 넓고 넓은 초원에서, 그것도 긴긴 겨울밤을 한 이불 속에서 지샌 사람이 진정한 친구가 아니면 누가 누구를 친구라 할까?"

"남이 된 사내에게 너무 정을 주지 말게."

많은 일들이 얽혀서 때로는 숨이 넘어갈 듯이 괴롭게, 때로는 서로 전쟁을 할 때조차도 자존심만은 밟히지 않게 배려하면서 어색하게 지내온 가지가지의 순간을 잊을 수 없었다. 하지만 그 복잡한 감정을 드러내기에는 자신의 처지가 너무나 답답해서 고통스럽기만 하다.

"무슨 소리? 모든 생명은 다 남과 남이 만나서 잉태한 것이네. 이제 좀 돌아와. 내게도 갚을 기회를 줘야지."

"낙타가 저녁에 집으로 가는 이유는 둘일세. 하나는 주인이 물을 주기 때문이고, 또 하나는 새끼가 기다리기 때문이야."

"무엇이 걱정인가? 우리가 의형제를 맺던 오논 강의 얼음판은 해마다 돌아올 거야. 그 시절처럼 또 의형제를 맺자고."

"내가 구르칸이라는 사실을 잊었어? 십삼익 전쟁 때 자네를 달란 발조드까지 추격했던 사실을 잊지 말아."

"허물은 잊어야지. 선을 행하기는 죽은 자를 살리는 것처럼 어렵고, 악을 행하기는 살아 있는 것을 죽이는 것처럼 쉬워."

"몽골의 칸은 둘이야. 백성의 마음이 다시는 나뉘지 않도록 칸끼리 합의를 보세."

자무카의 귀에 칭기스칸이 꿀꺽 침을 넘기는 소리가 들린다.

"구르칸 자무카는 칭기스 형제 앞에서 무릎을 꿇었어. 내게는 자네와 같은 어머니가 없었고, 자네와 같은 아내가 없었으며, 또 자네와 같은 훌륭한 친구들도 얻지 못했네."

"무슨 소리! 형제와 나는 한 번도 직접 부딪친 적이 없어. 언제나 한 사람이 피했지."

"그래도 하나는 떠나고 하나는 보내야 해. 초원은 넓고, 인간은 약속과 믿음에 의지해서 살아야지. 배신은 어떤 경우에도 용서되지 않는다는 걸 나의 목숨으로 새겨두세. 내가 형제에게 해줄 수 있는 것은 이것밖에 없어. 형제가 원정을 나설 때마다 술을 뿌리고 제사를 지내는 검은 톡 기 위에 나의 넋이 붙어서 지켜줄걸세."

"구르칸! 그러지 말고 자무카로 돌아와줘."

"형제여, 왜 잔인하게 구는가! 이름을 부러뜨리지 말고 허리를 부러뜨려. 두 개의 태양이 있어서는 안 되지. 형제의 빛이 더욱 눈부실 수 있도록 내가 사라지겠다."

계속 호탕하게 굴던 자무카가 거기서 입을 닫아버렸다. 칭기스칸의 볼 밑에 있는 희고 듬성듬성한 수염에 눈물방울이 얹혀 반짝거린다.

칭기스칸은 자무카 앞에 앉아 늦게까지 술을 따랐다. 마음 같아서는 자무카가 코르코낙 시절에 그랬던 것처럼 자신도 그를 끌고 가고 싶지만 다가와주지 않는다.

"옛날에 우리 둘은 수레의 양쪽 바퀴처럼 떼어놓을 수 없었네. 헤어져 있는 동안에도 자네가 나를 아낀 걸 알아. 전쟁터에서 마주칠 때 자네의 표정이 언제나 우울해지는 것을 보았어. 다시 말하지만 나이만 전 때 형제가 한 일을 알고 있네. 나의 급소가 노출될 때마다 자무카의 창이 들이쳐야 하는데 나이만 군대가 꽁지를 빼곤 했어. 나중에 보니 형제가 앞장서서 퇴로를 뚫고 있드만. 그들에게 공포의 씨를 뿌렸기 때문에 내가 승리한 거야."

그 말을 듣고 자무카가 칭기스칸의 눈을 한참 들여다본다.

'어찌 아는가?'

그것은 아무에게도 알리지 않은 일이었다. 나이만 전의 마지막 밤, 타양칸은 군사를 산기슭에 배치시켰다. 푸른 군대는 끌처럼 파고들어갔지만 적들의 발밑 기슭에 위치하고 말았다. 선제공격을 했더라면 타양칸이 유리했을 것이다. 참호를 파고 결사 항전을 했더라도 얼마든지 최후 저지선은 방어할 수 있었다. 하지만 자무카가 얼마나 심하게 공포감을 주었는지 모른다.

"이 야밤에 공격해본들 큰 바다에 가라앉은 돌이나 갈대밭에 쏜 화살처럼 나이만은 이내 사라져 없어지고 말 거요."

양쪽을 잘 안다는 군사고문이 이렇게 말하자 타양칸은 두려움을 이기지 못하고 스스로 무너져버렸다. 그리고 포위망을 뚫으려는 시도조차 해보지 못한 채 절벽에서 떨어졌다. 그것도 나이만의 병사들끼리 엉켜서 한꺼번에 떨어지는 바람에 처참하게 으깨지는 모습을 자무카는 탈출하면서 보았다. 마치 쓰러신 나무 위에 또 다른 나무들이 널브러시듯이 용사들은 차곡차곡 쌓여서 죽었다. 한데, 칭기스칸이 그것을 알고 있는 것이다.

"알아주니 고맙네. 나는 천하를 얻는 데 실패했지만, 내가 꿈꾸었던 천하를 나보다 훨씬 가볍게 품어버린 형제를 지상에서 얻었네. 황야와 빈곤을 딛고 서서 푸른 하늘의 마음을 갖게 된 형제여! 이제 와서 나를 살린들 어디에 쓰겠나. 나도 이제 구르칸의 명예를 지킬 수 있도록 도와줬으면 해."

칭기스칸은 그만 일어서야 한다는 것을 깨달았다. 낮에 뜨겁던 태양도 밤에는 식어서 찬 공기를 보낸다. 밖에서 대기해 있던 주치가 소리 나지 않게 천창을 닫았지만 한 곳이라도 허술하게 열려 이슬이 굴러들지 않을까 게르 안을 다시 돌아본다.

"새벽에 춥지 않을까? 형제가 외롭지 않도록 여인이 와서 도와도 되는가?"

"살 만큼 살았나 보네. 형제의 입에서 그런 말이 나오다니! 여인은 활이요 사내는 화살이 아닌가. 한번 시위를 떠난 화살은 돌아가지 않는 법, 나는 여인들을 지켜주지 않았어. 나쁜 수컷이지. 하지만 저 별밭으로 빠르게 날아가 불꽃을 내며 타는 것도 다 사나이의 정기와 행운이 이동하는 과정에 겪는 일들이야. 여인들이 잠들었을 때 별똥별처럼 소리 없이 스러져가려네."

자무카는 이미 칭기스칸이 닿을 수 없는 나라에 가 있는 사람 같아서 속수무책으로 헤어지는 것이 한없이 허탈했다.

'백 명의 사람에게는 백 개의 하늘이 있지. 천 명의 사람에게는 천 개의 신이 존재할 수밖에.'

그래도 다음 날 자무카를 한 번 더 찾아갔다. 전날과 달리 몹시 쾌활한 목소리였다.

“우리는 서로의 지문을 보여줬네. 지문은 운명의 목소리가 아닌가.”

“난 더 이상 형제에게 위협을 느끼지 않아. 설령, 형제가 구르칸의 자리로 되돌아간다고 하더라도 말이야.”

“왜 자네답지 않은 말을 하는가? 해와 달이 부딪치면 누가 이길까? 하나가 이기겠지. 그러나 대지는 불타고 말아. 구르칸을 포로로 잡아서 처형했다는 신화쯤은 있어야 칸의 초원이 별빛의 영광 속에서 빛을 내지.”

“부탁할 것은 없는가?”

“피를 흘리지 않고 죽게 해줘. 그리고 넋이 이승에서 떠돌아다니지 않게 높은 언덕에 묻혔으면 좋겠네.”

칭기스칸이 오르도에 돌아가보니 보오르추와 코르치가 자지 않고 기다리고 있었다.

“살리고 싶은 겁니까?”

“자무카는 내게 직접 해를 끼친 적이 없어. 또 그는 세상사를 얼마나 깊이 아는지. 나는 많은 것을 배웠어. 제발 돌아오면 좋겠는데, 이미 삶에 지쳐버린 모양이야.”

“고맙습니다, 대칸! 신령님의 뜻이라 대칸을 모시면서도 제 마음은 언제나 우리 자다란 족의 수령님께 죄송했습니다. 그토록 뛰어나고도 검은 뼈의 숙명을 극복하지 못한 우리 자다란 족의 수령을 영원히 기억해주세요.”

코르치가 흐느낀다. 보오르추가 곁에 서 있다가 코르치의 울음이 잦아드는 틈을 타서 조심스레 묻는다.

“형을 집행한다면 죄목을 어떻게 붙여야 할까요?”

"타타통가에게 기록해두라고 해. 자무카는 동생이 말을 훔친 죄를 인정하지 않고, 달란 발조드에서 전쟁을 일으켜 칸의 칙령을 거부했다. 또한 구르칸에 즉위하여 몽골을 둘로 쪼개어 같은 백성들끼리 피 흘리게 했으며, 이후에도, 타타르, 케레이트, 나이만 등과 연합하여 대적 전선을 만들어서 늘 푸른 군대를 들쑤시고 공격하여 한순간도 긴장을 풀지 못하도록 도왔다. 마지막으로 형제의 명예를 지켜주기 위하여 더불어 살자는 요청을 거절했다."

"그럼, 그렇게 알고 실행하겠습니다."

"끝으로 부탁할 게 있는데, 죽을 때 피를 쏟지 않고, 그의 육신이 맹수와 새의 먹이가 되지 않도록 곱게 매장하되, 장례식을 칸의 혈육에 맞추어서 예우해주었으면 좋겠어."

당일, 자다란 족에서 많은 사람들이 나와 있었다. 영결식이 진행되는 언덕 위에는 다른 부족의 사람들도 많이 나와서 도열하여 애도의 기가 바람에 흐느끼듯이 펄럭이게 했다. 모든 절차는 보오르추의 판단에 의해서 일사천리로 결정되었고, 몽골 최고 귀족의 수준에 맞게 최상의 예우가 갖추어졌다.

언젠가 자무카의 큰무당이었던 코르치가 정성을 다해 집전하는 모습은 한없이 숙연했으며, 유족을 대신하여 나선 처여는 관이 운구될 때 전갈 깃발을 부둥켜안고 얼마나 소리 높여 울었던지 보는 이의 눈시울이 뜨거워서 고개를 똑바로 세울 수가 없었다. 또한, 자무카의 말에는 상복이 입혀지고, 코르치가 북을 두드릴 때 새들이 검은 숲을 잔잔히 흔들고 풀들도 흐느끼듯이 낮게 엎드려 있었다.

유해는 검은 숲에서 가까운 다다르트 산기슭에 묻기로 했다. 코르치가 수리매의 도움을 받아 아침 해가 가장 먼저 비추는 양지바른 곳이며 산의 정상이 한눈에 보이는 곳을 찾아냈다. 살아 있는 사람의 목소리가 그곳에 떨어지면 부정을 탄다 하여 아무도 숨소리조차 내지 못하도록 하고 장지를 썼다.

몸은 곧은 상태로 위로 향하게 눕혔으며 자작나무 껍질로 정성껏 감쌌다. 위대한 군인이었음을 기념하여 자작나무 껍질로 된 활통에는 세 개의 각기 다른 모양의 화살을 담아서 머리맡에 두었다. 머리 오른쪽에는 하늘로 돌아가는 먼 길에 배고프지 않도록 살이 토실토실 오른, 어미가 둘인 두 살배기 양을 먹을거리로 놓아두고 칭기스칸이 직접 나무손잡이 칼을 놓아주었다. 머리 왼쪽에는 두 개의 등자와 자무카의 말에 붙어 있던 쇠붙이들을, 그리고 그 아래에는 춥지 않도록 철로 된 화로를 놓았다.

땅에 묻히기 전에 마지막으로 칭기스칸이 몸에 두르고 있던 금띠를 풀어서 시신 위에 얹었다. 여섯 개의 꽃잎에 꽃무늬 장식이 스물여덟 개, 동체의 연결부뿐 아니라 버클 부분까지 순금으로 되어 있는, 산수, 산양 뿔 모양으로 장식한 최고의 귀중품이었다.

"다행이야. 몸이 상하지 않았구나!"

칭기스칸이 주검을 만지면서 무슨 말을 더 하려다가 감정이 북받치는지 입을 꼭 다물어버렸다. 자무카의 입에서 '사나이들의 우정은 산을 강처럼 흐르게 할 수도 있고, 사나이들의 다툼은 해와 달이 부딪쳐 하늘이 깨지고, 금이 가게 할 수도 있다!'는 말이 울려와 귓전에 쟁쟁거리는 것 같았기 때문이다.

자무카와 함께, 언젠가 나코 어른이 메르키드에서 발견한, 자무카가 그토록 사랑했던 백마도 묻혔다. 코르코낙에서 세번째로 의형제를 맺을 때 테무진이 선물한 말이었다. 백마는 모든 사연을 안다는 듯이, 자신이 묻히는 줄 알면서도 삽으로 흙을 메우는 동안에도 소리를 지르거나 뛰쳐나오지 않고 자무카의 옆자리를 끝까지 지켰다. 고인의 시신은 관에 담기고 무덤은 흙에 덮여 작은 언덕으로 변했지만, 사람들은 그의 영혼이 편안하게 하늘로 올라갔다고 믿었다. 그가 사용했던 모든 물건에도 혼이 깃들어 있다고 여겨 고인이 쓰던 옷과 물건, 가벼운 장식품들도 태워서 하늘로 보냈는데, 이는 고인의 손자국에 묻은 혼을 연기에 실어서 주인 곁으로 올려 보내는 의식이었다. 하지만 끝까지 자무카를 따라가지 못한 한 사람, 처여는 뒤에 남아서 나무 그릇이 넘치도록 술을 채워 남쪽을 향하여 무릎을 꿇고 세 번 절을 하고 술로 세 번 고수레를 했다. 불의 신에게 바치는 고수레였다. 그리고 울음 섞인 소리로 자무카의 시를 외워 허공으로 날린다.

낮에 참새에게 먹힌 메뚜기의 혼이 밤에 독수리의 이마에 뜬다

살아 있는 것들의 숨소리로 가득 찬 신령스런 두려움이여

하늘로 난 창을 가진 유목민 집에 옛날에 잃어버린 발자국들이 한없이 온다

내 목소리는 이미 지워진 대낮 속에 놓여 있다

이렇게 해서 자무카를 구성했던 물질들은 흔적도 없이 사라졌다.

장례식을 마치고 칭기스칸은 사흘 동안이나 얼굴을 태양 아래로 내밀지 않았다. 그동안 칸의 게르에 들락거릴 수 있는 사람은 보오르

추뿐이었다. 그러나 보오르추 역시 침울한 표정을 하여 아무도 말을 걸 수 없었다.

그리고 계절이 또 한 번 바뀌었다. 쿠두 아랄은 전례 없는 평화 속에 가축만 살이 오른다. 꽤 오래 두문불출하던 칭기스칸이 다시 얼굴을 보이게 된 것은 막내왕비 훌룽 때문이었다. 그해 늙은 여름의 어느 오후에 두번째 소나기가 지나간 끝에 모처럼 아주 밝고 명랑한 웃음소리가 칸의 게르에서 까르르 까르르 쏟아져 나와 먼 데까지 퍼져나간다. 보오르추가 무슨 일인가 싶어 덮개문을 열었다가 얼른 닫아버렸다. 칸이 훌룽의 머리를 무릎에 얹고 눈에 입을 맞추고 있었다. 마른 쇠파리가 훌룽의 눈에 들어간 것이다.

칸은 젖통 호수에서 살던 시절에 마른 쇠파리에게 얼마나 시달렸던지, 초원의 마른 쇠파리에 대해서 누구보다도 잘 알았다. 마른 쇠파리는 제법 귀엽게 생겼지만 사람이나 가축의 눈에 들어가면 순식간에 알을 수십 개씩 퍼뜨려 시력을 멀게 하는 무서운 날벌레였다. 그래서 흉노 이래의 민간요법에 따라 칭기스칸이 훌룽을 무릎에 얹고 흰자위와 검은 동자를 가리지 않고 눈망울을 혀로 싹싹 핥아서 깨끗이 씻어주었다. 그러다 문 쪽에서 인기척이 있었던 것 같아서 일어서려고 할 때 훌룽의 손에 소매가 걸려서 그만 앉혀지고 말았다.

"에구머니, 죄송합니다."

"괜찮다."

하지만 표정이 몹시 어두웠으므로, 훌룽은 자신의 행동거지가 가벼워서 생긴 문제인 줄 알고 몹시 황송해했다. 그것이 자무카를 잃은 가슴앓이라는 것은 결코 이해하지 못했으니, 그녀는 잔뜩 근심스런 얼굴로 다시 사죄해 올린다.

"죄송합니다. 하지만 제가 마음속으로 칸을 깊이 존경한다는 것은 아실 겁니다."

"괜찮다는데 그러느냐."

"제 눈에는 아직도 비가 되어서 내리지 않은 구름이 칸의 마음속에 남아 있습니다."

칭기스칸이 그렇지 않다는 것을 보여주려고 호기를 부려본다.

"눈 덮인 알타이의 열세 봉우리를 거쳐 영원한 슬픔에 젖어서 가는 황금 말을 탄 여신이여. 보르칸 산을 굽이굽이 타고 내려온 오논 강의 남신이 곁에 있으리."

칭기스칸이 어머니에게도, 버르테 앞에서도, 보오르추, 젤메에게도 보여준 적이 없는 애교스런 몸짓을 보인 것이다. 홀룽에게는 이렇게 사람의 마음을 무장 해제시키는 능력이 있었다.

"칸! 제게 손금 한번 보여주세요."

"싫다. 운명은 남에게 보여주지 않는 법이야."

"그런데 그런 훌륭한 말들을 다 어디에서 배웠습니까?"

칭기스칸이 잠시 뜸을 들였다. 눈망울에 슬쩍 반짝이는 빛이 스쳐 간 것을 홀룽은 예리하게 포착하여 아직까지 누구도 본 적이 없는 칸의 눈물을 자기는 몰래 훔쳐보았다고 생각했다.

"하하. 내게 많은 것을 주고 간 사람이 있었다. 끝없이 굽이치는 바다처럼 넉넉한 초원도 더럽히지 않으려고 조금 일찍 떠났어. 이름은 자무카! 엄청난 대장부가, 그러나 자신과 싸워서 이기지 못하고 패했단다."

이듬해 봄, 칭기스칸은 대몽골제국을 선포하고 대칸으로 즉위하였다. 그와 함께 초원의 삶도 병영체제로 유지되던 쿠리엔 식 유목이 해체되고 아일 식 유목이 생겨나기 시작하였다. 예전에 혈연을 중심으로 폭력을 행사하던 부족, 씨족 공동체는 해체되어 모두 천호제의 구성원으로 재편되었다. 또한 대칸의 역사에 함께한 평민과 종 출신의 동지들이 초지사용권을 획득하여 새로운 귀족으로 승격되고, 중앙권력은 귀족 자녀들과 능력이 뛰어난 지휘관 후보자들로 조직된 친위대의 무장력으로 유지되었다. 뿐만 아니라 칸의 대법령이 선포되어 백성들은 법으로 다스려지고, 국가의 대소사는 쿠릴타이라는 유목민대표자회의에서 결정되었다. 이로써 칭기스칸은 자연 경제에 손 하나 대지 않고도 강도, 절도, 약탈, 내부 갈등의 위험 비용을 없앰으로써 평민의 가축을 엄청난 양으로 늘려버렸다. 하지만 초원에는 주기적으로 조드가 닥쳐서 초지당 가축 비율이 일정 한도를 넘지 못하도록 자연적 기후 변동으로 수천 마리의 가축을 한순간에 잃는 재앙을 입고는 했다. 초원의 통일만으로는 안정이 확보될 수 없었던 것이다. 그것이 유목민으로 하여금 언제나 푸른 하늘이 내려준 대지 전체를 바라보며 살게 한 이유가 되었다.

『조드 - 가난한 성자들』을 쓰게 된 동기 및 경위를 밝혀두고자 한다.

1

인류가 근대를 환멸하기 시작한 지는 오래되었다. 서울도 20세기의 틀을 21세기의 방식으로 바꾸느라 상당히 소란한 세월을 보냈다. 그 일각에서 문학도 '탈근대' '탈냉전' '탈이데올로기' 공사로 얼마나 바빴는지 모른다. 나는 그 방향이 조금 자폐적이었다고 생각하는 편이다. '탈'이라는 글자는 우리를 대지로 돌려보내는 게 아니라 이상하게 유럽 정신의 골짜기 속으로 더욱 밀어 넣는다. 그래서 과거사와 단절되고, 자연에서 멀어지며, 목적지의 반대편으로 걷게 되는, 이 답답한 사변적 회로를 벗어나고 싶었다. 그때 소설을 쓸 수 있다는 것은 얼마나 큰 위안인가.

유럽중심주의를 극복하자고 말하기는 쉽지만 그에 값할 인류사 상(像)을 얻기는 어렵다. 낡은 역사관을 대체할 그림이 있어야 새로운 역사관이 들어설 수 있을 것이다. 그래서 '보다 바른 세계사 상'을 찾으려는 노력에 나도 동참하고 싶었다. 소재가 국경을 벗어난 점도, 시대적 배경이 먼 것도 개의치 않았다. 가톨릭과 비(非)가톨릭 정신이 각축하는 성곽의 중세가 아닌, 이동문명과 정착문명, 농경민과 유목민의 충돌을 야기한 광야의 중세를 그리려는 의지는 21세기 정신의 산물이다. 특히 근대적 가치관이 주목하지 못한, 보다 광활한 세계에 부합하는 인간형을 필요로 하는 것은 무엇보다도 바로 지금 우리의 '현실'이다.

2

오리엔탈리즘은 오리엔트의 외부에서 태어난다. 오리엔탈리즘이 문제가 되는 것은 상대방을 미적으로 섬기면서 실존적으로는 깔보는 이중성 때문이다. 정착문명의 사람들이 초원의 역사를 먼발치로 보면서 쏟아내는 낭만적인 감정들도 그런 혐의를 받을 수 있다. 실제로 12세기의 역사에서 지상의 삶에 대한 생태학적 고민을 읽지 못하는 디지털 도시의 '노마디즘'은 옛 오리엔탈리즘의 현대판 유령이 될지 모른다. 글자도 몰랐던 야만적인 인물(칭기스칸)이 거대 정착문명을 하나씩 접수한다는 '스펙터클'은 매혹적일지 모르지만 실재했던 현실과는 많이 다른 것이다. 수많은 전쟁영웅서사들이 인류에게 가장 광범한 영향을 미친 한 인간의 '모럴'을 그런 오락적 호기심 속에 파묻어 버렸다.

12세기, 13세기 지구사를 흔든 전무후무한 역사 의지는 '조드'에서 잉태되었다는 게 나의 생각이다. '조드'란 쓰나미의 반대편에서 생기는 자연재앙의 하나이다. 지구가 힘들면 물만 화를 내는 게 아니라 가뭄과 추위도 화를 낸다. 그것이 대지를 정화하고 사막화를 막으며 지상의 생명체들로 하여금 새로운 내성을 갖도록 촉구한다. 인간은 문명을 강화하여 그런 시련과 대면하지 않으려고 애쓰지만 자연을 피할 수는 없는 노릇이다. 12세기의 초원에 버려진 한 소년이 파란만장한 생존투쟁을 통해 당대 정착민들이 꿈꾸던 '가공된 유토피아'를 뒤집어버린 사실을 인류는 잊지 말아야 한다. 그 사람 테무진의 가치관이 '칭기스칸제국의 체제정신'과 다르다는 확신이 들어 소설을 썼다. 팍스몽골리카는 가장 유목민적으로 살다 간 한 영혼의 파장이 얼마만한 권능을 만들어내는가를 증명하는 대신에 그의 고독하고 우울한 실존적 세계를 암장(暗葬)시킨 무덤이 된 듯이 보인다.

3

몽골을 찾아다니기 시작한 것이 10년이 넘지만 다시 집필도구를 챙겨서 현지에 닿아보니 전혀 낯선 세상처럼 보였다. 그때의 실감을 놓치지 않기 위해 고원의 바람을 되도록 많이 쐬고 다녔다. 1년간의 작업이 끝났을 때 친구들의 이름이 잘 생각나지 않았다. 머릿속에서는 아직도 중세의 유목민들이 뛰어다닌다. 한국의 독자들이 체험해온 상식세계와 다른 것들이 많아서 각주를 붙여볼 생각도 했지만 호들갑스러울까 봐 그만두었다. 그래도 지명, 인명 등에 대해서는 언급해두겠다. 고유명사 표기에 일관된 원칙을 두지 않았다. 칭기스칸의 한국어 표기법이 어떤 맥락에서 '칭기즈칸'이 되었는지 나는 알지 못한다. 나머지 인명들도 한국어로 읽을 때 독자에게 닿는 뉘앙스가 내 것과 비슷하길 바라는 마음으로 조금씩 각색하였다. 번역본에서는 12세기 몽골 발음을 살렸으면 좋겠다.

몽골 일간지에 연재하자는 제안을 받았는데 한국에서 시간을 지키지 못했다. 약속이 늦어졌지만 실제 유목민들이 읽고 난 소감을 꼭 들어봤으면 좋겠다. 예스24에서 연재할 때 응원해준 블로거들에게도 시간을 못 지켜 얼마나 미안한지 모른다. 응원해준 분들에게 엎드려 절하고 싶다.

추신 : 두 권으로 내는 이 책 『조드 - 가난한 성자들』은 테무진이 고원을 평정할 때까지의 시간을 그리고 있다. 이후 테무진이 대칸에 올라 죽음을 맞을 때까지의 이야기도 꼭 전하고 싶다. 아무쪼록 기회가 빨리 오기를 빈다.

2012년 첫 달에

김형수

조드 2

초판 1쇄 발행 2012년 2월 13일
초판 3쇄 발행 2012년 6월 20일

지은이 김형수
펴낸이 강병철
주간 정은영
책임편집 임자영
편집 황여정 최민석
제작 고성은 김우진
마케팅 조광진 장성준 박제연 이도은 전소연 김우리
E-사업부 정의범 조미숙 이혜미

펴낸곳 자음과모음
출판등록 2001년 5월 8일 제20-222호
주소 121-840 서울 마포구 서교동 396-33번지
전화 편집부 02) 324-2347 경영지원부 02) 325-6047
팩스 편집부 02) 324-2348 경영지원부 02) 2648-1311
이메일 munhak@jamobook.com
홈페이지 www.jamo21.net

ISBN 978-89-5707-604-0 (03810)
978-89-5707-605-7 (set)